DuMont Dokumente:

eine Sammlung von Originaltexten,
Dokumenten und grundsätzlichen Arbeiten
zur Kunstgeschichte, Archäologie,
Musikgeschichte und Geisteswissenschaft

D1539583

Hans H. Hofstätter

Geschichte der europäischen Jugendstilmalerei

Ein Entwurf

DuMont Buchverlag Köln

CIP-Kurztitelaufnahme der Deutschen Bibliothek

Hofstätter, Hans H.
Geschichte der europäischen Jugendstilmalerei :
e. Entwurf. – 6. Aufl. – Köln : DuMont, 1977.
(DuMont-Dokumente)
ISBN 3-7701-0246-0

N
6465
A 7
. H 6
1975

Nachdruck verboten. Alle Rechte vorbehalten
© 1963 by M. DuMont Schauberg, Köln
3., überarbeitete Auflage 1969
4. Auflage 1972
© der 6. Auflage DuMont Buchverlag, Köln
Druck: Druckerei Willi Frings, Köln
Buchbinderische Verarbeitung: Boss-Druck, Kleve

Printed in Germany   ISBN 3-7701-0246-0

Inhalt

07775

Einleitung

Die Erkenntnis, daß in der Kunst der Jahrhundertwende die Grundlage für eine Entwicklung gelegt wurde, die weit über unsere Gegenwart hinaus auch noch die Zukunft mit bestimmen wird, ist heute bereits Allgemeingut. Wenn es vor wenigen Jahrzehnten noch ein Risiko war, über Jugendstil zu sprechen und zu schreiben, so beginnt es heute Mode zu werden, sich mit diesem Stil zu beschäftigen. Auf dem Kunstmarkt erzielen Vasen und Möbel dieser Zeit bereits phantastische Preise und in Feuilletons glossiert man die Snobs, die sich bewußt unzeitgemäß-'jugendstilisch' einrichten. Obwohl selbstverständlich auch die Forschung und die Möglichkeit ihrer Publikation von solcher Mode getragen wird (es wäre unsinnig, diesen Zusammenhang zu leugnen), ist es eine ihrer wesentlichsten Aufgaben, an einer Klärung der herrschenden Vorstellungen über eine vergangene Epoche zu arbeiten. Denn wir sind noch weit davon entfernt, diese Zeit wirklich zu übersehen. Eine Fülle von Detailforschung wird später das zu korrigieren haben, was wir mit vorläufigen Ergebnissen heute als das Bild einer Epoche synthetisch aufbauen; aber dies ist der legitime Weg der Forschung, die auch mit lückenhaftem Material immer wieder eine Synthese versuchen und sich den Stand ihrer Kenntnis vergegenwärtigen muß.

Unser Material ist lückenhaft, weil die meisten Zeugnisse der in Frage stehenden Epoche noch verborgen sind. Zum größten Teil werden sie wohl – zumal in Deutschland – überhaupt nicht mehr zu Tage treten, da sie spätestens im zweiten Weltkrieg verlorengingen; der Jugendstil war damals so mißachtet, daß niemand auf den Gedanken kam, seine Werke – meist in Privatbesitz – in Sicherheit zu bringen. Eine sehr reiche Publikation dieser Werke in den Zeitschriften der Jahrhundertwende bietet dafür einen gewissen Ersatz, der teilweise durch die wenigen, in öffentlichem Besitz erhaltenen Werke kontrolliert werden kann. Wir sehen uns demnach bei der Bearbeitung dieser Epoche auf Methoden der Quellenforschung angewiesen, wie sie sonst nur bei sehr viel älteren Epochen der Kunstgeschichte notwendig sind; die dem Jugendstil vorausgehende Zeit des Impressionismus und der nachfolgende Expressionismus sind beispielsweise viel lückenloser an Hand originaler Werke rekonstruierbar.

Diese Situation aber hat der Jugendstil selbst mitbedingt; sie ist im Rhythmus seiner Entwicklung begründet. Denn es ist falsch, im Jugendstil so uneingeschränkt den Aufbruch zum zwanzigsten Jahrhundert zu sehen: er ist ebensosehr Abgesang des voraufgehenden neunzehnten Jahrhunderts. Und beides ist eng verknüpft und verschlungen. Von einer 'Revolution der Kunst', von der in diesem Zusammenhang so gerne gesprochen wird, kann keine Rede sein; der Jugendstil ist aufs engste mit der Tradition des neunzehnten Jahrhunderts verbunden, die er zwar kritisiert, von der er sich aber im wesentlichen nicht lösen kann. Diese Doppelheit und Zwiespältigkeit entspricht genau der geistigen Situation der Zeit, die die selbstgerechte Normalität des gründerzeitlichen Bürgertums flieht, aber bis auf wenige Ausnahmen zu neuer Zielsetzung noch nicht die Kraft findet. Alle Ansätze werden in dieser Zeit geschaffen, aber fast alle Konsequenzen daraus werden erst später gezogen.

Da der Jugendstil also nicht nur Aufbruch und Neuansatz war, sondern ebensosehr Ende und sterbendes Zeitalter in der typischen Verquickung des Fin-de-Siècle, trug er von vornehrein den Keim zu seinem Ende in sich. So wurde er als Stilepoche nicht einfach von einer moderneren Epoche abgelöst, sondern er wurde von der folgenden Generation bewußt und polemisch 'überwunden'. Die Gründe hierfür sind vielfältig, und wir werden später von ihnen zu sprechen haben, wenn wir versuchen, eine Vorstellung davon aufzubauen, was Jugendstil eigentlich ist.

Das Urteil, das die nächste Generation über ihre Vatergeneration verhängt, obwohl sie ihr fast alles verdankt, was sie besitzt, verdunkelt die Vorstellung vom Jugendstil über Jahrzehnte hinweg fast vollständig. Arbeiten dieses Stils wurden als Kitsch propagiert und sind verpönt. Es ist das Verdienst von wenigen Historikern, diese Werke wieder als echte, geschichtliche Leistungen erkannt zu haben; ihre Arbeiten sind so grundlegend, daß jede Beschäftigung mit dieser Epoche an sie wieder anknüpfen muß[1]. Die ersten Ansätze gibt ERNST MICHALSKI (1925); ihm folgt die erste grundlegende Untersuchung des Phänomens 'Jugendstil' von FRITZ SCHMALENBACH (1935), der seine Fragestellung zunächst auf formale Probleme eingrenzt und im Kunstgewerbe den Kern der Stileinheit erkennt. NICOLAUS PEVSNER (1936) faßt als erster den Jugendstil als internationale Gesamtentwicklung, wobei in seiner Forschungsarbeit der Hauptakzent auf der Architektur liegt. Wenige Jahre später veröffentlicht der Maler AHLERS-HESTERMANN (1941) vom Standpunkt des 'Augenzeugen' eine Schilderung der Epoche, in der erstmals alle Kunstbereiche als gleichzeitig am Stil beteiligt erkannt werden und das große Dreieck der Stilbeziehungen – England, Frankreich, Deutschland – fixiert wird. KURT BAUCH und dem von ihm geleiteten Schülerkreis verdanken wir die erste, im Überblick erfaßte Kunstgeschichte der Jugendstilbewegung (1959), in der zum erstenmal ein Bild der engen, internationalen Verflechtung entworfen und zugleich das Hauptanliegen des Stils verdeutlicht wird: alle Bereiche menschlicher Kultur zu durchdringen und von einem Zentrum her zu formen[2].

Wenn wir hier einen Abriß der Geschichte der Jugendstil-Malerei zu geben versuchen, so sind wir uns von vorneherein bewußt, daß wir uns auf einen engen Ausschnitt des Gesamtphänomens 'Jugendstil' beschränken. Wir müssen jedoch den 'Jugendstil' zunächst als Ganzes fassen, um zu bestimmen, was Malerei in dieser Epoche bedeutet; erst dann können wir die Malerei aus den engen Verknüpfungen herauslösen und gesondert behandeln.

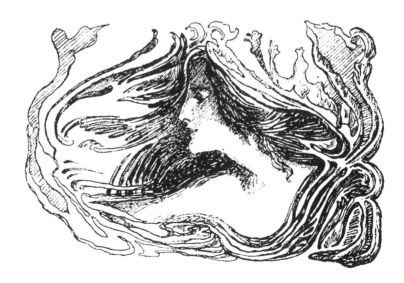

I Das Gesamtkunstwerk als Problemstellung

1 Positivismus und Gründertum

Der Jugendstil setzt mit seinen Argumenten am neuralgischsten Punkt der ganzen Kunstentwicklung des neunzehnten Jahrhunderts ein: dem Verlust des Gesamtkunstwerks. Somit steht er von vorneherein unter völlig anderen Bedingungen als die vorausgehenden Kunststile des neunzehnten und die nachfolgenden Stile des zwanzigsten Jahrhunderts, die sich in erster Linie an der Malerei oder an der Plastik ablesen lassen. Denn der Jugendstil begnügt sich nicht damit, Stil der Kunst zu sein, sondern er zielt von vorneherein auf die Formung des gesamten Lebensstils. Der geistige Raum, in den er dazu eindringen muß, ist der des weltanschaulichen Positivismus, der in Deutschland – und ähnlich in allen europäischen Ländern – eine kapitalistische Herrenschicht des sogenannten 'Gründertums' entstehen ließ. Diese beiden, einander bedingenden Komponenten, Positivismus und Gründertum (in ihrem Gefolge der Atheismus), sind Ergebnisse der weltanschaulich nicht zu bewältigenden, wissenschaftlichen Forschungen und Entdeckungen, sowie der zunehmenden Industrialisierung, die eine soziale Umschichtung bewirkt und eine wirtschaftlich starke Herrenschicht entstehen läßt, die geistig jedoch nicht zu führen vermag.

Der Positivismus, der in den Naturwissenschaften zu Ergebnissen führt, die unser heutiges, physikalisches Weltbild noch immer weitgehend bestimmen, führt auch in den Geisteswissenschaften zu Ergebnissen, die man keinesfalls verkennen darf: es ist die Zeit einer exakten, philologischen Quellen- und Grundlagenforschung, besonders auf dem Gebiet der Geschichtswissenschaften, und auch eine Zeit großer Sammeltätigkeit, in der die Museen entstehen. Aber das positivistische Wissenschaftsgebäude setzt sich aus einer Fülle von Einzelwissen zusammen, dem die Relation zum Ganzen fehlt. Man läßt nur das als wirklich und erkennbar gelten, was sachlich feststellbar ist. Wahrheit heißt für den Positivismus Tatsächlichkeit, Berechenbarkeit, Statistik. Die Welt wird allein erkannt, soweit sie sich berechnen läßt. Geschichte besteht ebenso aus reinen Tatsachen, Geschehnissen und Ereignissen, wie die Kunstgeschichte aus dem Leben des Künstlers (Biographie) und aus den von ihm geschaffenen Kunstwerken besteht. Die Sachgebiete verselbständigen sich dabei und schließen sich voneinander ab. Die daraus erwachsende Aufgabenstellung erfüllt die zeitgenössische Kunst auf zweierlei Weise: Einerseits wird die genaue Wiedergabe, die Reproduktion des Tatsächlichen als Sinn der Kunst erfaßt, die sich selber 'Naturalismus' nennt; andererseits werden die von der Geschichtswissenschaft als 'unvergängliches Erbe' erkannten Leistungen der Vergangenheit für die Gegenwart dienstbar gemacht, indem man sie kopiert und variiert. Man bezeichnet diese, aus der Romantik abgeleitete Richtung als 'Historismus'; KURT BAUCH definiert den Historismus als »positivistisch entartete Romantik«. Beide Bereiche, Naturalismus und Historismus, treten dabei oft in enger Verknüpfung auf: mit naturalistischer Akribie werden historische Szenen der mittelalterlichen Geschichte gemalt, oder es erfolgt die Übertragung einer Barock-Allegorie auf moderne Tatbestände, ohne Gefühl für den Widerspruch: so wird etwa das moderne Maschinenzeitalter durch ein detailliert gemaltes, unbekleidetes Weib personifiziert, das mit Zahnrad, Schraubenschlüssel und Hammer hantiert. Ebenso wie der innere Zusammenhang, die Bildlogik in einem solchen Produkt der Malerei gestört ist, ebenso ist die Beziehung der Kunstwerke untereinander gestört. Das Museum, eine typische Einrichtung des Positivismus, kann geradezu als Symbol für die Beziehungslosigkeit der Kunstwerke angesehen werden. So konnte es in dieser Zeit durchaus geschehen, daß ein gotischer Altar aus einer Kirche verkauft und in seine Bestandteile aufgelöst wurde. Die Flügelbilder wanderten in die Gemäldegalerie, die Figuren des Schreins kamen in die Skulpturensammlung und die Schnitzereien des Sprengwerks in ein Museum für Kunsthandwerk; das einzelne war ohne Sinn, einfaches und bloßes Sachgebiet[3].

Ähnlich sah es aber auch in der privaten Sphäre des Gründer-Menschentums aus, im bürgerlichen Salon, in dem die echte Bindung an die Vergangenheit, die diese kapitalistische Herrenschicht nie besessen hatte, durch Maskerade ersetzt worden war, die Wohlstand ausdrücken sollte (Abb. 1). Wir besitzen aus der Feder von EGON FRIDELL eine unnachahmliche Schilderung solcher Tatbestände:

»An den Interieurs irritiert zunächst eine höchst lästige Überstopfung, Über-
ladung, Vollräumung, Übermöblierung. Das sind keine Wohnräume, sondern
Leihhäuser. Zugleich zeigt sich eine intensive Vorliebe für alles Satinierte:
Seide, Atlas und Glanzleder, Goldrahmen, Goldstuck und Goldschnitt und für
laute, beziehungslose Dekorationsstücke: vielteilige Rokokospiegel, vielfarbige
venezianische Gläser, dickleibiges altdeutsches Schmuckgeschirr; auf dem Fuß-
boden erschreckt ein Raubtierfell mit Rachen, im Vorzimmer ein lebensgroßer,
hölzerner Mohr. Ferner geht alles durcheinander: im Boudoir befindet sich eine
Garnitur Boulle-Möbel, im Salon eine Empire-Einrichtung, daneben ein Speise-
saal im Cinquecento-Stil, in dessen Nachbarschaft ein gotisches Schlafzimmer.
Hiermit im Zusammenhang steht ein auffallender Mangel an Sinn für Sachlichkeit, für Zweck; alles ist nur zur Parade da. Wir sehen mit Erstaunen, daß der
bestgelegene, wohnlichste und luftigste Raum des Hauses, welcher 'gute Stube'
genannt wird, überhaupt keinen Wohnzweck hat, sondern nur zum Herzeigen
für Fremde vorhanden ist. Wir erblicken eine Reihe von Dingen, die trotz
ihrer Kostspieligkeit keineswegs dem Komfort dienen: Portieren aus schweren,
staubfangenden Stoffen wie Plüsch und Samt, die Türen verbarrikadieren und
schöne, geblümte Decken, die das Zumachen der Laden verhindern. Bild-
geschmückte Fenstertafeln, die das Licht abhalten, aber romantisch wirken und
Handtücher, die zum Abtrocknen ungeeignet, aber mit dem Trompeter von
Säckingen bestickt sind. Und als Krönung und Symbol des Ganzen das ver-
logene Makartbukett, das mit viel Anmaßung und wenig Erfolg Blumenstrauß
spielt.«[4]
Was für den privaten Lebensraum gilt, spielt sich auch in der übergeordneten
Gemeinschaft ab: die industrielle Entwicklung bedingt ein Größerwerden der
Städte, für das der Ausdruck des Wachstums unangebracht ist, da dies nicht nach
organischen Gesetzen, sondern völlig planlos erfolgt. Wie diese Zeit keine Zu-
ordnung der Künste untereinander kennt, so kennt sie auch nicht den Zusammenhang zwischen dem einzelnen Haus und dem Stadtbild. Der Liberalis-
mus räumt dem Individuum ein Maximum an Freiheit ein; es gibt keine Beschränkung dieser Freiheit – weder durch eine übergeordnete Planung, noch
durch eine freiwillige Anpassung an nachbarliche Gegebenheiten. So wuchern
diese Städte planlos und ohne Gliederung; Häuser und Straßen verbreiten sich
wie ein Ausschlag über die Landschaft.
Diese Entwicklung der Isolierung des selbständigen Einzelwerks erreicht

ihren Höhepunkt zwischen 1870 und 1900; sie setzt sich jedoch noch weit ins zwanzigste Jahrhundert hinein fort, besteht weiter, wenn wir genau zusehen, bis auf den heutigen Tag. Aber wenn SEDLMAYR den Höhepunkt der Entwicklung im ersten Jahrzehnt annimmt und dann von einer rasch fortschreitenden weiteren Auflösung des Zusammenhangs der Künste schreibt, so übersieht er jedoch, daß zu diesem Zeitpunkt bereits Kräfte gesammelt worden sind, die dieser Auflösungs- und Isolierungstendenz entgegenarbeiten und eine neue Form des Gesamtkunstwerks zu verwirklichen beginnen.

2   Rückbesinnung auf die europäische Tradition

Diese Kräfte erwachsen aus der Tradition und zwar zunächst von einer Seite, von der man sie am wenigsten wahrhaben möchte: aus dem Historismus. Die ganze neue Entwicklung nimmt Stellung gegen ihn, obwohl sie ihm ihre wesentlichsten Argumente verdankt. Denn der Historismus sammelt die sich zersplitternden Formen zu einer Stileinheit und macht sie populär. Auf dieser Grundlage konnte dann später auch der Jugendstil Fuß fassen; denn da es den Bürgern jener Zeit selten möglich war, ihr altes Mobiliar abzuschaffen und sich neu – im Jugendstil – einzurichten, so trat doch sehr häufig zu einem gotischen, einem Renaissance- oder einem Rokoko-Salon auch noch das neu möblierte Jugendstil-Zimmer hinzu. Dies wurde bald zu einer Forderung der Mode, wie diese wenige Jahre vorher noch das sogenannte zweite Rokoko gefordert hatte. Freilich zeigen sich darin Tendenzen, die nicht in der Absicht des neuen Stiles lagen und die ihn auch bald seinem Untergang entgegenführten, aber wir müssen auch diesen Weg des Jugendstils, der für ihn gleichwohl charakteristisch ist, von vornherein im Auge behalten, wollen wir die Entwicklung als Ganzes richtig sehen.

Besonders in England bewies der Historismus eine echte Lebensnähe, wie sie auf dem Festland mit seiner Neigung zum Formalismus nie bestanden hatte. Englische Kunst, vor allem die Gotik, war immer eine Art von 'Heimatkunst' geblieben und hatte den Zusammenhang mit dem Volkstum nie aufgegeben.

1   Knut Eckwall, Er spricht mit Mama. Um 1880

Als sich der Industrialismus in England auszubreiten und durchzusetzen begann, kam deshalb von dieser Grundlage her die Gegenreaktion. WILLIAM MORRIS (1834–1896), der dieser Bewegung zum Durchbruch verhalf, war Kunsthandwerker aus weltanschaulicher Überzeugung. Als Gegner der kapitalistisch aufgebauten Industriewirtschaft war er Sozialist und sammelte mit seiner Kunstanschauung eine Gemeinde um sich. Er wollte eine gemeinschaftsbildende Kunst, wollte mit ihr einen neuen Menschen, eine neue Menschheit formen.

In seiner Person verwirklichte er beispielgebend die kulturelle Einheit, die er forderte: Er dichtete und schrieb seine Bücher; er zeichnete dazu den Buchschmuck, entwarf die Zierleisten und Initialen und illustrierte den Text mit eigenen Holzschnitten; er setzte und druckte die Bücher selbst; er entwarf kunstvolle Bucheinbände und band die Bücher selbst, die er schließlich auch auf den Märkten – wie es im Mittelalter üblich war – selber verkaufte. In seinen Werkstätten entstanden Bildteppiche, Gebrauchstextilien, Tapeten und Möbel.

So setzte sich Morris für eine Gesamtheit der Künste ein, versuchte eine 'Einheit von Kunst und Leben' herzustellen – oder besser gesagt: wieder herzustellen – an der das ganze Volk teilhaben sollte. Kunst muß »vom Volk gemacht sein, für das Volk, als eine Beglückung für den Hersteller und den Nutznießer«[5]. Sein Leitbild war das mittelalterliche Zunftwesen, sein Ideal die gotische Kathedrale: sie war ihm Symbol für die Zusammenarbeit aller Künstler als Handwerksleute. Aber sein Ziel war: diese Zusammenarbeit der Künste an den Wohnraum zu binden, also unmittelbar an die tägliche Umgebung des Menschen.

Seine Räume betonen in aller Einfachheit die Tradition; dennoch sind es Räume, die in sich eine Gemeinschaft von Menschen beherbergen können, ohne daß der Sinn ihres Zusammenseins von Äußerlichkeiten gestört wird. Für diesen Neubeginn einer Gemeinschaft von Künstlern, die das Gesamtkunstwerk von vornherein plant, ist es wesentlich, daß sie nicht mehr unter dem Zeichen einer religiösen oder aristokratischen Gemeinschaft steht, die ihren Bestrebungen als Ordnungsmacht Ziele setzen könnte, sondern unter dem Zeichen eines liberalen Sozialismus. Ihre Tendenzen, Sozialismus und Wohnungsbau, künden

2 Georges Seurat, Ein Sonntag-Nachmittag auf der Insel Grande Jatte. 1884–86

eine zukunftswirksame Verbindung an und sind einer der wichtigsten Wege, auf dem in moderner Zeit ein Gesamtkunstwerk verwirklicht werden kann.

William Morris schränkte seine Wirkung selbst dadurch ein, daß er gegen den industriellen Fortschritt opponierte und glaubte, ihn aufhalten zu müssen. Aus den gleichen weltanschaulichen Gründen, aus denen ihm eine Erneuerung des mittelalterlichen Handwerkbetriebes vorschwebte, lehnte er die Maschine ab. Daraus ergab sich eine verhängnisvolle Diskrepanz: Während die Industrie bereits den Massenbedarf durch eine billige Massenproduktion zu befriedigen begann, hielt Morris an den Arbeitsmethoden der manuellen Herstellung fest und erreichte damit gerade das, was er eigentlich vermeiden wollte: die Isolierung des Künstlers, der gegenüber der industriellen Produktion seine handgefertigten Gegenstände nur für einen kleinen Kreis von Auserwählten – und das heißt in diesem Fall: für teures Geld – herzustellen vermag.

Das war im Grunde das Gegenteil von dem, was Morris als Sozialist erstrebt hatte, aber es war die Konsequenz seiner Methode. Für die Entwicklung der neuen Idee vom Gesamtkunstwerk fällt jedoch weniger ins Gewicht, daß die Form, in der dies geschah, scheitern mußte. Die Idee war geboren und trug weiter.

Wir finden bei Morris Züge, die auch den Jugendstil bestimmen werden und wir wollen sie deshalb nochmals festhalten: Es ist seine enge Verknüpfung mit dem Historismus, denn seine Formensprache ist romantisierend gotisch. Ferner die Idee einer Gemeinschaft der Künste auf der Grundlage des Handwerks; dies bedeutet Verzicht auf individualistisches Schöpfertum, auf jedes ‘Geniewesen’ und fordert eine überpersönliche Grundlage, auf der die Arbeit eines jeden beruht. »Dieses Gerede über Inspiration ist reiner Unsinn«, sagt Morris, »so etwas gibt es nicht! Es ist eine rein handwerkliche Angelegenheit«[6]. Beispielgebend ist ferner die Arbeit des Künstlers auf allen Gebieten der Kunst und des Kunstgewerbes gleichzeitig: es gibt kein Spezialistentum mehr, keine Sachgebiete, keine Rangstufen unter den Künstlern. Alle Arbeit aber wird bestimmt von der Absicht, auf den Menschen, der diese Kunst sich zu eigen macht, bewußt zu wirken: sein Leben zu verändern.

Die Idee eines solchen Auftrags an den Künstler wird im neunzehnten Jahrhundert immer wieder ausgesprochen, schon vor Morris: es ist eine der tragenden Ideen romantischen Künstlertums. Künstlergemeinschaften bilden sich, um diesen Auftrag zu verwirklichen: die Lukasbrüder, die Prae-Raphaelite

Brotherhood, die Schule von Barbizon – sie alle setzen ihre Interessen betont gegen die bürgerliche, profan denkende Gesellschaft, ohne diese jedoch mit ihrem Anruf auch nur zu erreichen. Erst gegen Ende des neunzehnten Jahrhunderts, wo die Kritik an der bürgerlichen Gesellschaft von allen Seiten erhoben wird, findet diese Haltung des Künstlers das Echo, das sie braucht, um selbst verändernd auf das Zeitbild einzuwirken.

VAN GOGH, der eine Zeitlang in London Kunsthändler war und dort das Geschäftshaus von Morris kennengelernt hatte, brachte dessen Ideen mit nach Paris. Hier hatte man bereits auf den Weltausstellungen die Bekanntschaft der Präraffeliten und der englischen Kunstgewerbebewegung 'Art and Craft' gemacht und zeigte sich diesen Ideen aufgeschlossen, besonders im Kreis der Maler um EMILE BERNARD und PAUL GAUGUIN. Diese Künstler wollten mehr als nur Bilder malen: mit der Gründung ihrer Künstlergemeinschaften in Pont-Aven und Pouldu wollten sie gleichzeitig einen neuen Lebensstil begründen. Ihr Ausweichen aus der Großstadt Paris war positive Kritik: sie konnten das bürgerliche Leben der Bourgeoisie nicht verändern, aber sie konnten ihm etwas entgegensetzen, was stark genug werden sollte, um auf diese zurückzuwirken.

Eine solche Zielsetzung ist für eine Künstlergemeinschaft zu dieser Zeit – trotz der Tradition, in der sie steht – noch außergewöhnlich. Neu ist, daß eine Gemeinschaft von Malern mit einem gesellschaftlichen und pädagogischen Anspruch vor die Öffentlichkeit tritt und ihr vor Augen hält, daß die Einheit des bisher tragenden Lebensstils abhanden gekommen sei und man an der Zivilisation zugrunde zu gehen drohe, wenn man sie nicht vom Ursprung her erneuere. Neu ist ferner in dieser Entschiedenheit, daß Künstler sich nicht nur um einen neuen künstlerischen Stil, eine neue Malweise bemühen, sondern daß sie das Leben von Grund auf neu durchformen wollen. Darin aber liegt auch die Problematik dieser Erneuerung, die ein typisches Kind des neunzehnten Jahrhunderts bleibt und mit ihm zugrunde gehen muß: daß sie von der Kunst her konzipiert ist!

PAUL SÉRUSIER, der wie fast alle Künstler dieser Zeit seine Kritik auch publizistisch ausdrückt, betont, daß durch falsche Erziehung sowohl dem Künstler, wie seinem Publikum ein echtes, aus der Gegenwart wirkendes Stilgefühl abhanden gekommen sei. Die historisierende Erziehung schaffe nur die Vorstellung von vergangenen, längst zu Ende entwickelten Stilformen, deren

Nachahmung – noch dazu bei modernen Aufgabenstellungen, die dem historischen Stil gar nicht angemessen sein können – zu einer chaotischen Zersplitterung, zum Ende der Kunst überhaupt führen müsse. Es wäre erforderlich, in der Kunst wieder eine allgemeinverbindliche Sprache zu finden, wie man sie am reinsten in den Werken einfacher, unverdorbener Menschen finde, bei denen Kunst und Leben noch eine Einheit bilden[7].

Auf Grund dieser Haltung wird jetzt die europäische Volkskunst entdeckt und zum erstenmal in ihrer Ausdruckskraft auch von den Stadtbewohnern erkannt; aus derselben Haltung erfolgt gleichzeitig die Begegnung mit der Kunst primitiver Völker. Es wäre völlig falsch, darin mit Sedlmayr ein Symptom der 'Deshumanisierung' zu sehen, wenn er davon spricht, die Hinwendung zu primitiver Kunst richte sich »bewußt oder unbewußt nicht nur gegen das im engeren Sinne humanistische Bild vom Menschen, sondern gegen den Menschen überhaupt«[8]. Der Grund ist im Gegenteil der, daß hier allein noch eine von der Natur bestimmte, tragende Ordnung empfunden wird, die *jeder* Lebensäußerung der Menschen – und nicht nur der künstlerischen – einen einheitlichen Impuls verleiht und dem *gesamten* Leben als Grundlage dient. Und dies ist auch das Ziel der neuen Bewegung: den Menschen und seine künstlerische Äußerung wieder in den Zusammenhang des *Ganzen* zu stellen, im Gegensatz zur Isolierung des Individuums und seines Erzeugnisses, wie es im Positivismus geschehen war. Man muß diese Gesichtspunkte im Auge behalten, wenn man den Jugendstil später verstehen will.

Die Künstlergemeinschaft, die sich in der Bretagne um Bernard und Gauguin sammelte, suchte diese Ideen dadurch zu verwirklichen, daß sie das ganze Leben vom Künstlerischen her erlebte. Neben ihrer Arbeit halfen sie den Bauern auf dem Feld und in den Scheuern beim Dreschen, sie tanzten auf den Hochzeiten mit und waren auch einer Schlägerei mit Matrosen nicht abgeneigt, die dann meistens durch die Bärenkräfte Gauguins entschieden wurde. Und sie erlebten vor allem eines: das urtümliche Gefühl des Bauern für Religion, in die er sein ganzes Dasein eingebettet weiß. Manchem der Künstler half dieses Erlebnis sogar, den verlorenen Glauben wiederzufinden.

So kehrt in den Bildern dieser Künstler all das wieder, was sie in ihrer bretonischen Umwelt erlebten: Bilder von der Arbeit auf dem Feld, das Hüten der Tiere auf der Weide, vor allem Bilder vom Ernten und Pflücken, vom sonntäglichen Kirchgang, den Marien-Prozessionen und vom Tanz und Spiel der

Frauen und Mädchen auf der Dorfwiese. Die tägliche Umgebung, angefangen vom Speisezimmer der Pension Gloanec, in der die Künstler billig lebten und die mit Bilderzyklen aus dem Leben der Bauern geschmückt wurde, bis zur Möblierung, den Schränken und Stühlen, den Messergriffen, den Holzpantoffeln, Spazierstöcken und Staffeleien wurde alles demselben Gestaltungswillen unterworfen. Sogar Fenster und Glastüren wurden bemalt. Besonders Schränke und Truhen, die geschnitzt und bemalt wurden, zeigen das Motiv, das im Leben und Fest der Bretonen eine bedeutungsvolle Rolle spielt: das Pflücken und Ernten, das dem Gedanken des Aufbewahrens vorausgehen muß und über das Motiv der Fruchtbarkeit hinaus den Zusammenhang mit dem Leben selber herstellt. Gesamtkunstwerk also nicht nur von der gemeinsamen Form, sondern auch vom Gedanken und vom Inhalt her.

3 Neue Gesellschaftskunst

An diese Entwicklung knüpft ein Künstler an, der für unser Jahrhundert von ganz entscheidender Bedeutung werden sollte: der Belgier HENRY VAN DE VELDE. Er geht von zwei Richtungen aus: von der kunstgewerblich-handwerklichen des William Morris und von der symbolistisch-malerischen Richtung Gauguins und Bernards, die er teilweise auch durch die Vermittlung des französischen Malers LOUIS ANQUETIN, der als Gast der Künstlergruppe 'Vingt' in Brüssel ausstellt, kennenlernt. Durch die von van de Velde vollzogene Synthese zwischen der kunstgewerblichen Schule der Engländer und dem Symbolismus der Franzosen erhält der Jugendstil eine eigene Richtung. Auch van de Velde ist Architekt, Maler, Kunstgewerbler in einer Person; dazu ein hervorragender Pädagoge, der nicht nur durch seine Schöpfungen, sondern ebensosehr durch seine Lehre großen Einfluß auf die junge Generation Europas gewinnt.

Er befreite sich sofort von allem, was an Morris noch romantisch war, wie der Gebrauch gotischer Formen und die ganze Vorstellung von altmeisterlicher Überlieferung. Morris hatte die Maschine abgelehnt; van de Velde sah gerade in der industriellen Erzeugung die Zukunft und darin für sich die Aufgabe. Er wollte solche Formen schaffen, die eine industrielle Vervielfältigung erlaubten. Aber wie für Morris war auch für van de Velde der Wohnraum des Menschen die Keimzelle jeder künstlerischen Gestaltung. Und gerade hier, wo der Historismus jeden persönlichen Geschmack, jedes individuelle Stilgefühl erstickt hatte, setzte seine Arbeit ein.

Ein solcher Wohnraum van de Veldes zeichnete sich durch ein sorgsam abgestimmtes Spiel von Linien und Farben aus. Aber nicht Einzelformen klingen zusammen, sondern das Ganze ist Form, hat Gestalt. So antworten etwa konkav geschwungene Stuhllehnen den konvex geschwungenen Feldern des Buffet-Schmuckes und der Balkontüren. Beiden entspricht wiederum die Ornamentik der Stuckdecke und des Teppichs, in denen konkave und konvexe Linienbündel miteinander korrespondieren. Die gleichen Linien finden sich auf den Vorhängen und der Tischdecke. Wie sehr man im Jugendstil vom Großen zum Kleinen denkt, alle Dinge des Raumes von der gleichen Ordnung her gestaltet, zeigt schließlich das Geschirr, das eigentlich nur in diesem Raum verwendet werden kann: Tassen und Kannen, Teller und Platten haben nicht nur die gleichen konkaven Umrisse wie die Stuhllehnen, sondern der ganze Liniendekor entspricht den Kurvaturen des Raumes. In solchen Festlegungen lag die Überzeugungskraft des Jugendstils für die damalige Zeit; sie waren eine Vorbedingung dafür, daß der neue Stil sofort gegen die historischen Stile – die ähnliche Festlegungen enthielten – in Konkurrenz treten konnte, und überlegen war er ihnen durch die Formensprache, die dem Zeitgefühl entsprang. Aber gleichzeitig lag darin auch die Grenze des Stiles.

Wichtig ist für unsere Problemstellung die Frage, welche Rolle die Malerei in diesem innerarchitektonischen Gesamtkunstwerk spielte: auch sie ging völlig in der Gesamtkonzeption auf. Die Bilder hatten meist einen festen Platz an der Wand des Zimmers; sie waren in eine Nische oder über der Türe fest angebracht. Auch wenn es sich um abnehmbare, bewegliche Rahmenbilder handelte, war ihr Platz im Zimmer deutlich vorgesehen. Das Gemälde ist in einem solchen Raum nicht mehr *das* geistige Ereignis; es besitzt als Einzelbild keine Führung. Dafür kommt die schmückende Seite der Malerei zu ihrem Recht und gewinnt wieder Zusammenhang mit dem tatsächlichen Raum. Sie ordnet sich dem Vorwalten der Ganzheit unter.

Aber an den Interieurs ist die Malerei noch in einem ganz bestimmten Sinn beteiligt: als Farbe. Die Farbe spielt im Gesamteindruck des Raumes eine beherrschende Rolle. Sie scheint aus den Bildern an der Wand herauszutreten und den Raum mitzuformen. An der farbigen Konzeption dieser Räume wird deutlich, welcher Anteil der Malerei an der Ausbildung des architektonischen Innenraumes zukommt.

Dafür war entscheidend, daß van de Velde an die Malerei des Symbolismus angeknüpft hatte, dessen Idee es unter anderem war, durch Verwendung einer Farbdominante den Gefühls- und Stimmungscharakter eines Bildes von vorneherein festzulegen und diesen Gefühlsklang dem Betrachter zu vermitteln, ja, ihm geradezu aufzuzwingen. Die Farbigkeit der Räume van de Veldes folgt dieser Idee der Farbdominanten; sie bevorzugen eine Abstimmung auf Weiß, Weiß-Rot, Grün oder Blau. Mit einer solchen farbigen Raumkonzeption versucht der Architekt, den Stimmungs- und Erlebnisgehalt der Räume so festzulegen, wie er der natürlichen Funktion der Räume im Leben der Menschen entspricht. Das ist ohne Zweifel ein eminent schöpferischer Gedanke, wie er in der Raumgestaltung bis auf den heutigen Tag weitergeführt wird und er war in dieser Entschiedenheit notwendig, um überhaupt zu einer neuen Konzeption des menschlichen Wohnraums zu finden. Aber mit dieser Konsequenz auf den menschlichen Wohnraum angewendet, wie van de Velde es tat, hatte dieser Gedanke auch sein Bedenkliches, und hier setzte auch sofort die zeitgenössische Kritik ein. Man sprach bei van de Veldes Räumen berechtigterweise von 'Stimmungsimperativen', denn man geriet in diesen Räumen ganz unwillkürlich in die 'vorgeschriebene Stimmung', und MAX LIEBERMANN, dem van de Velde angeboten hatte, sein Haus einzurichten, sagte zu einem Bekannten: »Wenn ich mir ein Haus baue, will ich *meinen* Spaß dran haben und nicht van de Velde seinen.«

Es gab zeitgenössische Urteile, wonach diese Farbstimmungen für den Jugendstilraum als noch wichtiger erachtet wurden, wie der formale Zusammenklang der 'beseelten' Linienornamente. Die Farbstimmung »ist der Akkord, auf dem die Melodie des Zimmers aufsteigt. Die Farbe bindet das moderne Zimmer, nicht der Stil ... Und dies interessiert die Künstler: ganz reine Flächenhintergründe zu schaffen, in denen eine verlorene Musik von Farben und Formen webt« (O. Bie). An einer anderen Stelle sagte BIE, in diesen Räumen würde er überall seine Seele sehen, wie in einem Spiegel[9].

KARL SCHEFFLER, der Freund Henry van de Veldes, schildert als Zeitgenosse die Gesamtstimmung der Räume van de Veldes, die uns heute in dieser Form alle nicht mehr zugänglich sind: »Nirgends empfindet man sonstwo in modernen Interieurs das Stimmungshafte so stark und nachhaltig. Es ist der Aufenthalt in solchen Räumen etwas schlechthin Unvergleichliches, ist ein Erlebnis ganz eigener Art. An sich ist dieser Interieurcharakter freilich nicht jedermanns Sache, um ihn ständig zu empfinden. Denn die Stimmung in van de Veldes Räumen ist schwer, sogar etwas düster und nirgends unbefangen heiter. Während die Gesamtstimmung zu geistiger Haltung, zu ernster Gründlichkeit nötigt, bedrückt sie ein wenig; während sie das Pathos erregt, schließt sie viel Unbefangenheit aus. Zum Leben in solchen Räumen gehören besonders gebildete und sogar besonders gekleidete Menschen; ganz lebendig werden diese Interieurs erst, wenn sich dekorativ gekleidete Frauen darin bewegen.«[10]

Und hier liegt gleichzeitig ein neuer Ansatzpunkt für die Künstler des Jugendstils: die Mode in ihre Kompositionen mit einzubeziehen und auch die Menschen, die sich in diesen Interieurs bewegen, zu einem Teil der Gesamtkomposition zu machen. Der Künstler verwirklicht seine Träume von Linie und Farbe am lebenden Material. In der Beschreibung einer Modeschau in der Kunstzeitschrift ›Kunst und Künstler‹ – und es ist schon bezeichnend, daß jetzt in einer führenden Kunstzeitschrift solche Betrachtungen überhaupt angestellt werden – heißt es:

»Diese Frauengestalten, die alle mehr oder weniger dem ionisch-attischen Typus gleichen, mit ausladenden Schultern und schmalen Hüften, prägen sich uns ein wie Kunstwerke. Diese Gestalten sind formal und koloristisch, wie wir sie zu sehen bekommen, von einem Künstler gewollt, durchdacht und geschaffen. Die Benutzung des Menschenmaterials – ich kann es nicht anders ausdrücken – ist so sehr Auswahl zur Verwirklichung einer Idee, daß das Resultat nicht in zwei Teile zerfällt, nämlich in Kleid und Mensch, sondern eine Einheit für unser Auge bildet, daß wir es als etwas Selbstverständliches hinnehmen.«[11]

Mit dieser Tendenz, den lebenden und sich bewegenden Menschen in das Gesamtkunstwerk einzubeziehen, wird deutlich, daß der Jugendstil mehr ist als ein formaler Kunststil: er ist der Stil einer neuen Gesellschaft, die durch ihn geprägt wird. In diesen Räumen ist nicht der k. k. Geheimrat, der Beamte aus alter Schule zu Hause; sie erfordern ein weltmännischeres Auftreten; man lernt in diesen Räumen ein neues Verhalten, eine neue Geselligkeit. Van de Veldes Tendenz zum Sozialismus bedingt dies. Zwar sind seine Räume immer noch

3 Emile Bernard, Bretoninnen auf der Wiese. 1888
4 Emile Bernard, Spaziergang. Zinkographie. 1886/87

sehr persönlich entworfen, kultiviert im Geschmack, nur für Begüterte er
schwinglich. Aber die Möglichkeit der Vereinfachung und Verbreitung ist
bereits gegeben. Sie erfolgt auch tatsächlich – aber dies führt den Untergang
des Stils herbei, denn die Formen mußten erst noch eine Wandlung durchlaufen,
ehe sie sich vereinfachen und vervielfältigen ließen. Die Forderungen der Zeit
gingen der inneren Entwicklung weit voraus, und so ließ man sich dazu ver-
leiten, den dritten Schritt vor dem zweiten zu tun.

Die Entwicklung überstürzte sich förmlich; da es zu wenige erstklassige
Künstler gab, die den großen Bedarf einer im Wohlstand lebenden Bürger-
schicht decken konnten, kamen in großer Zahl auch die Mittelmäßigen und
Unterdurchschnittlichen zum Zuge. Aber es wäre falsch, nur ihnen und der
Kritiklosigkeit des Publikums die Schuld zu geben, denn es lag gleichzeitig in
der Absicht des Neuen Stils, eine breite, auch mittlere Talente tragende Basis zu
bilden, um eine totale Umformung in allen Kunst- und Lebensbereichen zu
erzielen. Beides also: eine Tendenz, deren Verwirklichung höchste Qualität nur
in verhältnismäßig wenigen Fällen zuläßt, dann eine Industrie, die nur Quan-
tität beabsichtigt, bestimmten rasch das Bild dieser Stilepoche. Die Kunstzeitschriften, die in jener Zeit eine große Rolle bei der Verbreitung neuer Form-
vorstellungen spielten, wurden regelrecht als Musterbücher benutzt und aus-
gebeutet und zwar so, daß Vignetten und Zierleisten, die von ersten Künstlern
wie VAN DE VELDE, PETER BEHRENS und vielen anderen als Buchschmuck
entworfen worden waren, nun auch auf Bauornamentik, Möbelformen und
Tafelgeschirr übertragen wurden Es war nicht schwierig, diese Dinge zu kopieren und zu variieren und überall dort anzubringen, wo sie nicht hingehörten.
Die Flut der Kunstgewerblerinnen machte mit dem ganzen Pathos des emanzi-
pierten Weibes das Jugendstilornament zu ihrem weltanschaulichen Bekenntnis.

So wirkte vieles zusammen, damit bereits nach einem knappen Jahrzehnt der
Widerwillen gegen den Jugendstil so stark werden konnte, daß die ursprüngliche Zeitbegeisterung in heftige Opposition umschlug. Die linearen Dekora-
tionsmotive bezeichnete man sarkastisch als 'Seelennudeln' und der Begriff
Kitsch wurde mit der Vorstellung von Jugendstil-Erzeugnissen identifiziert.

5 Paul Gauguin, Der Kampf Jakobs mit dem Engel oder: Vision nach der Predigt. 1888
6 Emile Bernard, Spaziergang am See. 1890

Gerade die tragenden Kräfte des Jugendstils führten nun die Neubesinnung herauf, die den schöpferischen Kern der Bewegung herausschälen sollte. So erscheint uns heute die Gründung des 'Deutschen Werkbundes' 1907 durch van de Velde und HERMANN MUTHESIUS, also Künstlern des Jugendstils, nicht als Opposition und Gegenströmung, sondern vielmehr als ein Prozeß der Auswahl jener Dinge, die einer weiteren Entwicklung fähig waren. Der Werkbund knüpfte an die Leistungen des Jugendstils an, aber er streifte alles ab, was dort romantisch und sentimental war: das Schwelgen in Stimmungen, den Willen, einen Stil zu schaffen, das passive Verharren in der Subjektivität.

Man setzte dort an, wo ein neuer Stil notwendig zu beginnen hat: bei der Formgebung an sich, und man verzichtete grundsätzlich auf die Applikation von Schmuck und Ornament. Allein die werkgerechte Verarbeitung des Materials wurde gefordert und man vertraute darauf, daß es Schmuckmöglichkeiten gäbe, welche aus dem Zusammenklang von Material und Technik resultierten. Entscheidend aber war, daß diese Künstler mit dem Handwerk und der Industrie Übereinstimmung erzielten; es sollten nur künstlerisch *und* handwerklich einwandfreie Dinge hergestellt werden. Auf der ersten Werkbundsitzung sagte THEODOR FISCHER: »Massenproduktion und Arbeitsteilung müssen dazu gezwungen werden, Qualität herzustellen.« Noch heute liegt etwas von dieser Haltung in unserem Kunstgewerbe, und die modernen Erzeugnisse der Gebrauchsgüter-Industrie oder der Anbaumöbel zeigen, daß diese Bestrebungen sich durchgesetzt haben und heute Allgemeingut sind.

Obwohl die sozialistischen Tendenzen des Werkbundes weltanschaulich und nicht politisch zu verstehen sind, wurde er 1933 aufgelöst, 1947 neu gegründet. Seine große historische Aufgabe aber hatte er im ersten Jahrzehnt seiner Gründung, von 1907 bis zu Beginn der zwanziger Jahre, erfüllt. Diese Aufgabe bestand in einer absoluten Klärung und Sichtung der vom Jugendstil erarbeiteten Ergebnisse und ihre Weitergabe an die *Stijl-Bewegung* und das *Bauhaus*. Bis dahin war auch die Kunst des Werkbundes reine Interieurkunst, das heißt sie erfüllte Aufgaben, die der Wohnung, dem Innenraum zugute kamen. Erst mit der Stijl-Bewegung und dem Bauhaus übernahm die große Architektur wieder die Führung.

4 Das Buch als Gesamtkunstwerk

Der Wille des Jugendstils, Kunst nur im Zusammenhang zu schaffen und alle Möglichkeiten der Gestaltung in einem Werk zu vereinigen, zeigt sich neben der Gestaltung des Interieurs am vollkommensten noch in der Gestaltung des Buches. Auch hier kann man von einem Gesamtkunstwerk sprechen und vielleicht liegt in der Buchkunst die eigentliche unumstrittene Leistung des Jugendstils.

Die Anregungen kamen ebenfalls zunächst aus England, wo sich schon gleich nach der Jahrhundertmitte, im Zusammenhang mit dem Kreis der Präraffaeliten und William Morris, eine neue Buchkunst entwickelt, deren Vorbild das mittelalterliche Blockbuch war: eine Buchform, bei der eine ganze Seite – mit Schrifttext und Illustration – aus einem einzigen Holzstock geschnitten war und in *einem* Druckgang gedruckt wurde. Text und Bild stehen so in einem einheitlichen Zusammenhang. Da ein solches Verfahren aber nicht die Möglichkeiten des fortgeschrittenen Letterndruckes berücksichtigt und infolgedessen umständlich und kostspielig war, konnte es nur für bibliophile Einzelleistungen in Betracht kommen. Außerdem boten die maschinellen Druckverfahren und die graphischen Techniken weitere Möglichkeiten, die hier ungenutzt blieben.

Auf dem Kontinent erfolgte dann zuerst die Synthese, der gleichzeitige Einsatz aller Kräfte, der das Buch zum Gesamtkunstwerk machte: Der Bucheinband, den schon Morris vorbildlich gestaltet hatte, bot dem neuen Kunstgewerbe die vielfältigsten Möglichkeiten, und als Mittel der Buchwerbung – um dem Käufer bereits in der Auslage des Buchhändlers etwas über das Buch mitzuteilen – wurde der künstlerisch gestaltete Schutzumschlag geschaffen, eine legitime Neuschöpfung dieser Zeit, die aber die Entwicklung des neuen Plakatstils seit TOULOUSE-LAUTREC voraussetzt, vor allem die Verbindung von Bild und Schrift. Heute ist uns der Schutzumschlag eine solche Selbstverständlichkeit, daß wir die Angriffe kaum verstehen, denen die ersten Verleger ausgesetzt waren, die künstlerisch gestaltete Schutzumschläge herstellten. Auch das Vorsatzpapier, bisher eine rein buchtechnische Einrichtung, wird mit Sinn und Inhalt des Buches in Verbindung gebracht: es bildet den Übergang von der Außen- zur Innenseite des Buches, die Brücke zwischen Buchdeckel und Inhalt, und es wird zum eigentlichen Charakter des Buches in engste Beziehung gesetzt, sowohl in dekorativer Hinsicht – in dem es Motive der Illustration des Buches aufnimmt und variiert –, besonders aber in bezug auf die Farbstimmung; man kann vom Vorsatzpapier des Jugendstilbuches sagen, daß es den Leser in die Welt des Buches 'einstimmen' soll.

Wiederum in Beziehung zum Buchtitel – und teilweise zum Vorsatzpapier – steht das Eigentumszeichen, das alte Ex Libris, das im Jugendstil seine Auferstehung feierte; häufig wurde es im Vorsatzpapier des inneren Buchdeckels bereits mitgestaltet, so daß der Eigentümer nur seinen Namen einzusetzen brauchte, oder es wurde ein Raum zum Einkleben ausgespart. Während die alten Eignerzeichen des fünfzehnten bis achtzehnten Jahrhunderts nur das Eigentumsrecht dokumentierten, suchten die Jugendstilkünstler mit ihrer Neigung zum Symbolismus eine Beziehung zum Charakter, zu den persönlichen Liebhabereien oder zum Beruf des Bucheigentümers auszudrücken. Die Gestaltung des Ex Libris war eine Aufgabe, mit der sich die besten Künstler der Zeit auseinandersetzten, und schon die Tatsache seines Wiederauflebens zeigt, in welchem Maß man das Buch als Bestandteil seiner persönlichen Gesamtkultur empfand.

Die entscheidendsten Leistungen für das Gesamtkunstwerk des Jugendstilbuches aber waren die Erneuerung der Buchschrift und der Buchillustration. Das erstere soll hier nur angedeutet werden[12], auf das zweite werden wir – da es die Arbeit der Maler und Graphiker betrifft – in unseren späteren Ausführungen jeweils zurückkommen.

Anregungen für eine neue Schriftauffassung kamen von den geschnittenen Lettern der englischen Drucke, und dann vor allem aus Frankreich, wo Toulouse-Lautrec in seinen Plakaten nicht nur Schrift und Bild zum erstenmal gleichzeitig verbunden, sondern überhaupt den Grund zu einer neuen, künstlerisch gestalteten Buchstabenschrift gelegt hatte. Der entscheidende Schritt aber wurde getan, als KARL KLINGSPOR, der damalige Leiter der Rudhardschen Schriftgießerei in Offenbach, den Münchner Maler und Kunstgewerbler OTTO ECKMANN beauftragte, ein neues Alphabet für den Letterndruck zu zeichnen. Nachdem es bisher immer die Aufgabe der Fachzeichner und Stempelschneider gewesen war, neue Schriften zu entwerfen, war allein der Auftrag an einen Künstler schon ungewöhnlich. Das Besondere der Eckmannschen Schrift lag im Duktus der dynamischen Pinselformen, mit denen jeder Buchstabe von Grund auf neu gestaltet wurde und zwar so, daß sich aus den Schwarzformen *und* den dazwischen liegenden Weißflächen die Buchstabenform ergab.

Überspitzt gesagt, bedeutet das: es gab jetzt keine bedruckte Fläche mehr, sondern nur noch ein geschlossenes 'Schriftbild'. Auch solche Formtendenzen sind selbstverständlich aus der bildenden Kunst dieser Zeit selbst abgeleitet, wie wir später noch sehen werden.

Die Wirkung der Eckmann-Type auf das ganze Druckgewerbe war ungeheuer groß; sie war wegweisend für eine neue Methode des Schriftentwurfs, der nun häufig Künstlern übertragen wurde und leitete somit eine ganze Epoche der 'Künstlerschriften' ein. Solche Schriften wollen nicht einfach der sachlichen Mitteilung dienen, nicht einfach Text wiedergeben, sondern sie wollen den Leser in Schwingung versetzen, in eine leise Erregung, die ihn für den Inhalt des Geschriebenen aufnahmebereiter machen soll. Wichtig war bei diesen Schriften auch, daß sie mit dem Blick für die Gesamtgestaltung des Druckbildes entworfen waren, was eine enge Verbindung mit der Illustrationsgraphik ermöglichte.

Auch die Auffassung dieser Illustrationsgraphik hat sich im Jugendstil grundlegend gewandelt. Während die vorausgehende Buchillustration – und besonders ausgeprägt im Positivismus der Gründerzeit – bestrebt war, den Inhalt einer Erzählung konkret vor Augen zu führen und zu zeigen, wie sich ein Ereignis zugetragen habe, so empfand man jetzt eine solche Illustration als desillusionierend und ernüchternd. Die neue Auffassung von Buchillustration spricht am besten aus einem zeitgenössischen Text:

»Wohl aber bin ich dem Künstler dankbar, wenn er im Stande ist, dunkle Empfindungen, die beim Lesen aus der Tiefe des unbewußten Seelenlebens auftauchen, mir zum Bewußtsein zu bringen mit den Mitteln seiner Kunst, die nur ihr gegeben sind. Dann versetzt er gleichgestimmte Saiten in Mitschwingung. Dann wirkt er nicht mehr störend, einengend, sondern befreiend. Gebundene Töne werden ausgelöst. Das ist der letzte Sinn der Kunst ... Sie hat den weitesten Spielraum auf dem Gebiet der Symbolik, der Arabeske, der Vignette. Sie bildet gleichsam ein Rankenornament, eine Zier und doch zugleich eine sinnige, tiefe Allegorie in Linien und Farben, welche das eigentliche Werk umhüllt und es gegen seine Umgebung abschließt ... Der buchschmückende Künstler folgt dem Dichter wie mit Harfenbegleitung zum Gesang. Er kann den einleitenden Dreiklang in Dur oder Moll mit einer richtig gewählten Kopfleiste anschlagen; begleitet ihn dann gefällig umschmeichelnd, hebend und webend in arabeskenhaftem Auf und Nieder der Gefühlsskala, zu

Zeiten voller eingreifend, zu Zeiten auch wohl ganz aussetzend, um endlich im vollen, klaren Schlußakkord oder im leisen Unisono fragend, sehnsüchtig auszuklingen. Das ist das Wesen der Buchillustration im modernen Sinne. Besser gesagt: im künstlerischen Sinn überhaupt.«[13]

Die Verbindung von künstlerischer, kunstgewerblicher und dichterischer Aussage in der Buchkunst führte noch zu einer anderen Form des für den Jugendstil ungemein charakteristischen Gesamtkunstwerks: zur bibliophilen Zeitschrift. In Frankreich erscheint ab 1891 die ›Revue Blanche‹, in England 1894 ›The Yellow Book‹ und 1896 ›The Savoy‹, in Berlin ab 1895 der ›Pan‹, ab 1898 die ›Insel‹, in München 1896 der ›Simplizissimus‹ und die ›Jugend‹ – die der Bewegung unbeabsichtigt ihren Namen gab – und in Wien ab 1898 ›Ver Sacrum‹. Diese Zeitschriften gehen vor allem in der Typographie vorbildlich neue Wege und lassen die besten Künstler – teils in Drucken nach dem originalen Holzstock oder Stein – zum Zuge kommen. Einige sind exklusiv und erscheinen nur wenigen zugänglich, wie die von FRANZ BLEI herausgegebene, pornographisch-intellektuelle Zeitschrift ›Opale‹, andere sind volkstümlich und erreichen Massenauflagen wie der Münchner ›Simplizissimus‹ und die ›Jugend‹. Im Grunde ist die europäische Gesamtwirkung des Jugendstils, seine rasche Verbreitung und vor allem die engen internationalen Verflechtungen, auf die Wirkung dieser neuen Zeitschriften zurückzuführen, von denen jede ihren eigenen Stil, ihre eigene Atmosphäre besitzt.

Daneben entstehen auch eine Reihe reiner Kunstzeitschriften von informierendem und reproduktivem Charakter, die für uns heute einen beträchtlichen Quellenwert darstellen und uns oft ausschließlich über Tendenzen und Werke informieren, die in den zwei Kriegen verloren gegangen sind. Dazu gehören als wichtigste in Brüssel ab 1892 ›Van nu en straks‹, in London ab 1893 ›The Studio‹, in München ab 1897 ›Die Kunst‹ und in Darmstadt ab 1897 ›Deutsche Kunst und Dekoration‹.

Besonders die bibliophilen Zeitschriften, die meist kostbar mit originaler Druckgraphik ausgestattet sind oder – wie die ›Jugend‹ – wöchentlich durch ein neu gestaltetes, plakatartig gezeichnetes Titelblatt eine große Käuferzahl anlocken, die dann durch die teils geistvoll unterhaltenden, teils zeitkritisch-spöttischen Beiträge auf ihre Rechnung kommt, geben interessanten Aufschluß auf die Frage nach dem Wesen des Neuen Stils. Wir sehen dabei, daß in all diesen Zeitschriften kaum einheitliche Stiltendenzen verfolgt werden.

Schon ein Blick in die Münchner ›Jugend‹ verrät das. Ohne weiteres verträgt sich hier ein Nebeneinander von Wilhelm Busch, Lovis Corinth, Thomas Couture, Franz von Defregger, Julius Dietz, Max Eichler, Arnold Böcklin, Max Klinger, Franz von Stuck, Franz von Lenbach, Leopold von Kalkreuth neben den ausgesprochenen Jugendstilmalern. Keinesfalls erfolgt eine Festlegung etwa auf einen arabeskenhaften Linienstil, auch wenn dieser in der typographischen Gestaltung zum Schmuck der Druckseiten bevorzugt angewandt wird.

Dieses Bild ungeheurer Vielfalt, das jene Blätter so erfrischend machte, ist für den ganzen Jugendstil kennzeichnend. Wir begegnen der gleichen Vielfalt, wenn wir die eigentliche Bildkunst des Neuen Stils in ihren verschiedenen Lokalschulen eingehender betrachten. Zu den eigentlichen, einer großen Variationsbreite unterworfenen Stilformen tritt etwas Wesentliches hinzu, durch das dieser Stil seine eigentliche Aussage erhält. Es ist eine – im Folgenden näher zu bestimmende – *Erlebniseinheit*, die alle, noch so heterogenen Gestaltungsformen zusammen führt. In die Betonung einer solchen Erlebniseinheit münden alle Tendenzen des Jugendstils, die zum Gesamtkunstwerk führen; sie ist das eigentliche tragende Element des neuen Stils, das die Teile des Interieurs zusammenschließt und die Menschen umfängt, die sich in ihm bewegen. Denn das Objekt des Gesamtkunstwerks ist für den Jugendstil das Leben selbst.

II Erlebniseinheit

Es wird nie gelingen, das was der Jugendstil als Erlebniseinheit empfunden hat, sachlich zu definieren. Wir können es bestenfalls umschreiben. Denn es gehört mit zu diesem Erlebnis, daß es unbestimmbar bleibt und in einem Schwebezustand verharrt; ja gerade dieser Schwebezustand, den man bis zu einem gewissen Grad als erotische Märchenstimmung umschreiben kann, wird sich selbst zum Erlebnis.

Dieses Erlebnis, und die darauf abgestimmte Erlebnisbereitschaft, ist mit wenigen Ausnahmen der ganzen Generation eigen, deren Geburtsjahrgänge in den 1860er Jahren liegen, mit einem geringen Spielraum von zwei bis fünf Jahren darunter und etwa dem gleichen Zeitraum darüber. Es gibt früher Geborene, die vom selben Erleben erfaßt werden und sich in ihren späten Werken vom Jugendstil beeinflußt zeigen, und später Geborene, deren Anfänge vom Jugendstil geprägt und getragen werden, und die sich dann – mit dem Stilumschwung der folgenden Jahre – von ihm abwenden und befreien. Die Zugehörigkeit zu einer Generation aber bestimmt den geschichtlichen Ort eines Menschen; sie erklärt zum großen Teil seine Bindungen und öffnet ihm einen bestimmten Spielraum von Möglichkeiten.

1 Das Glaubensbekenntnis des Positivismus

Die geistige Wirklichkeit, in welche die Generation der sechziger Jahre hineingeboren wurde, war – wie wir bereits andeuteten – die des wissenschaftlichen

7 Armand Séguin, Sommertag. Zinkographie. 1894
8 Louis Anquetin, Windstoß auf dem Pont des Saints Pères. 1889

und weltanschaulichen *Positivismus*, den der führende französische Philosoph der Jahrhundertmitte, AUGUSTE COMTE (1798-1857), von seinen Anhängern wie der Stifter einer neuen Religion verehrt, als Postulat forderte: »Der positive Glaube erklärt ohne weiteres die tatsächlichen Gesetze der verschiedenen wahrnehmbaren, sowohl inneren als äußeren Erscheinungen, das heißt ihre unveränderlichen Beziehungen der Aufeinanderfolge und der Ähnlichkeit, welche uns gestatten, die einen als die Folgen der anderen vorauszusehen. Er verwirft jedes Forschen nach sogenannten ersten oder Endursachen irgendwelcher Ereignisse als völlig außerhalb unseres Könnens liegend und als durchaus müßig . . .

Der grundlegende Satz der allumfassenden Religion besteht somit in dem erwiesenen Vorhandensein einer unabänderlichen Ordnung, welcher alle irgendwie gearteten Ereignisse unterworfen sind. Eine solche Ordnung kann nur bewiesen, niemals erklärt werden . . .

Erst in unseren Tagen ist die Ausdehnung (dieser Erkenntnis) in ihr äußerstes Gebiet vorgedrungen, indem sie zeigte, daß auch die höchsten Erscheinungen des geistigen und gesellschaftlichen Lebens jederzeit unveränderlichen Gesetzen unterworfen sind, was noch von vielen gebildeten Köpfen geleugnet wird. Der Positivismus war das unmittelbare Ergebnis dieser letzten Entdeckung, welche als Abschluß unserer langdauernden wissenschaftlichen Einführung notwendig das vorbereitende Studium der menschlichen Vernunft endigte.«[14]

Diesen strengen Determinismus übertrug der Positivismus auch auf alle Gebiete der Literatur und Kunst. HIPPOLYTE TAINE (1828-1893) erklärte, die Entstehung eines Kunstwerks sei ebenso gesetzlich wie ein Naturvorgang: »Man versteht die Künste nur mit Hilfe des Denkens und man begreift Schönheit nur durch Philosophie und Analyse«. GUSTAVE FLAUBERT (1821-1880) betonte: »Poesie ist ebenso exakt wie Geometrie«, und CLAUDE BERNARD (1813-1878) sagte voraus, daß das Schreiben eines Romans an dem Tag eine exakte Wissenschaft werde, wo er auf die sichere Grundlage der Psychologie aufbaue, die ihrerseits nichts anderes sei als ein Nebenzweig der Physiologie. In der bildenden Kunst proklamierte CHARLES BOUGUEREAU (1825-1905) Kunst sei stellvertretende Wiedergabe der Natur, und GUSTAVE COURBET

9 Henri de Toulouse-Lautrec, Plakat für Moulin Rouge. 1891

(1819–1877) erklärte 1867 einem Besucher seines Ateliers: »Um eine Landschaft malen zu können, muß man das Land kennen. Ich kenne die Landschaft, die ich male, sehr genau ... gehen Sie hin und studieren Sie sie gründlich – dann werden Sie auch mein Bild verstehen.« Und in einem Essay über seine Malerei erklärte er einmal: »Ich halte die Malerei für eine völlig konkrete Kunst und sie besteht nur in der Wiedergabe wirklicher und existierender Dinge; Malerei ist eine rein physische Sache, die sich auch nur mit den sichtbaren Dingen abgibt. Ein abstraktes, unsichtbares, nicht existierendes Objekt gehört nicht in den Bereich der Malerei.«[15]

Aber die gleiche Generation, die den Positivismus trug, die Generation der zwanziger Jahre des neunzehnten Jahrhunderts, ließ bereits die stärksten Kräfte zu einer Überwindung aufwachsen. 1828 wurde IBSEN geboren (gest. 1906), »den der Gegensatz zwischen dem Normalverhalten des modernen Menschen und den idealen Forderungen des Ethischen und des Religiösen im Zustand dauernder geistiger Empörung hielt. Beständig dabei, die unbedingte Wahrheit zu finden und die 'Lebenslüge', die Wurzelkrankheit der Zeitseele, aufzuspüren und zu sanieren.«[16]

1821 wurde CHARLES BAUDELAIRE geboren (gest. 1867), dessen Symbolismus zur geheimen Beunruhigung des späten neunzehnten Jahrhunderts wurde und über MALLARMÉ (1842–1898), RIMBAUD (1854–1898) und APOLLINAIRE (1880–1918) diese Unruhe weit in unser Jahrhundert hereintrug. Die englischen Präraffaeliten gehörten der Generation der zwanziger Jahre an und schufen die Vorstellung von einer romantisch-neurotischen Traumwelt in der Malerei. Zu den nachhaltigsten Verkündern einer hinter den Dingen liegenden Wirklichkeit aber gehörten RICHARD WAGNER (1813–1883) und ARTHUR SCHOPENHAUER (1788–1860), beide von ungeheurem Einfluß auf die Kunstvorstellung des ausgehenden neunzehnten Jahrhunderts. Wenn wir dieses Jahrhundert überblicken, so wird es beherrscht von einem quälenden Dualismus, der von den politischen, wirtschaftlich-industriellen und naturwissenschaftlich-fortschrittlichen Tagesproblemen verdrängt wird aber sich gegen Ende des Jahrhunderts plötzlich Luft schafft.

2 Richard Wagner und Arthur Schopenhauer

RICHARD WAGNER stellte nicht nur das Problem des Gesamtkunstwerks neu, indem er Literatur, Kunst, Musik und den lebenden Menschen in seinen Opern zu einer Kunstgestalt zu verbinden suchte, sondern er stellte auch die Frage nach dem Wesen der Kunst aus ihrem Ursprung neu und erklärte ihn (für die Musik) aus dem unartikulierten Schrei, aus den Urlauten des Hilfe-, Klage- oder Freudenrufes, den die Seele des Hörenden sofort in diesem Sinne erkennt und mit eigener Erfahrung identifiziert. Diese Unmittelbarkeit der Wirkung aber hält Wagner (als Musiker!) nur in der Musik für möglich; nur die Musik vermöchte den »Intellekt sofort von jedem Erfassen der Relation der Dinge außer uns« abzuziehen und in das »innere Wesen der Dinge« blicken zu lassen. In der Malerei, sagt Wagner, trete diese Wirkung erst als Folge der Versenkung in das Anschauen des Werkes ein. Auch geht Wagner bereits so weit, den 'Gegenstand', beziehungsweise Vorwurf aus dem Kunstwerk zu eliminieren, da die rein künstlerischen Mittel zur selbstständigen Aussage durchaus fähig wären. Über die Missa Solemnis BEETHOVENS schreibt Wagner, daß der »unterlegte Text« nicht seiner begrifflichen Deutung nach vom Hörer aufgefaßt werde, sondern – da er lediglich als »Material für den Stimmengesang« fungiere – uns nur mit dem Eindruck symbolischer Glaubensformeln berühre.[17]

Entscheidend aber – auch für die Kunstanschauung des Jugendstils – ist die Erkenntnis Wagners über die Bedingheit einer Rückbesinnung auf die Primitivität: »Schlagen wir die Kraft der Reflexion nicht zu gering an, das bewußtlos produzierte Kunstwerk gehört Perioden an, die von der unseren fernab liegen; das Kunstwerk der höchsten Bildungsperiode kann nicht anders als im Bewußtsein produziert werden.«[18]

Dieser Dualismus zwischen Bewußtheit und der Sehnsucht nach einem Zustand des Vorbewußtseins aber wird für die Jahrhundertwende kennzeichnend sein; er drückt sich schon in der Kunst Gauguins aus.

In der starken Strömung gegen den Optimismus der Gründerzeit ist die Stimme SCHOPENHAUERS deutlich vernehmbar und wird besonders in Frankreich gehört. 1885 erscheint in der ›Revue Wagnérienne‹ eine Zusammenfassung seiner Ästhetik, die DUJARDIN besorgt hatte, und 1888 erschien in Paris ›Monde comme volonté et comme représentation‹, die BURDEAU'sche Übersetzung der ›Welt als Wille und Vorstellung‹. Den Einfluß Schopenhauers auf die französische Ästhetik des Post-Impressionismus und des beginnenden Jugendstils in Frankreich können wir direkt belegen: EMILE BERNARD schreibt in Briefen, daß er auf seinen Wanderungen durch die Bretagne stets einen Schopenhauer-Band bei sich getragen habe und daß in Pont-Aven viel über Schopenhauer diskutiert worden sei. Darüber hinaus finden wir Gedanken dieses Philosophen in allen theoretischen Schriften und Veröffentlichungen Bernards und der übrigen Maler wieder. Seine Ästhetik war für die Künstler eine Rechtfertigung dessen, was sie empfanden, wenn sie Natur wiedergeben wollten.

Entscheidend ist Schopenhauers Grundposition, die den schärfsten Gegensatz zum Positivismus ausdrückt: Die sichtbare Welt ist bloße Erscheinung, das heißt nichtiger Schein, der nur dadurch Bedeutung und Wirklichkeit gewinnt, daß etwas hindurch schimmert und sich darin ausdrückt: eine ewige Wahrheit. Die Konsequenz, die der Künstler daraus zu ziehen hat, ist: den Gegenstand so zu bilden, daß diese Wahrheit in ihm sichtbar wird; daß nicht mehr der Gegenstand, sondern die Wahrheit dargestellt wird, die der Gegenstand stellvertretend repräsentiert. Voraussetzung dazu ist, daß der Künstler es vermag, durch den Gegenstand hindurch zu sehen und die unvergängliche Wahrheit zu erkennen.

Dies ist nur im Zustand der objektiven Anschauung der 'zweckfreien' Betrachtung möglich. Der Künstler muß sich – und das ist bereits der erste Teil des schöpferischen Aktes – von den realen Beziehungen, die den Gegenstand mit seiner Umwelt verbinden, loslösen »also nicht mehr das Wo, das Wann, das Warum und das Wozu an den Dingen betrachten, sondern einzig und allein das Was.«[19]

Der Künstler hat die ganze Macht seines Geistes der Anschauung hinzugeben, sich ganz in diese zu versenken; er muß das ganze Bewußtsein ausfüllen mit der ruhigen Kontemplation des gerade gegenwärtigen, naturgegebenen Objekts, » ... in dem man, nach einer sinnfälligen deutschen Redensart, sich gänzlich in diesen Gegenstand verliert, das heißt eben sein Individuum, seinen Willen vergißt und nur noch als klarer Spiegel des Objekts bestehen bleibt ... In solcher Kontemplation nun wird mit einem Schlag das einzelne Ding zur Idee seiner Gattung und das anschauende Individuum zum reinen Subjekt des Erkennens.«[20]

Nur wenige Menschen gibt es, die diesen Zustand des objektiven Schauens, »die reine Anschauung« verwirklichen können; noch geringer aber ist die Zahl

derer, die das Geschaute auszudrücken vermögen: die wirklichen Künstler.
Damit aus dem objektiv Schauenden (dem »reinen Subjekt des Erkennens«)
ein Künstler werde, bedarf es der schöpferischen Energie, die nur das Genie
besitzt. Nur das Genie verfügt gleichzeitig über beide Eigenschaften: ein Ding
objektiv zu schauen und das Geschaute zu gestalten.

Ein Kunstwerk entsteht nicht, indem das Geschaute sofort notiert wird. Zu
der Anschauung muß die Reflexion des Kunstverstandes hinzutreten (hier berührt sich Schopenhauers Ästhetik eng mit Wagners Theorie). »Aber nur das
Gedachte, das geschaut wurde, ehe es gedacht war, hat nachmals bei der Mitteilung anregende Kraft und wird dadurch unvergänglich.«[21] So fordern auch
Bernard und Gauguin, daß der Künstler sich lange in das Naturbild versenke
ohne es zu malen und erst später, aus der Erinnerung und aus der Reflexion das
Werk unternehme.

Auch dieser Gedanke stützt sich auf eine Formulierung Schopenhauers:
»Indem wir längst vergessene Tage, an einem fernen Ort verlebt, uns vergegenwärtigen, sind es die Objekte allein, welche unsere Phantasie zurückruft, nicht
das Subjekt des Willens, das seine unheilbaren Leiden damals ebensowohl mit
sich herumtrug wie jetzt: aber diese sind vergessen, weil sie seitdem schon oft-
mals anderen Platz gemacht haben. Nun wird die objektive Anschauung in
der Erinnerung ebenso, wie sie gegenwärtig wirken würde, wenn wir es über
uns vermöchten, uns willensfrei ihr hinzugeben: die Welt als Vorstellung ist
dann allein noch übrig und die Welt als Wille ist verschwunden.«[22]

In diesen Worten ist schon eines der stärksten Erlebnisse des Jugendstils vorweggenommen: die Gestaltung der Dinge aus einer verklärenden und reale
Bezüge vergessen machenden Erinnerung. Aber der Jugendstil geht sofort
noch weiter: in die Gestaltung der Erinnerung fließen alle Sehnsüchte mit ein,
die bei der wirklichen Begegnung ungestillt bleiben mußten. RILKE erklärt
1898 in seinem Aufsatz ›Über Kunst‹ das Kunstwerk »als ein tiefinneres Ge-
ständnis, das unter dem Vorwand einer Erinnerung, einer Erfahrung oder eines
Ereignisses sich ausgibt und, losgelöst von seinem Urheber, allein bestehen
kann.«[23]

Waren alle diese Tendenzen, die den Positivismus und seine Begleiterschei-
nungen von innen her aufbrachen, vorerst aber nur als Unterströmungen
wirksam und nur von den Hellsichtigsten erkannt, so drangen sie gegen Ende
des Jahrhunderts plötzlich in die Breite und ließen den daraus erwachsenden

Dualismus zum vordringlichsten Kulturproblem der Zeit werden. Es war ein echter Widerspruch – bei dem beide Parteien recht hatten; in der kurzen Zeit, in der er aufbrach, konnte er gar nicht verarbeitet und bewältigt werden. Aber er wurde allgemein empfunden und schuf eine für die Jahrhundertwende charakteristische Seelenlage, in der beide Elemente sich auf merkwürdigste Art mischen. Eine neue Zielsetzung auf allen Gebieten des geistigen Lebens war notwendig, aber man war zu schwach, sie durchzuführen und man wollte außerdem die gewohnten Werte nicht aufgeben, weil auch sie ihren Sinn bewiesen hatten. So blieb nur der Kompromiß: in den Erfordernissen des täglichen, politischen und wirtschaftlichen Lebens positivistisch denken und handeln und sich unabhängig davon ein ästhetisches Nebenreich aufzubauen, in dem die Seele zu Hause war. Wenn wir uns eingestehen, daß wir auch heute noch nicht weiter sind, so unterscheidet sich die damalige Zeit von der unseren doch darin, daß damals der Konflikt zum erstenmal in dieser Schärfe auftrat und empfunden wurde (die Goethezeit zum Beispiel hat ihn nicht gekannt), während wir heute, nach vielen gescheiterten Ansätzen, mit einer gewissen Resignation erkennen müssen, daß eine Synthese vielleicht doch nicht möglich ist und der Kompromiß sich langsam historisch rechtfertigt. Vielleicht liegt unsere heutige Sympathie für den Jugendstil – die sich keineswegs nur durch kunstgeschichtliches Interesse erklärt – zu einem Teil darin begründet.

3 Neuidealismus

Diese Welt der Seele strebte von allem fort, was Wirklichkeit hieß, obwohl sie sich die erstrebte Idealität nur mit realistischen Mitteln vergegenwärtigen konnte. So bestand diese Idealität zunächst aus einer Verrätselung der bekannten Wirklichkeit, aus einer kunstvoll aufgebauten Desorientierung, aber auch darin liegt eine tiefere Bedeutung: »Die Menschen erkennen in der Unverstehbarkeit, die ihnen oktroyiert wird, eine allgemeine Wahrheit wieder.«[24] Dies führt zu einer Geheimnishaftigkeit um ihrer selbst willen, und was sich diese Zeit unter dem Begriff des Übernatürlichen vorstellt, versteht man nur dann, wenn man darauf verzichtet, irgendeinen metaphysischen Inhalt mit diesem Begriff zu verbinden. Die Symbolisten in Literatur und Kunst sind diesen Weg schon vorausgegangen: BAUDELAIRE und RIMBAUD mit vorsätzlicher Abnormität:

»... ankommen im Unbekannten ... das Unsichtbare besichtigen, das Ungehörte hören.«[25] Die englischen Präraffaeliten malen das weibliche Antlitz, aus dem große dunkle Augen, von einer unbestimmten Sehnsucht erfüllt, erwartungsvoll in ein fernes Nichts blicken. Blasse schlanke Hände mit nervösen zerbrechlichen Fingern halten bedeutungsvoll eine Blume oder ein zerbrechliches Gefäß. Die »verzehrende Schönheit« ist Leitbild dieser Malerei und verkörpert weltsüchtige Weltflüchtigkeit.

Das goldene Zeitalter, der Traum idealistischer Maler des neunzehnten Jahrhunderts, PUVIS DE CHAVANNES, ANSELM FEUERBACH, ARNOLD BÖCKLIN, schuf die Vorstellung einer entrückten *und dennoch* realen Wirklichkeit, in der man alle Sehnsüchte dieser Welt, von realen Bindungen befreit, stillen konnte. Es gab um die Jahrhundertwende Versuche, diesen Traum vom goldenen Zeitalter zu verwirklichen. In Hellerau bei Dresden entstand eine Kolonie, in der junge Menschen Tanz, Lebensrhythmus, Lebensgrazie, Ästhetik lernten, und in RUDOLF STEINERS Eurhythmie hat sich diese Bestrebung bis zum heutigen Tag erhalten. HEINSES ›Ardinghello‹, der »der Sinnlichkeit eines jungen Menschen den Purpurmantel allgemeiner Schönheit umhängt«, wird in einer Neuauflage der Jahrhundertwende begeistert aufgenommen: »Schönheit ist die vollkommenste Harmonie der Bewegung, und die Seele erkennt darin ihren reinsten Zustand. Schönheit gibt der Seele das lauterste Gefühl ihres Daseins. Schönheit ist die freieste Wohnung der Seele. Schönheit erinnert die Seele an ihre Gottheit, an ihre Schöpfungskraft, und daß sie über all die Körperwelt, die sie umgibt, ewig erhaben ist.«[26]

Man neigt in dieser Zeit dazu, Enclaven zu bilden, in denen Schönheit als Lebensgefühl gepflegt wird, und eine gemeinsame Stimmung alle Beteiligten verbindet. Auch die Kunst bedarf einer solchen Atmosphäre für ihre Entstehung. In keiner Zeit bilden sich so viele Künstlergemeinschaften, die sich aus Stadt und Akademie zurückziehen, um in gemeinsamem Lebenskreis und mit gemeinsamer Zielsetzung zu arbeiten: Pont-Aven, Pouldu, Arles (war als Gemeinschaft geplant), Dachau, Worpswede, Darmstadt und so weiter, während spätere Künstlergemeinschaften sich als reine Zweckverbände zusammenschließen. Das gemeinsame Gefühl war auch das gemeinsame Erlebnis.

Es wurde überall getragen von der Sehnsucht nach der verlorenen Ursprünglichkeit, die man auf solche Weise wieder zu gewinnen suchte. Es gibt ein oft zitiertes Wort GAUGUINS, mit dem er seine Entfremdung vom akademischen

Ideal charakterisiert und als das heimliche Ziel seiner Kunst bezeichnet: zurück-
zufinden »jusqu'au dada de mon enfance, le bon cheval de bois.« Dieser
Wunsch, in die kindliche Primitivität und Ursprünglichkeit auszuweichen, ist
auch schon bei Schopenhauer angelegt: er schildert das Kindesalter als die
Vorwegnahme des menschlichen Glücks, das in diesem Ausmaß nie wieder
empfunden werden kann. Das Kind ist der zweckfreien Betrachtung der Welt
am nächsten: »Weil die heillose Tätigkeit des Genitalsystems (der »Brennpunkt des Willens«) noch schlummert, während die des Gehirns schon volle
Regsamkeit hat, ist die Kindheit die Zeit der Unschuld und des Glücks, das
Paradies des Lebens, das verlorene Eden, auf welches wir, unseren ganzen
übrigen Lebensweg hindurch, sehnsüchtig zurückblicken. Die Basis jenes
Glücks aber ist, daß in der Kindheit unser ganzes Dasein vielmehr im Erlernen
als im Wollen liegt, welcher Zustand zudem noch von außen durch die Neuheit
aller Gegenstände unterstützt wird . . . Im Überschuß der Erlebniskräfte über
die Bedürfnisse des Willens und im daraus entspringenden Vorwalten der bloß
erkennenden Tätigkeit, beruht die Ähnlichkeit des Kindesalters mit dem Genie.
Wirklich ist jedes Kind gewissermaßen ein Genie und jedes Genie gewissermaßen ein Kind.«[27]

4 Das Märchenerlebnis

Diese Sehnsucht, sich in die schöpferische Ursprünglichkeit der Kindheit zu-
rückzuversetzen, spiegelt sich ganz deutlich in der Rolle, welche das Märchen
in dieser Zeit zu spielen beginnt. Es entwickelt sich eine völlig neuartige Auffassung der Märchen- und Sagenwelt, wie sie das ganze neunzehnte Jahrhundert, selbst die Romantik nicht gekannt hatte. Die Brüder GRIMM charakterisierten ihre Auffassung der Märchen in der Vorrede zu ihrer Sammlung,
die sie veranstaltet hatten, um der »Geschichte der Poesie und Mythologie
einen Dienst« zu erweisen und zugleich war es ihre Absicht, »daß die Poesie
selbst, die darin lebendig ist, wirke und erfreue, wen sie erfreuen kann, also
auch, daß es als ein Erziehungsbuch diene . . . Wir suchen die Reinheit in der

10 Maurice Denis, April. 1892

Wahrheit einer geraden, nichts Unrechtes im Rückhalt bergenden Erzählung.«[28]

Die gleiche, rein erzählerische und mitteilende Absicht spricht aus den Illustrationen LUDWIG RICHTERS und MORITZ VON SCHWINDS, wobei auch in ihrer Märchenauffassung das Beispiel- und Lehrhafte der Erzählung im Unterton mitschwingt. Charakteristisch für das positivistische Zeitalter aber ist die wenig jüngere Vorrede GUSTAV SCHWABS zu seinen ›Schönsten Sagen des klassischen Altertums‹, in denen er diese förmlich als 'moralische Anstalt' auffaßt: »Nähere Bekanntschaft mit diesen Mythen wird sogar als Vorschule für die höhere Bildung ein vielseitiges Bedürfnis, das auch unsere Literatur längst gefühlt hat und dem sie durch Hilfsbücher aller Art bald in wissenschaftlich belehrender, bald in unterhaltender Form abzuhelfen gesucht hat und noch sucht.« Und an anderer Stelle: »Der Verfasser hat dafür gesorgt, daß alles Anstößige entfernt bleibe und deswegen unbedenklich alle diejenigen Sagen ausgelassen, in welchen unmenschliche Greuel erzählt werden, die nur eine symbolische Erklärung gewissermaßen entschuldigen ... Wo aber unseren höheren Begriffen von Sittlichkeit widerstrebende ... Verhältnisse (wie in der Ödipus-Sage) in einer ihrer Totalrichtung nach hochsittlichen Mythe nicht verschwiegen werden konnte, glaubt der Bearbeiter dieser Sagen, solche auf eine Weise angedeutet zu haben, welche die Jugend weder zum Ausspinnen unedler Bilder, noch zum Grübeln der Neugier veranlaßt.«[29]

Mag die Absicht, in der das Märchen erzählt wird, noch so pädagogisch tendenziös sein, es wird von der Phantasie des Kindes zu einer eigenständigen Welt umgesetzt, in der es selbst handelnd und fühlend auftritt. Und dieses Märchenerlebnis aus der Kindheit wird von der Jugendstil-Generation zurückersehnt – darin liegt die neue Auffassung begründet. Das Märchen wird jetzt so erzählt, wie man es als Kind erlebt hatte; die Erinnerung des Erwachsenen an seine Kinderzeit, die Sehnsucht nach der kindlichen Märchenwelt, in der das Unwirkliche zur Realität wurde, schwingt in der Erzählung jetzt von vorneherein mit. Man erlebt das Märchen nicht mehr von der Geschichte und dem Ereignis her, sondern von der wunderbaren Stimmung. Denn auch die

11 Paul Sérusier, Presentation. 1890

Kinderzeit, deren einzelne Ereignisse längst unwirklich geworden sind, klingt im Erwachsenen nur noch als Stimmung nach.

Diese Rückversenkung in das Märchen – Kindererlebnis wird nirgends so deutlich ausgesprochen wie in der Einleitung zu den Erzählungen aus ›Tausendundein Nächten‹ von HUGO VON HOFMANNSTHAL: »Wir hatten dieses Buch in Händen, da wir Knaben waren; und da wir zwanzig waren und meinten, weit zu sein von der Kinderzeit, nahmen wir es wieder in die Hand, und wieder hielt es uns – wie sehr hielt es uns wieder! In der Jugend unsres Herzens, in der Einsamkeit unserer Seele fanden wir uns in einer sehr großen Stadt, die geheimnisvoll und drohend und verlockend war, wie Bagdad und Basra. Die Lockungen und die Drohungen waren seltsam vermischt; uns war unheimlich zu Herzen und sehnsüchtig; uns grauste vor innerer Einsamkeit, vor Verlorenheit, und doch trieb ein Mut und ein Verlangen uns vorwärts und trieb uns einen labyrinthischen Weg, immer zwischen Gesichtern, zwischen Möglichkeiten, Reichtümern, Düften, halb verhüllten Mienen, halb offenen Türen, kupplerischen und bösen Blicken in dem ungeheuren Bazar, der uns umgab: wie glichen wir diesen weit von der Heimat verirrten Prinzen, diesen Kaufmannssöhnen, deren Vater gestorben ist und die sich den Verführungen des Lebens preisgeben, wie meinten wir ihnen zu gleichen! Wie die lebendigen Zeichen dieser Schicksale verschlungen ineinander spielten, tat sich in unserem Inneren ein Abgrund von Gestalten und Ahnungen, von Sehnsucht und Wollust auf . . . Eine unvergleichliche, eine vollkommene, eine erhabene Sinnlichkeit hält das Ganze zusammen.«[30]

Bezeichnenderweise spielen bei der Erneuerung des Buchwesens der Jahrhundertwende Märchenbücher die größte Rolle. Und auch die Märchenmotive erfahren eine Bereicherung und Ausweitung, die einer besonderen Gefühlslage entsprechen: Sie erzählen von Wurzelkindern, Wolkenkindern, Sternkindern; die Schneeflocken werden als Kinder identifiziert und Frau Sonne wird zur Mutter, deren Kinder die Sonnenstrahlen sind, die morgens von ihr zur Erde geschickt werden und abends zurückkehren. Die Bäume im Wald, die Pilze unter den Bäumen – sie alle erhalten eine Seele und sprechen miteinander. Die Dinge erfahren eine seltsame Belebung, eine traumsinnige Metamorphose, wie dies in der Märchenwelt zuvor nie geschehen war.

Die illustrierten Märchenbücher erlebten um die Jahrhundertwende eine Blüte in allen europäischen Ländern, die in der Buchkunst bisher einzigartig geblieben ist. Künstler ersten Ranges widmen sich der Märchenillustration und bringen darin ihr neues Weltgefühl zum Ausdruck. Es geht ihnen dabei nicht mehr um die bildliche Nacherzählung der Geschichte, um die eigentliche Textillustration, sondern um die Wiedergabe der besonderen Märchenstimmung. EDMUND DULAC malt zu den Geschichten aus Tausendundeiner Nacht das Wunderbare und das Grauenhafte als solches. Dem Schweizer ERNST KREIDOLF wird die Natur auf Schritt und Tritt zur Märchenwelt: Blumen, Blätter, Bäume, Wolken und Himmelsgestirne leben sich vor ihm aus, wie vor dem begnadeten Sonntagskind, in tausenderlei geheimnisvollen Gestalten. Auch ihm geht es nicht um eine Geschichte, sondern um Weltgefühl; die Wurzelkinder unter ihrer Baumhöhle strahlen Geborgenheit und friedliche Gesinnung aus, der dunkle Wald mit den leuchtenden Augen der Nachteulen wird zum Inbegriff des Unheimlichen. ARTHUR RACKHAM malt in einer Illustration zu den Grimmschen Märchen eine Szene, wie die Hebamme dem alternden König sein neugeborenes Kind zeigt. Und der König vergißt Alter und Würde, schnalzt mit den Fingern und tanzt vor Freude: hier ist nicht die Episode, sondern die Freude über das Wunder zum Ausdruck gebracht und die Erzählung könnte man darüber vergessen. Die Stimmung kann sich dem Märchen gegenüber durchaus auch verselbständigen: so malt LEO PUTZ für den Verlag der Münchner ›Jugend‹, »Märchen ohne Worte«.

Diese Fähigkeit, Ereignisse und Dinge in der Wirklichkeit von der Stimmung her zu erleben, besitzt die ganze Generation in hohem Maße und überträgt sie auf alles, was dargestellt wird. WALTER LEISTIKOW hat die Märchenstimmung seiner Grunewaldseen anfangs sogar überbetont, indem er den Kopf einer Nymphe aus dem Wasser auftauchen ließ. Die Neigung zur personifizierenden Beseelung der Dinge ist in dieser Zeit so stark, daß ein Kritiker vor den Dachauer Moorbildern LUDWIG DILLS sagen konnte: »Es ist, trotz ihrer Kühlheit, etwas Wollüstiges in diesen Bildern, auch ohne daß eine Spur weiblicher Nacktheit darin vorkäme.«[31] Gleichzeitig zeigt sich in dieser Auffassung eine erotische Erlebnisbereitschaft, die für die Jugendstilgeneration fast ebenso charakteristisch ist wie die Affinität zum Märchen. Etwas vom märchenhaften Beseelungstrieb spüren wir sogar in den kunstgewerblichen Arbeiten, etwa wenn van de Velde den inneren Kräften des Holzes nachspürt, aus denen er seine Möbel zimmert, indem er diese Kräfte durch das Ornament sichtbar machen will: das tote Objekt wird zum lebenden Gebilde.

Doch darf man über all dem, was idyllisch anmuten könnte, den Zwiespalt nicht übersehen: das Märchen bleibt die Sehnsucht des Erwachsenen nach dem verlorenen Paradies, die Suche nach der verlorenen Kinderzeit. In die große, umfassende Märchenstimmung wurde vieles eingebunden, weil es anders nicht bewältigt werden konnte: der umfangreiche Problemkreis des Sündenfalls – der zu den häufigsten Darstellungsmotiven in der Graphik und Malerei zählt – das heißt auf eine kurze Formel gebracht: *Religion und Erotik*. Das sind die Grundfragen, die durch alle Verkleidungen hindurch erkennbar bleiben.

Der Positivismus hatte als notwendige Folge den Atheismus hervorgebracht. Gott ist mit naturwissenschaftlichen Mitteln nicht beweisbar und die Darwin'sche Abstammungslehre stellt die Schöpfungsgeschichte grundsätzlich in Frage. Hier ist die Erinnerung an die Kindheit zugleich Sehnsucht nach dem verlorenen Kinderglauben, der verlorenen Geborgenheit in der Welt. Gleichzeitig gerät mit dieser Generation, in der SIGMUND FREUD (1856–1939) geboren wurde, die bürgerliche Moral ins Wanken; das Verhältnis der Geschlechter wird seiner bisherigen Form total entfremdet und muß neu bestimmt werden. Diese Problematik schlägt sich in den divergierendsten Erscheinungen nieder und bleibt völlig unbewältigt. Auch hier wird der Ausweg durch ein Rückversenken in eine Zeit der paradiesischen Unschuld gesucht, während anderen die nackte Pornographie als der ehrlichste Ausweg erscheint – und wieder andere genießen die schillernde Unlösbarkeit des Problems.

Es gibt Märchendichtung dieser Zeit, in der gerade diese Dissonanz für den, der sie zu hören vermag, gestaltet wird: bei MAURICE MAETERLINCK. Ihn bezeichnete hellhörig KANDINSKY als einen »der Propheten, den ersten künstlerischen Berichterstatter und Hellseher des Niedergangs«. Er schafft Gestalten, »die in Nebeln suchen, von Nebeln erstickt zu werden bedroht sind, über welchen eine unsichtbare, düstere Macht schwebt. Die geistige Finsternis, Unsicherheit des Nichtwissens und die Angst vor denselben sind die Welt seiner Helden«. Und sein eigenes Zeiterleben formuliert Kandinsky: »Unsere Seele, die nach der langen materialistischen Periode erst im Anfang des Erwachens ist, birgt in sich Keime der Verzweiflung und des Nichtglaubens, des Ziel- und Zwecklosen. Der ganze Alpdruck der materialistischen Anschauungen, welche aus dem Leben des Weltalls ein böses, zweckloses Spiel gemacht haben, ist noch nicht vorbei ... In unserer Seele ist ein Sprung.«[32]

Diese Selbsterkenntnis der Generation durch Kandinsky, der mit seinen frühen Arbeiten der Märchenwelt eng verbunden ist, gehört ebenfalls zum Gesamtbild des Jugendstils; zugleich ist sie Voraussetzung für die später erfolgende Neuorientierung. Für eine Bestimmung dessen, was Jugendstil zu bedeuten hat, erweist sich eine bereits 1893 von OTTO JULIUS BIERBAUM gegebene Definition als heute noch gültig: Eine »neue Richtung« gibt es gar nicht. »Es gibt bloß eine neue *Bewegung*. Diese ist in sich unendlich reich an Zielen wie sie unendlich reich an Individualitäten ist.« Dies nachzuzeichnen ist im folgenden unsere Absicht.

III Die Entstehung
des neuen Stils in der Malerei

Wir haben in den vorausgehenden Kapiteln betont, daß das Wesen des Jugendstils sich nicht mit der Definition einer einheitlichen Stilform erfassen läßt, sondern daß eine Erlebniseinheit, mit der alle Dinge durchdrungen werden und die infolgedessen zum Gesamtkunstwerk drängt, die Grundlage dieses Stils bildet. Wenn wir unsere Darstellung im folgenden auf die Malerei eingrenzen, so bedeutet dies notwendig, daß wir diese Kunstform aus dem Gesamtzusammenhang herauslösen müssen, aus dem sie ihre formalen und inhaltlichen Aufgabenstellungen herleitet. Wir dürfen deshalb diesen Zusammenhang nicht aus den Augen verlieren.

Was wir als Bedingungen für die Erlebniseinheit feststellen konnten, das erweist sich auch als Bedingung für den neuen Stil in der Malerei. Es sind weder grundsätzlich neue Dinge, die das Erleben bestimmen, noch sind es grundsätzlich neue Tendenzen, die den Stil formen. Im Jugendstil kulminiert vielmehr das, was das ganze neunzehnte Jahrhundert als Unterströmung zur offiziellen Kunst hervorgebracht hat: der gegen den Positivismus revoltierende Antirationalismus, verbunden mit antiklassischen Strömungen, die sich in Opposition gegen die in Akademien gelehrte bürgerliche Staatskunst seit dem ausgehenden neunzehnten Jahrhundert vor allem in England und Frankreich entwickelt haben. Somit beweist der Jugendstil seine enge Verbundenheit mit bestimmten Kunsttraditionen des neunzehnten Jahrhunderts, auf die wir bei der Behandlung seiner Entwicklungsformen immer wieder zurückgreifen müssen. Wir behalten dabei die eingehende Untersuchung der zum Jugendstil führenden *symbolischen* Tendenzen in der Kunst des neunzehnten Jahrhunderts einer besonderen Studie vor[33] und beschränken uns hier darauf, die Anknüpfungspunkte aufzuzeigen, sofern sie für das Verständnis der Jugendstilmalerei als Kunstäußerung der Jahrhundertwende unerläßlich sind. Wir werden dabei feststellen müssen, daß auch von den stilgeschichtlichen Voraussetzungen her unter Jugendstilmalerei in jedem Land, und dort wiederum in jeder Gruppe, Verschiedenes verstanden wird. Jugendstil ist um die Jahrhundertwende eine Haltung, die ganz Europa erfaßt und überall ihre lokale und individuelle Ausdeutung erlaubt.

Der neue Stil der Malerei nimmt von Paris seinen Ausgang, während die Erneuerung des Kunstgewerbes von London ausgeht. Damit ist eine Grund-konstellation angedeutet, die noch in allen Phasen dieses Stils spürbar bleiben wird: die Spannung zwischen einer romanischen und einer germanischen Bild- und Ausdruckswelt.

In Paris werden die Elemente, die den neuen Stil heraufführen, zuerst in den achtziger Jahren spürbar und sie stehen dort im großen Zusammenhang der von mehreren Seiten erhobenen Kritik am Impressionismus. Man wirft den Impressionisten ihre naturwissenschaftlich-rationale Haltung gegenüber der sichtbaren Welt vor und sieht in ihren Bildern die letzte Konsequenz des Naturalismus gezogen: die ausschließliche Betrachtung der Naturoberfläche. Die Darstellung des Raumes ist für den Impressionisten uninteressant geworden, alles Stoffliche löst sich in Lichtreflexe und Luftspiegelungen auf, in deren folge-richtiger Weiterentwicklung auch die Form und die Zeichnung, schließlich der Gegenstand überhaupt geopfert werden. Und so versteht man die Kritik des jungen Emile Bernard, der dem Impressionismus vorwirft, er sei eine ästheti-sierende Kunstübung, ohne Verantwortung dem Gegenstand, der Natur und dem Leben gegenüber.

Seit Anfang der siebziger Jahre arbeitet PAUL CÉZANNE (1839–1906) an einer neuen Bildform, deren klassische Reife in den Werken der achtziger Jahre ablesbar ist. Neben den – von den Impressionisten verabsolutierten – Licht-problemen versucht er zwei Grundfragen zu lösen, die von jenen vernachlässigt wurden: *Räumlichkeit* und *Gegenständlichkeit*. Er malt dabei fast die gleichen Motive wie die Impressionisten, aber von vornherein mit der Vorstellung einer Synthese, in der sich der Ausdruck des Lichtes mit dem greifbaren, in feste Raumbeziehungen eingeordneten Formkörper verbindet. Seine Bilder geben das genaue Gegenteil dessen, was die Impressionisten vermögen: nicht den flüchtigen Augenblick, das Vorüberhuschende und Entgleitende der Er-scheinungen, sondern die Dichte und Dauer des Unvergänglichen. Trotzdem sind seine Bilder nicht komponiert wie die Werke der alten Meister, sondern sie sind aus der Natur heraus-gesehen, herausgelöst. Und darin liegt die Vorbildlichkeit seines Werkes, die auch von den Künstlern anerkannt wird, die mit völlig anderen Mitteln das gleiche wollen: Die Objekte der Erscheinungswelt zurückzuführen auf das 'Objekt an sich', die Reduzierung auf das innerste Wesen, für das die individuelle Erscheinung keine Rolle mehr spielt.

Mit anderen Mitteln, aber mit dem gleichen Ziel vor Augen, arbeitet GEORGES SEURAT (1859–1891). Auch er geht vom Naturbild aus, dem gleichen Motiv, wie die Impressionisten; aber für ihn sind es physikalische und physiologische Gesetzmäßigkeiten, die das Wesen des Objekts bestimmen. 1886 stellt er sein programmatisches Gemälde *Ein Sonntagnachmittag auf der Grande Jatte* (Abb. 2) aus, das er in langer Arbeit über zahllose Studien vorbereitet hat. Ihm geht es um eine präzise Anschauung der Natur und ihre Verwandlung in zeichenhafte Figuren, die ihren festen, errechenbaren Platz im Bildraum einnehmen. Dabei liegt seine eigentliche Leistung nicht in der doktrinären Verarbeitung der impressionistischen Bildmittel, die den Ausdruckswert einer Farbe erst in der optischen Mischung mit der unmittelbar daneben gelegten Farbe ergeben, sondern in der bewußten Objektivierung des Gegenstandes.

Das Mittel dieser Objektivierung ist die rechteckige Bildfläche mit ihrer folgerichtigen Gesetzmäßigkeit der horizontalen und vertikalen Bezüge. In dieses, gleichsam imaginäre Koordinatensystem ordnet Seurat seine Figuren ein, die er durch äußerste Vereinfachung eines die Gestalt und ihre Bewegung charakterisierenden Umrisses zu Figur-Zeichen, zu Figurinen reduziert.

Ebenso wie er auf die Körperlichkeit seiner Figuren verzichtet – sie sind nur insofern plastisch gerundet, als es zu ihrer Charakterisierung unerläßlich ist – ebenso verzichtet er auf den echten Tiefenraum; der Eindruck räumlicher Tiefe wird durch reine Bildgesetzlichkeit hervorgerufen: durch das Ansteigen des Bodens zur Horizontlinie hin und die systematische Verkleinerung der Figuren, die meist auf einem Bezugssystem schräger Linien angeordnet sind. Die harten Schlagschatten der Figuren schaffen ebenfalls keinen Raum, sondern sie betonen die Schrägen und sind gleichzeitig ein Bildzeichen für 'starke Sonne'.

Man wird die Bedeutung dieses Bildes begreifen, wenn man von hier aus den Blick zurückwirft auf die Tradition der klassischen Kompositionen über PUVIS

12 Edouard Vuillard, Interieur. 1896

DE CHAVANNES bis zu POUSSIN und weiter, wenn man von hier aus vorwärts sieht auf die moderne Monumentalmalerei von HODLER bis zum Bauhaus und OSKAR SCHLEMMER. Es ist eine Wendemarke in der Kunstgeschichte. Auch auf den Impressionismus wirken diese bildnerischen Argumente zurück; in den achtziger Jahren setzt sich eine allgemeine Festigung der Form durch, die man zum Beispiel in den Aktbildern RENOIRS sehr gut beobachten kann: die Figuren sitzen rechtwinklig, mit starker Betonung der Umrisse und körperlicher Festigkeit vor der impressionistisch zerfließenden Landschaft. Renoirs Kompositionen dieser Zeit machen einen ungewöhnlich 'starren' Eindruck, der sich bereits in den neunziger Jahren wieder löst (zum Beispiel *Nach dem Bade*, 1855, London, Tate Gallery; *Les Grandes Baigneuses*, 1885, Slg. Tyson, USA; *Nach dem Bade*, 1888, Slg. Oskar Reinhardt, Winterthur. Die Beispiele könnten – auch in den Werken anderer Impressionisten – beliebig vermehrt werden).

Zwei Jahre später malt der zwanzigjährige EMILE BERNARD (1868–1945) in Pont-Aven in der Bretagne ein Bild, das er *Bretonnes dans la Prairie* (Bretoninnen auf der Wiese) nennt (Abb. 3). Sicher hat er Seurats aufsehenerregendes Bild zwei Jahre vorher gesehen, und seit der Zeit arbeitet auch er an einer ähnlichen Vereinfachung der Bildmittel, bis er zu dem hier vorgelegten Ergebnis kommt.

Es ist wiederum ein Bildmotiv der Impressionisten: Bretonische Bäuerinnen in ihrer Sonntagstracht, zwischen ihnen ihre Kinder, unterhalten sich nach dem Kirchgang auf der Dorfwiese. Sie stehen oder sitzen in Gruppen von zwei oder drei Personen beieinander. Anliegen des Bildes aber ist es nicht, diese Volksszenen anekdotisch zu veranschaulichen oder die Atmosphäre der Stunde zu vermitteln, sondern etwas Wesentliches über dieses Zusammentreffen auszudrücken: daß diese Leute Sonntag für Sonntag nach der Kirche so beisammen stehen, daß sich ihre Gespräche im Grunde immer wieder um die gleichen Dinge drehen, und daß sich in dieser Situation ein Teil ihres Gemeinschaftslebens abspielt. Es sind einfache Dinge, um die sich das Leben dieser Leute dreht, und es sind immer neue Wiederholungen des oft Dagewesenen, was diese Leute erleben.

Vereinfachung auf das Typische hin (wie schon im Bilde Seurats) und Wie-

13 Aristide Maillol, Hero und Leander. Holzschnitt. Zwischen 1893 und 1900
14 Edmond Aman-Jean, Nachmittag. Um 1895

derholung des Typischen sind deshalb die Mittel, mit denen Bernard die Szene gestaltet. So bildet er eine charakteristische Formel für die Bäuerinnen, die mit in die Hüften gestemmten Armen breit dastehen und die er von vorne und schräg von hinten zeigt; eine charakteristische Formel auch für die Sitzenden, die sich breit auf die Erde lagern. Auch für die ganze Situation wird ein bildliches Äquivalent geschaffen: das Gespräch wiederholt sich in der Wiederkehr der Paare, die sich in Frontalansicht und verlorenem Profil mehrfach gegenüberstehen oder -sitzen. Im Vergleich mit dem Bild Seurats zeigt sich bei Bernard eine noch entschiedenere Vereinfachung der Typen, ein weitgehender Verzicht auf das Nuancenspiel der Farben (durch welches das Bild Seurats bei aller Trockenheit doch reizvoll bleibt), wobei auch bei Bernard die unräumliche, fast mathematisch errechnete Verteilung der Figuren auf den Mittel-, den Schräg- und Parallel-Achsen der Bildfläche eine Rolle spielt.

Aber ist seine Vereinfachung schon im Formalen entschiedener, so ist sie es erst recht in der Farbgebung. Das ganze Bild ist auf drei Farben abgestimmt, die sich rhythmisch über die ganze Fläche wiederholen: das Ultramarinblau der bäuerlichen Gewänder, das Weiß der Kragen und Hauben und das Gelbgrün des Wiesengrundes, der nicht einfach Hintergrund oder Boden bleibt, sondern den Zwischenraum zwischen den anderen Farben aktiv ausfüllt. So bietet sich uns das Bild formal als enge Verflechtung von Farben, Formen und Linien an und wird von einer Gesetzlichkeit beherrscht, die immer deutlicher hervortritt, je länger man das Bild betrachtet. Der Klang der sich über die ganze Bildfläche wiederholenden drei Farben, der Rhythmus der gerundeten Umrißlinien, die wie Bleiruten in den Kirchenfenstern alle Formen und Farben miteinander verbinden, übt rasch eine Suggestion auf den Betrachter aus, die bereits in der Konzeption beabsichtigt ist. Der Bildinhalt soll nicht beschrieben werden, fordert Bernard einmal, man muß ihn dem Betrachter suggerieren. Auch das ist im Sinne der von Bernard übernommenen und versteckt zitierten Ästhetik SCHOPENHAUERS zu verstehen.

Wichtig für dieses Bild und seine inhaltliche Botschaft aber ist auch der Vorgang seiner Entstehung. Nur die Vorarbeiten, die Studien und Skizzen, sind am Schauplatz, in der Natur entstanden, das Bild selbst wurde in der Stille und Zurückgezogenheit des Ateliers gemalt. »Man darf nicht vor dem Objekt malen«, ist Bernards ständige Mahnung an seine Freunde in Pont-Aven, »sondern man malt, indem man das Objekt aus der inneren Vorstellung neu erschafft.«

Der Gegenstand, der gemalt wird, soll dadurch auf seine Urbildlichkeit zurückgeführt werden; man soll immer nur das malen, an das man sich noch erinnert, wenn man den Gegenstand selbst nicht vor sich sieht. Das Erinnerungsvermögen läutert ihn; es behält nicht alle Einzelheiten der Erscheinung gleich lebendig, sondern vermerkt nur das, was für den Gegenstand besonders charakteristisch war. Gelingt es, ihn aus der Imagination neu zu erschaffen, so hat man ein Konzentrat, das Wesen des Gegenstandes ausgedrückt und das Bild wird auf den Betrachter einen noch schlagenderen Eindruck machen, als das Vorbild selber. Diese Gedankengänge Bernards, die den ganzen französischen Jugendstil nachhaltig beeinflussen, reflektieren wenig später noch in einem Ausspruch MUNCHS, der von sich sagt, er male nicht das, was er sehe, sondern was er gesehen habe.

Diese neue Bildauffassung aber dient letztlich einem neuen Verhältnis zum Bildgegenstand, und hierin unterscheiden sich die Bestrebungen Bernards deutlich von den ähnlich gerichteten Bestrebungen Cézannes und Seurats: Mit seiner klar formulierten Absicht, die Urbildlichkeit eines Gegenstandes oder einer Situation im Bild auszudrücken, schafft er eine Bildsymbolik, die auf literarische Embleme verzichten kann. Man kann seine *Bretoninnen auf der Wiese* deshalb nicht einfach als Wiedergabe einer typischen Situation bewerten – das Bild drückt eine mit Worten nicht wiederzugebende Wahrheit bildlich aus, über die Schopenhauer andeutend sagt:

»Weder irgendein Individuum, noch irgendeine Handlung kann die Bedeutung sein: in allen und durch alle entfaltet sich mehr und mehr die Idee der Menschheit ... Die innere Bedeutsamkeit einer Handlung ist von der äußeren ganz verschieden und beide gehen oft getrennt nebeneinander her ... Nur die innere Bedeutsamkeit gilt in der Kunst, die äußere gilt in der Geschichte. Beide sind völlig unabhängig voneinander, können zusammen entstehen, aber auch jede allein erscheinen.«[34]

Solche Sentenzen Schopenhauers bestärkten Bernard in seiner Erkenntnis eines ʻSynthetischen Stilsʼ: Wenn die innere und äußere Bedeutsamkeit eines Gegenstandes verschieden sein kann, muß auch die Bildform der inneren Bedeutsamkeit entsprechen und nicht der äußeren Naturform. Darin liegt die Rechtfertigung seines neuen Stils, in dem die zeitgenössische positivistische Kunstkritik nur die Deformation der Naturform sah.

IV Jugendstil in Frankreich

1 Atelier Cormon und Ecole du Petit Boulevard

Mit der Beschreibung von EMILE BERNARDS *Bretoninnen auf der Wiese* (Abb. 3) sind wir mitten ins Zentrum der französischen Jugendstilmalerei gestoßen. Dieses Bild vereinigt in sich eine Fülle von Anregungen, die der sehr talentierte und beständig über Grundfragen der Malerei reflektierende französische Maler begierig aufgenommen und synthetisch verarbeitet hatte. Dabei schuf er ein Bild, von dem man beinahe sagen könnte, daß es alle Fäden der zukünftigen Jugendstilmalerei noch in der Hand halte. Eine Fülle von Anregungen geht von diesem Bild aus, die teilweise zu ganz verschiedenen Ergebnissen führen. Um diese Entwicklung zu verstehen, müssen wir zurückblenden, in eine Zeit, die vor der Entstehung des beschriebenen Bildes liegt.

Der junge Emile Bernard war eine Art Wunderkind gewesen; mit zwölf Jahren hatte er die *Hexe* von FRANS HALS im Museum in Lille kopiert und bereits mit achtzehn Jahren wurde er von Cormon in dessen Pariser Atelier aufgenommen.

Das Atelier Cormon war – wie auch das Atelier Julian, von dem später die Rede sein wird – eine der bekanntesten privaten Akademien, die sich von der staatlichen Kunstakademie unabhängig hielten, aber nichtsdestoweniger demselben literarisch-sentimentalen Naturalismus huldigten. CORMON (1845–1924) hatte großes Aufsehen erregt mit seinen Wandgemälden im Naturhistorischen Museum, auf denen er Szenen aus dem Leben der Vorzeit darstellte. Schon mit achtzehn Jahren war er selbst zum 'Salon' zugelassen worden und gehörte zu den am häufigsten prämierten Künstlern dieses offiziellen Instituts. Als Lehrer an der Académie des Beaux Arts und Mitglied des Zulassungsausschusses für den Salon war sein Einfluß für das Fortkommen eines jungen Künstlers oft ent-

scheidend. Gleichzeitig galt er im Paris dieser Jahre als einer der besten Kunst-
pädagogen, dessen Schule eine exakte Grundausbildung garantierte. In seinem
Atelier am Boulevard Clichy 104, am Fuße des Montmartre, traf Bernard auf
eine Reihe von Künstlern, die in der Folgezeit von sich reden machten: LOUIS
ANQUETIN, HENRI DE TOULOUSE-LAUTREC und später VINCENT VAN
GOGH.

Wenn man Bernards Aufzeichnungen Glauben schenken darf, so war ihm
die Freundschaft mit diesen Künstlern wichtiger als die Lehre Cormons. Oft
verbrachten sie ganze Tage ohne Ruhepause im Atelier, vormittags zeichneten
sie bei Cormon Akt, zusammen mit den anderen Schülern, nachmittags arbeiteten sie im leeren Atelier für sich weiter. Der kleine Kreis stellte eines Tages
gemeinsam in einem Bistro der Avenue Clichy (dem 'kleinen Boulevard') seine
Bilder aus, die vom Publikum mit Gelächter quittiert wurden, was aber die
Künstler nicht entmutigen konnte. Van Gogh schlug vor, der Freundesgruppe
den Namen 'Ecole du Petit Boulevard' zu geben, mit dem sie in die Geschichte
der modernen Malerei einging.

Ein Programm hatte die Gruppe nicht; jeder arbeitete an seinen eigenen
Ideen und Vorstellungen, und immer wieder gab es Punkte, an denen sich ihre
Arbeit und ihre Probleme berührten. Sie holten sich Anregungen im Laden des
alten Farbenhändlers Père Tanguy, der gelegentlich die Bilder der Impressionisten in seinem Schaufenster ausstellte. In diesem Laden sah Bernard zum
erstenmal ein Bild von CÉZANNE und war davon so beeindruckt, daß er später
den Beginn der modernen Malerei im Laden des Père Tanguy annehmen
wollte. Die Malerei der Impressionisten war dem Kreis zunächst als Befreiung
von der akademischen Doktrin erschienen, vermittelte diese Malerei doch vor
allem einen neuen Begriff von Farbe, deren Malsubstanz vorher nie so unmittelbar zur Wirkung kommen konnte. Jetzt ließ sich allein mit der Farbe etwas
aussagen. Aber die Begeisterung für den Impressionismus – der in diesen Jahren
seinen entwicklungsgeschichtlichen Zenit bereits überschritten hatte – schlug
bald in Ungenügen um. Die Befreiung der Farbe aus ihrer Gebundenheit an die
Beschreibung, an das Objekt überhaupt, wollte man akzeptieren, aber man
billigte nicht, daß darüber auch der Gegenstand selbst verlorenging. Dieses Ungenügen am Impressionismus drücken Worte van Goghs in einem Brief an
seinen Bruder Theo aus: »Man hat vor etwa zehn bis fünfzehn Jahren angefangen, von Helligkeit, von Licht zu sprechen... Es ist so, daß dies ursprüng-

lich gut war, es ist eine Tatsache, daß durch dieses System meisterhafte Dinge entstanden sind. Doch wenn das mehr und mehr in eine Überproduktion von Bildern ausartet, in denen über die ganze Bildfläche – an allen vier Ecken – dasselbe Licht, dieselbe Tagesbeleuchtung und derselbe Lokalton, wie man es nennt, herrscht, ist das gut? Ich glaube nicht.«[35] Emile Bernards noch sehr viel polemischeres Urteil über den Impressionismus haben wir bereits zitiert (siehe S. 47).

Neben seiner theoretischen Kritik versuchte Bernard gleichzeitig, den Impressionismus künstlerisch zu überwinden. Schon 1885 gelingt dem Siebzehnjährigen ein Holzschnitt, der uns neben aller zeitgenössischen Graphik überraschen muß.[36] Es ist eine – vom mittelalterlichen Holzschnitt inspirierte – *Anbetung der Hirten* von absolut flächenhaftem Bildbau. Die dargestellten Figuren werden hier zu Bildformeln, deren Umriß alles über Haltung und Ausdruck der dargestellten Figur sagt. Aber nicht nur mit dem formalen Bildbau wendet sich Bernard gegen den Impressionismus, sondern auch mit der Wahl eines bedeutungsvollen Bildinhalts, der in der impressionistischen Malerei keine Rolle spielte. Bernard wählt von Anfang an Motive, die nicht nur durch den bloßen Augeneindruck interpretiert werden können. Um aber das, was hinter den Dingen liegt, im Bild auszudrücken, müssen Mittel gefunden werden, die nicht nur der Oberfläche, dem Augenschein gerecht werden.

Dies erforderte eine Konzentration der malerischen Mittel aufs äußerste, die vor allem auf dem Weg einer farblichen und formalen Vereinfachung erreicht werden mußte. Bernard hat von früher Jugendzeit an seine künstlerischen Leitbilder, für die er sich begeistert hatte und deren Kenntnis ihm nun zugute kam. (Er betonte überhaupt immer, daß etwas Neues ohne die genaue Kenntnis des Alten nicht entstehen könne.) Dazu gehören vor allem mittelalterliche Glasfenster und Zellenschmelzarbeiten (Cloisonné), die beide vollkommen flächig angelegt sind und nur durch reine Farben und deren Umrißlinien wirken. So entwickelte Bernard in immer stärkerer Konzentration jenen Umrißstil, den die Zeitgenossen als 'Cloisonisme' bezeichneten: Breite arabeskenhafte Konturen umreißen dabei gleichmäßig getönte, aufeinander abgestimmte Farbflächen. Es war kein geradliniger Weg, der zu dem Bild der *Bretoninnen auf der Wiese* führte, denn es war Bernards Schicksal, immer zuviel zu wissen und deshalb zu viele Wege gehen zu müssen, aber diese Stilformen sind in seinen Bildern schon seit 1886 nachweisbar, lange bevor die Zeitgenossen ähnliche Tendenzen verfolgten.

1 Japanischer Holzschnitt

Freilich zeigt die zeitgenössische Malerei der Impressionisten – MANET, RENOIR – ebenfalls schon genügend Beispiele eines Silhouettenstils, und auch Verwendung von betonten Umrißlinien kommt gelegentlich schon vor (zum Beispiel in den Stilleben Cézannes), aber allerdings nicht mit der Absicht, ein System des Bildaufbaus daraus abzuleiten, wie Bernard es tat. Der Ausgangspunkt für alle diese Formtendenzen ist der japanische Farbholzschnitt, der seit seinem Bekanntwerden in der zweiten Hälfte des neunzehnten Jahrhunderts in Frankreich eine unerschöpfliche Einflußquelle für die gesamte europäische Malerei und Graphik geworden ist.

2 Der japanische Farbholzschnitt

Auch die Impressionisten beriefen sich auf den japanischen Holzschnitt; aber sie sahen nur die Seite seiner Kunst, die ihrer eigenen Malerei zugrunde lag: den Reichtum und die Delikatesse der feinen Abstufungen in der aquarellhaft gedruckten Farbe, die Auflösung der Schlagschatten durch das Licht, die Enträumlichung der Landschaften, die durchsichtige Klarheit der Luft, die Fülle des Lichts, die das Weiß der unbedruckten Flächen neben der Farbe ausstrahlte, die raffinierten Bildausschnitte und die ungezwungene Darstellung des gesellschaftlichen Lebens in den Teehäusern, bei Theaterspielen und so weiter. Auch van Gogh zeigte sich bei seiner ersten Begegnung mit dem japanischen Holzschnitt vor allem von der Helligkeit der Farben, die die Blätter ausstrahlen, beeindruckt, und er wollte noch in Arles ein Äquivalent für das schaffen, was die Japaner in ihrem eigenen Lande fertig brachten.

Bernard aber erkannte in den japanischen Holzschnitten (Fig. 1) Qualitäten, die der Impressionismus meist unbeachtet ließ. Für ihn waren die Schlagschatten nicht in Licht aufgelöst, sondern sie waren einfach gar nicht da. Er sah nur eine Zeichnung in der Fläche, die jede illusionistische Modellierung und Perspektive vermeidet und zwar so konsequent, daß zum Beispiel ein Blumenmuster eines Kleiderstoffes sich nicht in die Falten des Gewandes legt, sondern über das Gewand flächig hinweg gedruckt wird. Das ganze Bild baut auf der Wirkung der Linie und der unmodulierten Farb- oder Schwarzfläche auf, und diese Linien besitzen in ihrem arabeskenhaften Verlauf eine Poesie, eine unmittelbare Aussagekraft feinster seelischer Stimmungen, wie sie in den zartesten Schwingungen einer Melodie hörbar sind. So etwas kannte man in der abendländischen Kunst bisher noch nicht.

Solche Anregungen, die Bernard aus dem japanischen Holzschnitt ableitet, hatte auch Seurat dort empfangen. Wie Seurat versucht Bernard das Problem des Tiefenraums analog den Japanern zu lösen, durch Hochlegung der Horizontlinie und durch Größendifferenzierung der Figuren, die nach oben – und das heißt nach 'hinten' – immer kleiner werden. Aber Bernard geht konsequenter vor als Seurat: er legt die Horizontlinie so hoch, daß sie gar nicht mehr im Bild

15 Ferdinand Hodler, Frühling. 1901

erscheint und er reduziert den Umriß der Figuren nicht einfach zur charakteristischen Silhouette, sondern er versucht – was die Japaner meisterhaft konnten – den Raumkörper einer Figur oder eines Gesichtes durch die Linien zu 'umschreiben', das heißt durch den arabeskenhaften Verlauf der Linien anzudeuten, daß sie nicht eine Fläche, sondern einen Körper umgrenzt.

Besondere Schwierigkeiten ergaben sich dabei für die Umsetzung des menschlichen Gesichtes – oder Porträts – in die reine Flächenform. Fast alle Arbeiten Bernards bleiben erst im Versuch, das Problem zu lösen, stecken. Er versucht, die Einzelform der Augen, des Mundes und der Nase von den japanischen Holzschnitten auf seine Figuren zu übertragen und deshalb sehen seine bretonischen Frauen so oft wie verkleidete Japanerinnen aus. Aber wir müssen Bernard zugute halten, daß er nachdrücklich ein Problem aufwirft, dessen erste befriedigende Lösung dann von TOULOUSE-LAUTREC angeboten wird. (Zur Meisterschaft gelangt diese raum-umschreibende Linie dann in den Zeichnungen von MATISSE.)

Die Botschaft der japanischen Holzschnitte aber enthielt noch mehr: die formelhafte Abkürzung für die menschliche Figur in der Silhouette wie im Porträt, mit der das Allgemeingültige, nicht das individuell Wandelbare ausgesagt wird; das gleiche gilt für die Formen der Landschaft, des Wassers, der Berge, Bäume und Blüten. Mit ihnen wird nicht ein sichtbarer Natureindruck wiedergegeben und in flächige Bildformen umgesetzt, sondern Sinnbilder des Lebens aufgezeigt: das kurze Aufblühen der Blüten, die Behendigkeit des Fisches im Wasser, der von der Erde losgelöste Vogelflug, die ewige Wiederkehr der Welle und die unveränderliche Dauer des heiligen Berges, der mit seiner ewigen Schneedecke außerhalb der Zeit steht. Es bedarf der Meditation und Versenkung, um diese Bilder zu verstehen, in denen das Weiß des Papiers – als das ursprüngliche Nichts, aus dem die Dinge entstanden sind – ebenso bedeutsam ist, wie die Zeichnung selbst.

Da alles auf den inneren Zusammenhang ankommt, kann der äußere Zusammenhang der Naturform geopfert werden, ja, er muß gelegentlich sogar aufgegeben werden, um von der Naturform zu abstrahieren. Hierfür sind die vielfältigen Überschneidungen, die der japanische Holzschnitt oft sogar in der

16 Cuno Amiet, Mutter und Kind. 1901

Darstellung menschlicher Figuren zeigt, bedeutsam. Die Impressionisten haben dies ganz anders interpretiert: als Betonung eines lebendigen, wirklichkeitsnahen Ausschnittes, den das Bild vermittelt. Wie auf einem photographischen Bild laufen Personen zufällig ins Bild herein oder hinaus. Vom Bildrand überschnittene Figuren finden sich bei den Impressionisten in diesem Sinn häufig. Bernard interpretiert die überschnittene Randfigur bei den Japanern anders und verwendet sie in seinen Bildern auch dementsprechend: Häufig ist ein Kopf am rechten unteren Bildrand geradewegs auf den Betrachter bezogen oder eine, beziehungsweise mehrere Figuren laufen direkt auf den Betrachter zu. In den japanischen Holzschnitten wird gerade durch solche, vom Rand überschnittenen Figuren der Leerraum des Bildes und das, was zwischen den Personen geschieht, bedeutungsvoll betont. Bei Bernard geschieht das gleiche, aber mit einer weiteren Absicht: der Betrachter soll direkt angesprochen, in die Darstellung miteinbezogen werden, ja, er wird in der Fragestellung des Ganzen sogar ein Teil des Bildzusammenhangs. Welche Bedeutung dieses Motiv für die Entwicklung der Kunst besitzt, werden wir später, bei den Bildern EDVARD MUNCHS, festzustellen haben.

Als Beispiel für diese frühe Auseinandersetzung Bernards mit dem japanischen Holzschnitt, deren Ergebnisse auch in den *Bretoninnen* schon deutlich waren, zeigen wir hier ein graphisches Blatt von 1886, das fünf Frauen auf ihrem Gang durch einen herbstlichen Park zeigt (Abb. 4). Trotz der Vereinfachung sind die Figuren differenziert: diejenigen, die dem Betrachter entgegen kommen und länger in seinem Blickfeld verweilen, haben festere Umrisse als die flüchtig Vorbeieilende rechts. Der Raum ist mit den Mitteln der Fläche erschlossen: durch die imaginäre Schräglinie, auf der die Bäume stehen, deren Umfang nach hinten abnimmt, durch die Ovale um ihre Fußpunkte, die die Illusion verkürzter Kreise und damit räumliche Beziehung erwecken und schließlich durch verkleinerte Figuren im Hintergrund, deren Silhouettenform direkt den Hintergrundfiguren auf den japanischen Holzschnitten entnommen sein könnten.

Auch andere Einzelformen entsprechen unmittelbar der Vorlage: Die merkwürdig rundbogigen Umrandungen von Wasserpfützen und schließlich die Rahmenform des ganzen Blattes, mit dem Segmenteinschnitt rechts oben und der fehlenden rahmenden Abschlußlinie. Diese Bildform hat ihr Vorbild in den japanischen Fächerdrucken, das heißt in den halbkreisförmig bedruckten Papieren, die so auf ein Stabgerüst aufgeklebt wurden, daß der ausgeschnittene

Halbkreis offen blieb. Da die Japaner meistens kleine Druckstöcke verwendeten, wurden mehrere Drucke nebeneinandergesetzt, wobei die Anschlußteile – im Gegensatz zur Ober- und Unterkante – keine Rahmenleiste erhielt; so ergab sich dann ein zusammenhängendes Bild, das aus drei bis vier Einzeldrucken bestehen konnte. Da die japanischen Holzschnitte meist als Füll- und Verpackungsmaterial nach Europa kamen, ist es möglich, daß Bernard den Verwendungszweck der losen Fächerblätter gar nicht kannte und einfach das Format als eigentümlich exotisch empfand und darin ein Mittel zur Verrätselung der gewohnten Bildvorstellung sah. Auch die Verwendung anderer Formate des japanischen Holzschnitts, wie die hohen und schmalen Bildstreifen, finden wir zuerst in der Graphik Bernards, ehe sie als Allgemeingut in der zeitgenössischen Jugendstilgraphik auftreten. Damit soll nicht gesagt sein, daß Bernard für diese Begegnungen mit der fernöstlichen Kunst stets das Vorbild gab; diese Beziehungen lagen vielmehr in der Luft, und Bernard war einer der ersten, der auf diese Strömungen reagierte. Erst nach ihm setzten sich auch die anderen Künstler aus seinem Umkreis so intensiv mit dem japanischen Holzschnitt auseinander: Toulouse-Lautrec, van Gogh, Gauguin und später die 'Nabis'.

3 Monochrome Stimmungsmalerei

Die farbliche und formale Vereinfachung der Bildmittel im Sinne der japanischen Holzschnitte war in der 'Ecole du Petit Boulevard' Bernards eigentliche Leistung. Aber die Freunde gingen mit nicht geringerer Experimentierfreude ans Werk, und so legte LOUIS ANQUETIN (1871–1932) noch 1887 seine Methode einer farblichen Synthese vor, die für die Weiterentwicklung des Stils nicht weniger folgenschwer wurde.

Sein Experiment bestand darin, die Landschaft durch verschieden gefärbte Gläser zu betrachten. Im Hause seines Vaters in Etrépagny gab es eine Verandatüre, in die quadratische Gläser in den Farben gelb, grün, rot und blau eingesetzt waren, eine damals beliebte modische Spielerei. Durch die Scheiben dieser Türe beobachtete Anquetin eines Tages die Landschaft und entdeckte dabei, daß jedes Glas gemäß seiner Farbe die Landschaft im Sinne einer bestimmten Stimmung veränderte. Unabhängig von der gegenwärtigen Tageszeit ergab die grüne Scheibe frühe Morgenstimmung, während die blaue Scheibe die

Illusion von Nacht und Mondschein erzeugte. Das gelbe Glas erregte die Vorstellung eines sonnigheißen Tages, und durch die rote Scheibe betrachtet, war die Landschaft in glühenden abendlichen Sonnenuntergang getaucht.

Damit wurde künstlich eine Naturstimmung erzeugt, bei der alle Farbtöne, und mögen sie in Wirklichkeit noch so verschieden sein, sich unter eine Dominante vereinigten. Man hatte mit einem solchen Farbsystem nicht nur die Mittel zu einer Vereinfachung der Farben gewonnen, sondern auch die Möglichkeit ihrer symbolhaften Verwendung. Diese Malerei war mehr denn je dazu geneigt, seelische Stimmungen im Bild der Landschaft auszudrücken und im Betrachter wieder anklingen zu lassen.

Das erste Bild, das Anquetin in diesem Stil malte, ist ein Erntebild mit einem *Mäher*. Alle Farben sind der gelben Dominante untergeordnet und Nuancen dieser Hauptfarbe. Alle Formen sind raum- und schattenlos in die Fläche gelegt, deren Horizont bis fast an den oberen Bildrand verschoben ist und von dunkleren, braun-orangen Konturlinien eingefaßt, den 'cloisons' Emile Bernards. Ihre Verwendung ist hier besonders notwendig, da sich gelbe gegen gelbe Flächen sonst nicht abheben würden. Ein zweites Bild, das den abendlichen Boulevard Clichy zeigt, malte Anquetin unter Verwendung der blauen Farbdominante; dieses Bild ist bis heute leider unauffindbar geblieben.

Man kann die Bedeutung von Anquetins Entdeckung ermessen, wenn man ihre Wirkung auf VAN GOGH berücksichtigt. Emile Bernard berichtet von ihm: »Il etait très enthousiasmé«, und er habe von dieser Malerei den entscheidenden Impuls empfangen, sich vom Impressionismus zu lösen. Van Gogh soll den *Mäher* Anquetins kopiert haben; auf alle Fälle beschäftigen ihn monochrome Bilder nun fortwährend, besonders gelbe Erntelandschaften, und möglicherweise geht ein Pastell des abendlichen Boulevard Clichy auf die verschollene Anregung Anquetins zurück. Bedeutsam ist in diesem Zusammenhang auch ein Pastellbild van Goghs von 1887, in dem die Farbdominanten fast programmatisch angewendet werden. Das Bild zeigt ein Interieur im Restaurant der Mère Bataille, und zwar den Blick auf das Fenster. Im Innenraum herrscht die blaue kühle Stimmung der Dämmerung, während draußen vor dem Fenster das warme gelbe Licht der letzten Sonnenstrahlen leuchtet und seine Reflexe ins Zimmer wirft. Hier werden in einem Bilde zwei Farbdominanten gegeneinander gesetzt, wobei die impressionistische Strichtechnik, die van Gogh verwendet, auch noch die Möglichkeit der Überlagerung beider Farbzonen zuläßt.

so daß sich die Sonnenstrahlen von außen mit der Kühle des dämmrigen Raumes mischen.[37]

Mit dieser neuen Malerei ist der Impressionismus mit seinen eigenen, von ihm abgeleiteten Mitteln überwunden: Die von den Impressionisten gezeigte Farbigkeit der Dinge im natürlichen Sonnenlicht, denen der Mensch objektiv beobachtend gegenüber steht, wird durch eine Farbigkeit ersetzt, welche die Stimmung ausdrückt, in die sich der Mensch vor der Natur und vor den Dingen versetzt fühlt. Dieser Sprung aus der realistischen Objektivität in der Betrachtung der Naturoberfläche zum subjektiven Naturleben wird für die Entwicklung bedeutsam, weil sie der Seelenlage des ausgehenden Jahrhunderts besonders entspricht; wir werden ihr fast auf allen Stufen der europäischen Jugendstilmalerei begegnen: Die Dämmerstunde mit ihrer Blaudominante, die 'blaue Stunde' wird geradezu zum Stimmungssymbol der Zeit.

Auf dieser Stufe begegnet uns in der englischen Malerei ein Außenseiter, dessen Einfluß auf die europäische Malerei sich mit den Einflüssen der monochromen Stimmungsmalerei Anquetins, spätestens in den neunziger Jahren, zu vermischen beginnt: JAMES ABBOT MAC NEILL WHISTLER (1834–1903). Er gehört seinem Alter nach nicht zur Jugendstilgeneration, aber durch die in seinen Werken sichtbare Entfremdung des Natureindrucks wird er zu ihrem bedeutsamen Anreger. Für ihn war die Natur nach seinen eigenen Worten »immer ein großes Unglück«, und so arbeitet er aus dem Intellekt, aber mit einem außergewöhnlichen Empfinden für harmonische Töne und seltene Stimmungen. Er bevorzugt die Stunde nach Sonnenuntergang oder das Wetter nebliger und dunstiger Tage. Für ihn wird die Natur dann bedeutsam, wenn ihre Farben undeutlich werden und im Raum miteinander verschmelzen; dann tauchen die vertrauten Dinge plötzlich fremdartig wie Visionen aus einem Reich von Zwischentönen und Mollakkorden vor dem nach innen gerichteten Blick empor, der sie dann wie musikalische Klänge erlebt, als »Nocturne in Blau und Gold«, als »Symphonie in Weiß«.

4 Van Gogh und Emile Bernard

Seit ihrer Zusammenarbeit im Atelier Cormon und in der 'Ecole du Petit Boulevard' sind VAN GOGH und EMILE BERNARD eng befreundet; sie tauschen regelmäßig ihre Bilder und Ideen aus und stehen auch noch später, nachdem van Gogh in Arles weilt, brieflich in Verbindung. In den Monographien über van Gogh ist dies bisher viel zu wenig zur Kenntnis genommen worden. Man hat immer wieder die Frage nach dem Verhältnis zwischen van Gogh und GAUGUIN aufgeworfen, was durch den kurzen und gestörten Aufenthalt Gauguins in Arles ja auch nahe gelegt wird; aber man hat dieser Berührung vieles zugeschrieben, was in Wirklichkeit auf die enge Zusammenarbeit van Goghs mit Bernard zurückgeht.[38]

Den Sommer des Jahres 1887, ein Jahr bevor van Gogh nach Arles ging, um dort sein 'Atelier du Midi' zu gründen, verbrachte er zusammen mit Emile Bernard in dessen Elternhaus in Asnières. Es war eine Zeit glücklicher Zusammenarbeit, die noch lange in den Brieferinnerungen nachklingt. Beide arbeiten vor dem gleichen Motiv: der *Eisenbahnbrücke von Asnières*. Van Gogh, in seiner Strichtechnik immer noch dem Impressionismus stark verpflichtet, baut ein strenges Formgefüge mit großer Konzentration des rhythmischen Ablaufs der parallel geführten Schräglinien. Bernard, mit dem Vorsprung vor der zeitgenössischen Malerei, erarbeitet sich bereits mit den vereinfachten Mitteln seiner konturierten Formen ein tektonisches Bildgefüge, dem jedoch die zwingende Dramatik der Konzeption van Goghs – beim Auftauchen des Zuges – abgeht. Berührungspunkte ergeben sich dabei nicht.[39]

Anders verhält es sich bei den Porträtarbeiten: Bernard malt ein Bildnis seiner Großmutter mit arabeskenhaften, teigigbreiten Pinselstrichen, bleibt dabei aber Ton in Ton. Van Gogh ist von dem Bild nachhaltig beeindruckt; lange, nachdem er Asnières wieder verlassen hat, bittet er Bernard, ihm das Bild nachzusenden. Der Duktus der arabeskenhaften teigigen Pinselstriche findet sich jetzt plötzlich auch auf Bildern van Goghs, ebenso wie die arabeskenhaft bewegten Umrißlinien. Sie können gar nicht von Gauguin angeregt sein, weil Gauguin sie in dieser Art nie verwendet hat.

Als Gauguin im Herbst 1888 nach Arles kam, brachte er auf ausdrücklichen Wunsch van Goghs die *Bretoninnen auf der Wiese* von Bernard mit, und van Gogh drückte seine Begeisterung darüber in einem Brief an den Bruder Theo aus. Er kopierte das Bild, signierte es rechts unten mit seinem Namen Vincent und schrieb dazu »d'après un tableau d'Emile Bernard«. Formale Anregungen aus diesem Bild verwertete er in seinen nächsten Arbeiten, wie dem *Salle de Danse* der Sammlung Druet. Aber auch später, in der *Berceuse*, dem *Souvenir à*

Etten und in den Kinderbildnissen in Winterthur und Zürich ist der Einfluß Bernards noch deutlich zu spüren.[40] Van Goghs Bewunderung für den jungen Freund ist so groß, daß er sich von Gauguin Bilder beschreiben läßt, die Bernard gemalt hat und über diese Bilder – die er also nur aus der Beschreibung kennt – begeistert an seinen Bruder Theo schreibt.

Mit dem Nachweis solcher Beziehungen soll keine 'Abhängigkeit' van Goghs von Emile Bernard aufgezeigt werden. Es geht vielmehr darum, Erscheinungen der gesamten Stilentwicklung zu klären und zu zeigen, wie eine gemeinsame Vorstellung – die von keiner Einzelpersönlichkeit abhängt – die ganze Generation zu individuellen Lösungen treibt. Es ist daher wichtig, auch van Gogh in seinen Beziehungen zum beginnenden Jugendstil zu sehen, auch wenn er selbst keineswegs unter diesem Stilbegriff zu fassen sein wird. Van Goghs unmittelbare Leistung für den Jugendstil aber liegt weniger in seiner Malerei, als vielmehr in der – auch durch die Malerei entwickelten – Graphik. Seine Vorstellung von einer alle Dinge durchströmenden Dynamik, heimlich, aber unaufhörlich wirkender Kraftfelder, kehrt in der Kunst der Jahrhundertwende immer wieder und beruft sich auf ihn. Die ruhige Fläche, wie van Gogh sie auf Anregung Bernards in seiner Malerei versucht, ist seiner Art nicht gemäß. Überall empfindet er Leben und Bewegung, und er erfindet einen Kosmos von Differenzierungen des Federstrichs, um dies auszudrücken.

5 Paul Gauguin und der neue Stil

Der Börsenmakler GAUGUIN (1848–1903), der seit 1874 in seinen Feierabendstunden malt und darin von CAMILLE PISSARRO unterrichtet wird, verzichtet 1883 auf seine kaufmännische Laufbahn und sein bürgerliches Familienleben, um Künstler zu werden. Er ist von einer Botschaft erfüllt, die sich mit den herkömmlichen Mitteln nicht ausdrücken läßt, schon gar nicht mit den Mitteln des Impressionismus, die Gauguin sich angeeignet hatte. Der Künstler aber war im Umgang mit der Kunst noch zu sehr Dilettant, um sich die Mittel für seine persönliche Aussage so leicht gefügig zu machen. Sein Beispiel zeigt, daß ein Künstler nicht einfach malen kann wie er will, sondern daß die Kunst ein Eigenleben führt, in das einzudringen, das zu beherrschen, alle Kraft und Konzentration erfordert. Diese Einsicht veranlaßt ihn, sich der

Kunst schließlich ungeteilt zu widmen; aber auch dann muß er zunächst nachholen.

Im Januar des Jahres 1885, zu einer Zeit, da er noch rein impressionistisch malt, entwickelt er in einem Brief an seinen Pariser Freund EMILE SCHUFFENECKER seine Idee von der Malerei, die der praktischen Ausübung weit voraus ist: »Seit langer Zeit denken die Philosophen über Erscheinungen nach, die uns übernatürlich vorkommen, die man aber trotzdem deutlich fühlt. Und darin liegt alles begründet! Beobachten sie einmal die ungeheuer reiche Schöpfung der Natur, und sie werden feststellen, daß trotz der vielfältigsten Möglichkeiten keine Gesetzmäßigkeit besteht, um die menschlichen Gefühle, die den Dingen entsprechen, mit diesen zusammen wiederzugeben. Betrachten sie einmal eine dicke Spinne oder einen Baumstumpf im Wald. Ohne daß wir uns darüber Rechenschaft ablegen, verursachen alle beide ein schreckliches Gefühl in uns. Warum ist es uns widerlich, eine Ratte oder viele ähnliche Dinge zu berühren? Kein Verstandesurteil kann vor diesen Empfindungen bestehen. Alle unsere fünf Sinne dringen direkt ins Gehirn, beeindruckt von einer Unzahl von Dingen, welche von keiner Erziehung abgelenkt werden können.«[41]

Wenn wir aus Gauguins Worten eine Abkehr vom Impressionismus herauslesen können, so wird auch sofort deutlich, daß sie sich nicht gegen die Technik richten, sondern gegen die Sehweise dieser Kunst, gegen die Haltung, die vor der Wirklichkeit eingenommen wird. Wollten die Impressionisten in ihrem Verhältnis zur Natur vor allem wahr sein und ließen deshalb jenen romantischen Schleier des Gefühls zwischen Natur und Auge nicht aufkommen, um die Welt mit wirklicher Objektivität zu schauen, so verloren sie doch zugleich einen Gesichtspunkt: Sie vergaßen, daß ein Gegenstand nicht nur in der zufälligen Erscheinung besteht, sondern daß er ein typisches Wesen mit Unvergänglichkeit und Dauer besitzt. Diese innere Wirklichkeit aber fand Gauguin zu dieser Zeit allein im Werk CÉZANNES ausgedrückt. Es ist jedoch deutlich, daß sein Verständnis Cézannes bereits eine Interpretation darstellt, mit der Gauguin mehr über sich selbst aussagt. Er fühlt eine Verwandtschaft zu Cézanne, aber nur sofern dessen Kunst ein ähnliches Ziel anstrebt: den Gegenständen ihr

17 Ernst Kreidolf, Wasserrosen aus dem ›Gartentraum‹. 1911
18 Giovanni Segantini, Die bösen Mütter. 1894. (Ausschnitt)

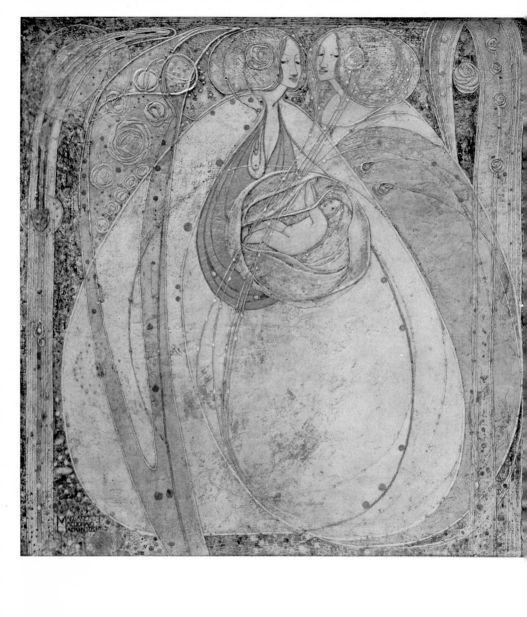

Wesen und ihre Dauer zurückzugeben. Aber unter Wesen und Dauer versteht er letztlich etwas anderes: nicht die Ordnung und Struktur der Dinge innerhalb der sichtbaren Wirklichkeit, sondern deren magische Tiefenschicht, ihren Zusammenhang mit der unkontrollierbaren Hintergründigkeit, mit der sie erlebt wird. Der Maler sollte eine Spinne so malen, daß man den Ekel empfindet, den ihre Berührung hervorrufen würde. Dies aber ist kein Rückgriff auf die Romantik, denn nicht der Schleier des Gefühls zwischen Auge und Natur ist damit gemeint, sondern das Mythische, das dem Gegenstand selbst immanent ist: es springt den Betrachter an, er vermag sich mit den Kräften des Verstandes nicht dagegen zu wehren.

Die Mittel, die dem Künstler zur Verfügung stehen, um solches auszudrücken, hat Gauguin damals schon erkannt: »Ich schließe, daß es edle Linien, heuchlerische Linien usw. gibt. Die gerade Linie führt ins Unendliche, die Kurve begrenzt die Schöpfung. Infolge ihrer Macht auf das Auge sind die Farben noch aussagekräftiger, wenn auch weniger vielfältig als die Linien. Es gibt edle und gemeine Töne, ruhige, tröstliche Harmonien und andere, die uns durch ihre Kühnheit reizen. Mit einem Wort: wir sehen in der Graphologie die Züge freimütiger Menschen und andere von Lügnern; warum sollten uns die Linien und Farben nicht auch den mehr oder weniger grandiosen Charakter des Künstlers enthüllen?[42]

Diese Ideen, die weit über den Impressionismus hinausführen, versucht Gauguin noch jahrelang in impressionistischen Bildern auszudrücken. 1886 begegnen sich Gauguin und Bernard in Pont-Aven ohne daß eine Berührung zwischen ihnen stattfindet, obwohl Bernard dem gleichen Ziel weit näher steht als Gauguin. 1887 weilt Gauguin mit dem kränklichen Malerfreund CHARLES LAVAL (1862–1894) in Martinique, wo beide unter Eingeborenen leben und hier den einfachen Ausdruck für die menschlichen Grunderlebnisse, die sie gestalten wollen, zu finden hoffen. Lavals Gesundheit hält dem tropischen Klima nicht stand, und so kehren beide gegen Ende des Jahres wieder nach Frankreich zurück. Gauguins Bilder aus dieser Zeit zeigen ein hartes Ringen mit den impressionistischen, ungemäßen Mitteln um die neuen Ideen: aber die Farben sind intensiver, sie konzentrieren sich an bestimmten Stellen flächenhaft und

19 Margaret Macdonald, Heimsuchung. Um 1898. Bemaltes Stuckrelief

stehen in ausdrucksvolleren Kontrasten gegeneinander als bisher; die Linien der hohen schlanken Bäume durchziehen in ausdrucksvollen Kurven das Bild. Der Aufbau ist straff durchorganisiert, und zerfließt nicht mehr in den Farbenschimmer einer atmosphärischen Malweise. Dies führt nahe an die Ergebnisse heran, die Bernard bereits gelungen sind.

Zu Beginn des Jahres 1888 trifft Gauguin wieder in Paris ein, lebt kurze Zeit bei seinem Freund Schuffenecker und bringt dank der Vermittlung THEO VAN GOGHS bei Boussod & Valodon eine kleine Ausstellung zustande, die nicht ohne Echo bleibt. Im übrigen fehlen ihm aber jegliche Mittel, und so zieht er bald wieder nach Pont-Aven, wo die 'Mutter Cloanec' ihn vorerst ohne Bezahlung bei sich aufnimmt. Gauguin hatte van Gogh wieder in Paris getroffen, und von diesem war ihm nachdrücklich empfohlen worden, sich in Pont-Aven mit seinem Freund Bernard zu verbinden. Wir haben keine sicheren Anhaltspunkte, inwiefern dies geschehen ist. Gauguins Bilder aus Pont-Aven zeigen anfangs immer noch seinen, dem Impressionismus nahestehenden Stil, aber es läßt sich nun auch in seinen Bildern eine typisierende Zusammenfassung der menschlichen Figuren beobachten, nachdem schon in seinen Bildern aus Martinique der Mensch stärker in die Landschaft eingebettet war.

Eines Tages aber fand die Begegnung zwischen Gauguin und Bernard statt: Bernard hatte soeben seine *Bretoninnen auf der Wiese* gemalt und das vollendete Werk Gauguin gezeigt, der davon sehr beeindruckt war: er fand hier die Mittel, die er zu seiner eigenen künstlerischen Aussage benötigte. Bernard erzählte später, daß er Gauguin an Hand dieses Bildes seine Studien über die Farbe erläutert habe: je mehr man den Farbton zerlege, wie Gauguin es immer noch tat, desto mehr verliere er an Intensität und werde grau und schmutzig. Denn zwei Farben miteinander vermischt, ergeben außer einer dritten Farbe immer noch einen beträchtlichen Schmutzanteil. Nur die ungebrochene Farbe bewahre die ihr innewohnende Kraft rein und diese werde noch gesteigert durch eine Umrandung der farbigen Fläche mit blauschwarzen Linien. Gauguin wollte diese Wirkung selbst erproben und bat Bernard, ihm einige Farben zu leihen, wie das Preußischblau für die Trachtenkleider. Gauguin besaß diese Farbe nicht, da er sich bisher immer noch der impressionistischen Palette bedient hatte, die diese Farbe nicht kannte. Gauguin ließ sich von Bernard sogar das Mischungsverhältnis erklären, mit dem jener das Schwarzblau seiner Konturlinien erzielt hatte. Auf diesen Anregungen aufbauend, malte Gauguin seine *Vision nach der Predigt* (Abb. 5), die gelegentlich auch als *Kampf Jakobs mit dem Engel* bezeichnet wurde. Der Stil ist dem Bilde der *Bretoninnen* von Bernard so ähnlich, daß man später umgekehrt glaubte, das Bild Bernards sei nach Anregungen Gauguins entstanden. Gauguin aber hatte radikal mit seiner bisherigen Malweise gebrochen und das Äquivalent zu seinen symbolistischen Vorstellungen gefunden.

Trotz aller Ähnlichkeiten mit Bernards Malerei fallen die Unterschiede auf. Gerade ein Vergleich beider Bilder macht deutlich, daß Gauguin nur die formalen Mittel benutzt hat, um etwas völlig anderes, eigenes auszudrücken. Schon sein Bildvorwurf ist dynamisch, im Gegensatz zur Zuständlichkeit von Bernards Bild. Es ist kein Motiv mehr, das auch ein Impressionist gemalt haben könnte: Bretonische Bäuerinnen erleben nach Verlassen ihrer Kirche auf dem Felde plötzlich die Vision der soeben gehörten Predigt, den Kampf Jakobs mit dem Engel. Betend sinken sie im Kreis vor dem Wunder in die Knie, durch das auch die ganze Natur verändert wird: die Wiese, auf der sich alles abspielt, ist blutrot gefärbt.

Während auf dem Bilde Bernards, bei aller Hintergründigkeit des Gegenstandes, das Bild eine dekorative Eigengesetzlichkeit entwickelt, ist bei Gauguin alles auf das Geschehen konzentriert: die Gruppe der Kämpfenden steht wie in einem Brennpunkt des Halbkreises, den die betenden Bäuerinnen bilden, und der schräg gestellte Baumstamm trennt deutlich die Sphäre der Realität von der Sphäre des Wunders. Und dieses Wunder wird hier nicht vor dem Bildbetrachter erzählt, wie bisweilen auch die naturalistische Malerei Wunder schilderte (z. B. der 'Tod erscheint den Holzfällern' usw.), sondern es ereignet sich vor dem Betrachter und zwar immer wieder neu, sobald er vor dem Bild steht: durch die Suggestion der Malerei, allein schon kraft des roten Grundes, wird der Seher und der Bildbetrachter zu einer Person. Damit wird zwischen der Kunst Bernards und der Kunst Gauguins eines deutlich: es gibt einen Berührungspunkt in dem Augenblick, da Bernard der Malerei Gauguins zum eigentlichen Durchbruch verhilft. Danach aber streben die Entwicklungen beider Künstler sofort wieder auseinander. Noch eine Zeitlang arbeiten sie in Pont-Aven zusammen, und um sie schart sich ein Kreis gleichgesinnter Maler, aber die Kluft wird immer größer, vor allem von der Seite Gauguins her, der seine persönlichen Absichten verfolgt, die sich nicht mit den Zielen einer Künstlergruppe vereinen lassen. Dennoch ist Gauguins Eingreifen in diese Stilphase für den ganzen Jugendstil von ungeheurem Wert. Da er gegenüber Bernard der ungleich stärkere Künstler ist, verhilft er dieser Malerei schlagartig zum Durchbruch und sichert ihr eine Wirkung weit über die Grenzen Frankreichs hinaus.

Neben den Anregungen, die Gauguin durch seine Malerei der jüngeren Generation vermittelt, sind es vor allem seine illustrativen Holzschnitte, die große Wirkung auf die neue Buchkunst ausüben (Fig. 2). In seinen Blättern ist der Organismus des Holzstockes, noch deutlich spürbar: die Maserung des gewachsenen Holzes wird in die Darstellung mit einbezogen und wirkt wie eine Dominante, der sich alle Linien, Schwarz- und Weißflächen auf organische Weise unterordnen. Aus der Bearbeitung des Holzes mit dem Messer ergibt sich dabei eine natürliche Differenzierung der Strichlagen und der graphisch durchgearbeiteten Flächen, die immer wieder durch reines Weiß und reines Schwarz gesammelt und akzentuiert werden. Räumliche und inhaltliche Tiefe begegnen sich in der idealen Fläche der Buchseite und erlauben deshalb ihre Konfrontierung mit dem gedruckten Text, der dem Bilde artverwandt ist.

6 Probleme des Frühexpressionismus

Die Entstehung des neuen Stils ist mit einer Entwicklungsstufe der modernen Kunst verbunden, die FRITZ SCHMALENBACH als 'Frühexpressionismus' charakterisiert hat.[43] Diese Stufe ist während der achtziger Jahre bei vielen Künstlern spürbar, sogar bei einem Impressionisten wie MONET, dessen *Tulpenfeld* aus der Mitte des Jahrzehnts plötzlich eine dynamische Verselbständigung der roten Farbe zeigt, die weit über eine reine 'Impression' hinaus führt.

In Bernards ersten bekannten Bildern, seiner von uns hier nur erwähnten *Anbetung der Hirten*, aber auch in einer *Kreuzigungsgruppe* von 1886, wird plötzlich eine Dynamik der Form und der Farbe spürbar, wie der Impressionismus und alles was davor lag, sie nicht kannte. Das gleiche gilt von Gauguins *Vision nach der Predigt* oder von den Bildern van Goghs, die nach 1887 entstehen.

Schmalenbach charakterisiert diese Erscheinung mit Recht als den Ablösungsprozeß der neuen Kunst vom Impressionismus. Wie wir beobachten konnten, ist die neue Malerei dem Impressionismus in ihren Mitteln stellenweise noch

2   Paul Gauguin, Nave Nave Fenua. Holzschnitt. Guérin Nr. 94

weitgehend verpflichtet, wenigstens was ihre formale Seite betrifft: es werden häufig Motive gemalt, die auch von Impressionisten gewählt werden könnten. Grundlegend neu aber ist das innere Verhältnis zum Motiv: es »bedeutet eine tiefere Überwindung des Impressionismus, insofern nämlich, als sie den Primat der malerischen Form, das Prinzip der 'reinen Malerei' in Frage stellt. Es geht ihr in gewissem Sinne um eine neue Verinhaltlichung, eine neue Verinhaltlichung nicht in der Weise der eben überwundenen Genremalerei, sondern in einer geistigen Art.« Dieses Phänomen ist um so merkwürdiger, als in der Kunst teilweise weit später aktuell werdende Entwicklungsstufen vorweggenommen wurden oder zumindest anklingen. So bemerkt ARNOLD GEHLEN mit gewissem Recht, das man in dem von uns erwähnten Kreuzigungsbild Emile Bernards 1886 »ein schlechtes deutsches expressionistisches Bild aus den zwanziger Jahren vor sich zu haben glaubt.«[44]

Fast sieht es so aus, als ob die Betonung des Bildinhaltes mit der ihm innewohnenden Bedeutung durch einen expressiven Schock ins Bewußtsein der Zeit eingeführt werden müsse, denn sowie dies erreicht ist, geht die Entwicklung einen Seitenweg und nimmt erst später in zwei Phasen (wie wir beobachten werden) diese expressionistischen Tendenzen wieder auf: um 1900 noch innerhalb des Jugendstils selbst, und um 1906, bei Beginn des eigentlichen Expressionismus. Welchen Weg die Entwicklung der Jugendstilmalerei aber vorerst geht, läßt sich beispielhaft am Werk EMILE BERNARDS beobachten: im Gegensatz zu van Gogh und Gauguin – die ihre Sonderstellung halten – drängt er die expressiven Züge immer mehr zurück, da ihm eine Stilschöpfung auf breitester Basis vorschwebt, die viele, auch mittlere Talente zu tragen vermag. Denn nur so sieht er eine Möglichkeit, die im neunzehnten Jahrhundert zersplitterten künstlerischen Kräfte wieder zu sammeln und zur gemeinsamen Arbeit zusammenzu führen. Allein auf diesem Wege glaubt er, daß die Stillosigkeit, in die der Positivismus das Jahrhundert geführt hat, überwunden werden könne. Eine objektive Basis für diesen Neubeginn in allen Zweigen der Kunst sieht er im dekorativen Stil erreicht und tatsächlich ist damit eines der wesentlichen Grundprinzipien aller Jugendstilmalerei erkannt.

In seinen eigenen Bildern reduziert Bernard das expressive Moment immer mehr zur reinen Stimmung und nähert nun auch die Form dem Klang der Farbdominanten. In seinem – für diese Stufe charakteristischen – Bild einer See- und Waldlandschaft (1890 gemalt) herrscht die arabeskenhafte, dekorative

Linie, die alles in großer flächiger Gemeinsamkeit zusammenfaßt: Berg und Weg, Baum und Mensch (Abb. 6).

7   Die Künstlergruppen von Pont-Aven und Pouldu

Pont-Aven war in den achtziger Jahren zu einem Künstlerdorf geworden; Bernard hatte auf seinen ausgedehnten Sommerwanderungen durch die Bretagne, die er jedes Jahr unternahm, stets einige Wochen hier gewohnt und gemalt, und die billige Art, wie man hier leben konnte, hatte aus Paris manche Künstler angelockt. So war das Zusammentreffen von Gauguin und Bernard an diesem Ort rein zufällig erfolgt. Und um die Zusammenarbeit dieser beiden Künstler bildete sich völlig zwanglos ein kleiner Kreis von Interessierten, die ähnlichen neuen Ideen nachgingen. Bis Oktober 1888 zählte die Gruppe sechs Mitglieder, zu denen außer Gauguin und Bernard die Maler CHARLES LAVAL (der mit Gauguin in Martinique gewesen war), ARMAND SÉGUIN, HENRI MORET und HENRI DE CHAMAILLARD gehörten. Den Winter 1888/89, den Gauguin in Arles und Paris verbrachte, während auch Bernard in der Hauptstadt weilte, ging die Gruppe auseinander und traf sich erst im Frühjahr 1889 erneut in Pont-Aven, wobei sich ihnen abermals zwei neue Mitglieder anschlossen: MEYER DE HAAN und CHARLES FILIGER.

Diese Künstlergruppe von Pont-Aven hatte kein eigentliches Programm; man darf nicht einmal von einem 'Zusammenschluß' sprechen, da es sich zunächst nur um eine lockere Berührung handelte, sogar mehr um eine gemeinsame Antipathie gegen Akademiker und Impressionisten. Man traf sich, zeigte sich gegenseitig seine Bilder und diskutierte. Erst allmählich wurde der Kontakt enger und führte zur Bildung einer echten Gemeinschaft.

Dabei spielte auch der landschaftliche Raum, in dem man sich bewegte, eine nicht unbedeutende Rolle mit. Man ist nicht nur der billigen Lebenskosten wegen hierher gekommen. Das Leben in der Bretagne, von dem Bernard einmal sagte, es biete überall den Eindruck des »geliebten Mittelalters«, war für ihn die notwendige Ergänzung zum neuen Stil. Von den Künstlern, die uns die Bretagne auch mit Worten beschrieben haben, erfährt man, daß sie in jener Landschaft gar nicht anders hätten malen können, als 'cloisonistisch' und 'symbolistisch'. (Freilich gab es in der Bretagne genug Maler, die pleinairistisch und impressionistisch, oder sogar im Genre-Stil malten). Jene Mischung von »Ideal und Instinkt, von Herkömmlichem und Umstürzlerischem, von naiver Unschuld und triebhafter Sinnlichkeit«, mit der MAURICE DENIS Gauguin nach einer ersten Begegnung schildert, glaubt man dort auch überall in der Landschaft und im Leben der Bevölkerung zu sehen. Man sah alles schon durch das Medium des neuen Stils, aber dabei bleibt merkwürdig, daß es durchweg Fremde waren, die die Bretagne so erlebten: alle waren sie auf der Flucht aus der Metropole hierher gekommen; kein einziger Bretone befindet sich unter ihnen, obwohl es genug bretonische Künstler – auch am Ort – gab.

CUNO AMIET, der Pont-Aven 1892/93 besuchte, sah das Land bereits mit den Augen der Künstler jener Epoche: »Alles war neu, es gab merkwürdige, nie gesehene Menschen, Tiere, Bäume, Häuser, Farben, deren Leuchten ich nicht gekannt hatte, Linien, die auf ungeahnte Weise die Körper mit der Umgebung verbanden. Es gab eine merkwürdige, nie gesehene Kunst.«[45]

ARMAND SÉGUIN veröffentlichte kurz nach der Jahrhundertwende in der Zeitschrift ›L'Occident‹ einen Bericht über die Zeit in Pont-Aven, aus dem am deutlichsten wird, wie sehr der neue Stil in kurzer Zeit das Seherlebnis prägte.[46] Séguin sieht in der Landschaft geradezu das zwingende Vorbild für den neuen Stil und ist so sehr von der Wechselwirkung, in der er steht, ergriffen, daß er beinahe Gefahr läuft, das Primäre mit dem Sekundären zu verwechseln: »Die Bretagne erleichterte wunderbar die Erforschung der Synthese und des ›Cloisonnismus‹. Das Land liegt prachtvoll: die Steinmauern lassen die Felder hervortreten, die sie umgeben; sie bilden rote, grüne, gelbe, violette Abgrenzungen, je nach Jahres- beziehungsweise Tageszeit und Wetter; die Bäume zeichnen sich schwarz gegen den Himmel ab, die Tanne richtet eine gerade Linie auf, die ausgeästete Eiche erinnert an Fabeltiere, der Felsen erhält unter der beständigen Reibung durch die Welle die Form unbekannter Ungeheuer, die er vielleicht einmal beherbergt hat, der Saum einer Woge bildet eine weiße Arabeske auf dem Blau des Meeres. Die ganze Natur hat zu den Künstlern gesprochen, und gesagt: Seht die Einfachheit der von mir benutzten Mittel, um Schönheit und Größe zu zeigen . . . Auf diesen Boden habe ich starke Männer und energische Frauen gestellt; ihre Kleidung ist streng und

20 Edmund Dulac, Aus Ritter Blaubart

gleicht mir selbst. Das Weiß der Haube wechselt mit dem Schwarz des Gewandes; wenn sie arbeiten, erscheint uns die Biegung ihrer Silhouette um so harmonischer, als sie durch die Vertikale meiner Linien kompensiert wird. Das Blau ihres Rockes stimmt zu dem Orange des Sandes, so wie sich das Grün meiner Bäume und das Rot meiner Erde verbinden; das Gold des Ginsters breitet sich über das Violett des Granits. Dies ist das ewige Buch, in dem ihr lesen sollt.«

Bernard und Gauguin hielten die Arbeit beständig in Fluß, stellten dauernd neue Probleme, und Séguin berichtet, daß es harter und ausdauernder Arbeit bedurfte, ehe befriedigende Ergebnisse erzielt worden seien. Gauguin kritisierte scharf und zynisch. Immer wieder gab es Rückschläge, ...»denn die Erziehung des Auges dauert lange, selbst bei dem begabtesten Künstler; Gauguin stieß sich an zahlreichen Hindernissen, die er nicht voraussehen konnte. Er konnte sich keiner zarten und gefühlvollen Färbungen, keiner Tapetenmalerei für einen so strengen Entwurf bedienen, wie er ihm vorschwebte. In dem Bestreben, die Trockenheit eines Schemas zu vermeiden, schuf er eine klangreiche, dauerhafte Harmonie von Tönen, die sich in geheimnisvoller Verwandtschaft untereinander so verbanden, daß die zuweilen zwangsläufig harte Trennung der Formen durch die dunklen Linien weniger sichtbar wurde. Er nahm sich vor, in diesem Konzert der Farben der Natur so weit wie möglich zu folgen und das Rot mußte für ihn die gleiche Bedeutung haben wie die Kraft in seinem Leben.«

Da man das Ziel vor Augen hatte, einen allgemein verbindlichen Stil zu schaffen, wagte man schließlich das Experiment, eine Doktrin aufzustellen und genaue Regeln zu präzisieren. Regeln mußten die Grundlage einer echten Kunst bilden, und wenn man auch nicht unbedingt nach festen Regeln malte, so bemühte man sich doch, diese Regeln, das heißt Gesetzmäßigkeiten, wenigstens nachträglich in den Bildern festzustellen. Mit der Anerkennung solcher Gesetzmäßigkeiten war ein Anschluß an die Tradition gefunden, den man auch darin betonte, daß alle Künstler sich gelegentlich als 'Neo-Traditionisten' bezeichneten.

Neben dem Studium der mittelalterlichen, der quattrocentesken und der

21 Henry van de Velde, Engelwache. Applikations-Stickerei. 1893

klassizistischen Kunst, sowie der japanischen Holzschnitte, beschäftigte man sich nun auch mit Heraldik und leitete von ihr einen Struktur- und Bedeutungskanon der Farbe ab. Das war in gewissem Sinne eine Fortführung der Experimente, die in der 'Ecole du Petit Boulevard' unternommen worden waren. Auch hierüber berichtete Armand Séguin:

Die rote Farbe hatte in ihrer Theorie eine vertikale, aufrechte Richtung: »... sie strömt als Blut aus der Wunde; sie drückt Großzügigkeit und Eifer, aber auch Kühnheit und Liebe aus.« Die blaue Farbe, als Farbe des alles überdeckenden Himmels hatte horizontale Richtung und drückte Ruhe aus: »Stille, Sanftheit, den Traum, die himmlische Ruhe, und wonach wir trachten sollen, die vollkommene Glückseligkeit.« Der grünen Farbe legte man eine Bewegungsrichtung zu: »Von rechts nach links erstreckt sich das frische, geputzte Grün wie ein Galatin von Watteau, der die Schule schwänzt, tändelt, lacht, hier und da verweilt, alles, was ihm begegnet, in die Arme schließt, herzlich und ohne Haß für irgend jemanden.« Diese grüne Farbe besaß vermittelnde Eigenschaften: »... sie ist ein Freund des Violett, vereinigt sich mit Rot und schmeichelt dem Orange, dem Ultramarin und Gelb, denen es entsprang.« Die gelbe Farbe aber war, wie schon bei Anquetin, Abglanz der Sonne, des Lebens, des Goldes und seiner Macht; diese Farbe war zweideutig: gleichzeitig konnte sie auch Ausdruck der Perversion sein, des Heuchler- und Gleisnertums, des Egoismus, wofür die französische Volkssprache einen bildhaften Ausdruck geprägt hat: »Il rit jaune.«

Es ist nachträglich schwer zu sagen, in welchem Umfang dieses Bedeutungsprogramm der Farben in den Bildern tatsächlich verwirklicht wurde. Wenn man die Werke daraufhin betrachtet, etwa den 1889 entstandenen *Kalvarienberg* Gauguins, seinen *Gelben Christus* oder das symbolhafte Bild *Verlust der Jungfräulichkeit*[47], so ist man versucht, dort am ehesten an eine Übereinstimmung der Farben mit den oben geschilderten Bedeutungszusammenhängen zu glauben. Dennoch bleibt das anschauende Erlebnis das Primäre, und alle Symbolik – wenn überhaupt – ist nicht gedacht, sondern gesehen. Gleichzeitig aber ist die Vorstellung von der reinen Farbe als Bedeutungsträger eine wichtige Stufe in der Entwicklung der Kunstanschauung: erst in der gegenstandlosen Farbgebung werden diese Ideen ihre volle Wirksamkeit entfalten können. Sie sind jedoch vom Jugendstil vorbereitet.

Im Frühjahr 1889 fand in Paris die große Weltausstellung statt; die Künstler von Pont-Aven hatten ihre Bilder bei der Ausstellungsleitung eingereicht, waren aber von der Teilnahme ausgeschlossen worden. Sie stellten ihre Bilder darum in einem Café am Rande des Marsfeldes aus, dessen Besitzer, der Italiener Volpini, seine leeren Wände bereitwillig zur Verfügung stellte. Gleichzeitig lag ein Album mit Lithographien und Holzschnitten Gauguins und Bernards auf – »visible sur demande.« Diese 'Ausstellung im Café Volpini' – unter dieser Bezeichnung ist sie in die Kunstgeschichte eingegangen – war die erste gemeinsame Ausstellung der 'Symbolisten'. Außer GAUGUIN und BERNARD beteiligten sich daran CHARLES LAVAL, ARMAND SÉGUIN, LOUIS ANQUETIN, HENRI DE TOULOUSE-LAUTREC, CHARLES EMILE SCHUFFENECKER, LÉON VAUCHER, LOUIS ROY und DANIÉL DE MONFREID.

Bei der Presse fand diese improvisierte Ausstellung große Beachtung. Einer der prominentesten Kritiker dieser Jahre, ALBERT AURIER, besprach sie unter dem Titel 'Groupe Impressioniste et Synthetiste' im ›Mercure de France‹. FÉLIX FÉNÉON ließ sich im ›Cravache‹ etwas ironisch über die Art der Ausstellung aus, zumal während der Öffnungszeiten dort eine russische Musikkapelle spielte und ihre lauten Klänge mit den 'Polychromien' vermischte. Aber auch er erkannte das grundsätzlich Neue dieser Kunst, obwohl die Ausstellung insgesamt sehr uneinheitlich war; nur der engste Kreis um Gauguin und Bernard bot wirklich Neues, alle anderen zeigten mehr oder weniger impressionistische Malereien.

Für alle Künstler, deren Anliegen es war, sich ebenso vom Impressionismus wie von der akademischen Malerei zu lösen, war diese Ausstellung die Offenbarung einer neuen bildnerischen Ästhetik. An ihr entzündete sich eine Gruppe junger Maler, die in der Académie Julian arbeitete und die sich nun unter dem Namen 'Nabis' ebenfalls der neuen Kunst anschlossen. Wir werden später von ihnen zu sprechen haben.

Gleichzeitig kamen bei dieser Ausstellung die ersten Anzeichen von Unstimmigkeiten zwischen Gauguin und Bernard auf. Bernard trat hier im Café Volpini mit seinen Bildern zum erstenmal vor die Öffentlichkeit; Gauguin aber hatte bereits im Herbst des vergangenen Jahres, vor seiner Reise nach Arles, seine *Vision nach der Predigt* in Paris ausgestellt. Bei dem Altersunterschied der beiden Künstler war es fast unvermeidlich, daß die Kritik im Jüngeren den Schüler und Nachahmer sah, was sich Gauguin gefallen ließ. Die sich daraus ergebende Mißstimmung wurde stärker, als die Gruppe im Frühsommer des folgenden Jahres wieder in Pont-Aven zusammen war. Inzwischen hatte sich dort der Kreis der Künstler vergrößert und die Atmosphäre des Ortes war nicht mehr so, daß man ungestört arbeiten konnte. Dank der Großzügigkeit des wohlbemittelten holländischen Malers MEYER DE HAAN, Sohn eines Biscuitfabrikanten, der Gauguin grenzenlos bewunderte und sein Schüler werden wollte, war es der Gruppe möglich, in das benachbarte und ruhig gelegene Fischerdorf Pouldu überzusiedeln und dort ein ganzes Haus zu mieten. Bernard allerdings blieb in Pont-Aven und lockerte von jetzt an seine Beziehungen zu Gauguin.

An den künstlerischen Zielen und Absichten der Gruppe hatte sich nichts geändert; es ging noch um die gleichen Ideen, die man teilweise erst jetzt fruchtbar verwirklichen konnte. Gauguin war jetzt stärker als vorher Mittelpunkt der Gruppe; er war jetzt wirklich der 'maître' und schuf selbst die ersten Höhepunkte seines künstlerischen Werks. Die Arbeit in Pouldu dauerte bis zum Ende des Jahres 1890; dann kehrte Gauguin den Freunden plötzlich den Rücken, fuhr zurück nach Paris, verkaufte dort alle seine Bilder und schiffte sich im Frühjahr 1891 nach Tahiti ein. Die Bretagne war ihm zu eng geworden; Gauguin hatte die gemeinsamen Berührungspunkte und künstlerischen Ziele der Gruppe in seiner Entwicklung hinter sich gelassen; die Gemeinschaft bedeutete für ihn auf die Dauer eine Fessel. Er wollte mehr, als dekorative Bilder schaffen und an einem Gemeinschaftsstil arbeiten. Seine Sehnsucht nach dem Urgründigen, dem er in der Kunst Ausdruck geben wollte, erforderte die persönlichste Auseinandersetzung, über die er sich mit keinem Menschen wirklich verständigen konnte. Nach seinem Weggang löste sich die Gruppe rasch auf.

8 Armand Séguin (1869–1903)

Dieser Künstler ist aus dem Kreis der Gruppen von Pont-Aven und Pouldu neben Bernard der begabteste. Wir haben ihn durch seine Aufzeichnungen, die er im ›L'Occident‹ veröffentlichte, bereits als Chronisten der Gruppe kennengelernt; biographische Notizen über sein eigenes Leben haben sich dagegen nur spärlich erhalten. Bevor er zur Gruppe kam, war er Impressionist und trotz seines Interesses am neuen Stil muß es ihm schwer gefallen sein, die alte Mal-

weise aufzugeben. Bernard berichtet, daß SÉGUIN sehr schüchtern und furcht-
sam gewesen sei; als alle Anregungen und Bekehrungsversuche nichts gefruchtet
hatten, stellte sich eines Tages Gauguin mit gezogener Pistole hinter Séguins
Staffelei auf und drohte, ihn zu erschießen, wenn er noch ein einziges Mal
mit Komplementärfarben malen würde. Es ist schwer nachprüfbar, ob dieses
Mittel gewirkt hat, denn Gemälde Séguins sind kaum bekannt geworden. Wir
kennen ihn jedoch als sehr sensiblen Graphiker, dessen Anregungen auch
von den Zeitgenossen angenommen wurden.

Es sind vor allem Landschaftsradierungen, die er hinterlassen hat. Er verbindet gerne die Laubkronen der Bäume auf völlig unstoffliche Art durch gemeinsame, wellenförmige Umrisse zu einem Gespinst haarfeiner Knäuel-
formen, die das ganze Bild mit kreisender und strömender Bewegung, die
Natur mit einem geheimnisvollen Leben erfüllen. Es liegt nahe, daß MUNCH
bei VOLLARD solche Bilder zu sehen bekam und sich davon beeindrucken ließ.[48]

Die Zinkographie unserer Abbildung 7 mit dem halbkreisförmigen Ausschnitt oben, zeigt schon in der Verwendung des japanischen Formats die Berührung mit den Ideen Bernards. Das Blatt selbst lebt von einer fast verwirrend
differenzierten und gegenläufigen Binnenzeichnung aus feinen Schraffuren,
zwischen denen man – fast wie in einem Vexierbild – das Motiv suchen muß.
Das Blatt gibt eine Szene an der Küste von Pouldu wieder, die zwischen Felsen,
Gräsern und kleinen Büschen spielt. Im Vordergrund links befinden sich drei
Bretoninnen, die an ihren typischen Hauben zu erkennen sind: die Sitzende
vorne ragt bis zur halben Blatthöhe hinauf, hält den Kopf gesenkt und die
Hände vor sich in den Schoß gelegt. Ihre Schulter überschneidet rechts den
Kopf der zweiten Frau, während links die dritte sichtbar wird. Verstreut sieht
man Kleidungsstücke von weiteren, vielleicht badenden Mädchen. Im Hintergrund öffnet sich, von Sträuchern gerahmt, die Landschaft mit einem Ausblick
auf das Meer; Wolken und ein Segelboot ziehen vorüber.

In diesem Blatt sind Widersprüche vereinigt, aber nicht aufgehoben; das
Gegeneinander der Strichlagen, die hart aufeinander stoßen, der Kontrast zu den
ruhigen Weiß- und Schwarzflächen, die sich mit ihren arabeskenhaften Umriß-
formen deutlich herausheben, ist inhaltlich nicht begründet. Aber es geht dem
Künstler offenbar darum, die Fläche durchzugestalten, und er ändert deshalb
im harten Staccato der Strichlagen immer wieder die Richtung, um keine
Raumillusion zu erwecken. Im Grund klingt hier die Dramatik VAN GOGH-

scher Graphik an; aber Séguin unterbricht immer wieder den kaum begonnenen
Rhythmus und hebt ihn durch eine Gegenbewegung auf. Das Ergebnis ist eine
seltsam irisierende, flimmernde Zuständlichkeit, wie sie vielleicht an einem heißen
Tag erlebt werden kann. Kein Abbilden, sondern das Nachempfinden einer
Situation mit abstrakten, graphischen Mitteln. Das ist vielleicht nicht ganz bewältigt und läßt viele Möglichkeiten offen; aber es ist gesehen, aus der Anschauung abgeleitet und in eine Form gebracht, die Stimmung auszudrücken
vermag und entwicklungsfähig bleibt. Die Dokumente sind aber so lückenhaft
überliefert, daß sie nur bedingte Schlüsse zulassen; jedenfalls finden wir kurze
Zeit später ähnliche Stilmittel – wenn auch anders aufgefaßt – in frühen Holzschnitten MAILLOLS wieder (Abb. 13).

9   Louis Anquetin

Die Bedeutung ANQUETINS erschöpft sich nicht mit seinen richtungsweisenden
Experimenten in der 'Ecole du Petit Boulevard'; er wird vielmehr einer der
ersten und anregendsten Pariser Fin-de-Siècle-Bohémiens, die sich dieser Stadt
und ihrer Atmosphäre verschreiben. Mit der Gruppe von Pont-Aven bleibt er
freundschaftlich verbunden, er verläßt jedoch nie die Hauptstadt, um in bäuer-
lich ursprünglicher Umgebung ein einfaches Leben zu führen. Im Gegenteil:
während er 1887 zusammen mit Bernard und van Gogh noch Landschaften
malte, konzentrieren sich jetzt seine Bilder immer mehr auf Stadtansichten und
Motive des städtischen Lebens, wie Themen aus den Vergnügungsstätten des
Montmartre, Dirnenbilder, Schauspielerporträts, Salon- und Atelierakte. Als
typischer Maler der Pariser Bohème wird er noch vor Toulouse-Lautrec im
Ausland bekannt, und er ist auch einer der ersten Jugendstilmaler, die auf Einladung der Brüsseler Künstlergruppe 'Les Vingts' im Ausland ausstellen.
   Die Seite aus dem Katalog 'Les Vingts' von 1888, die Louis Anquetin ge-
staltete – jeder Künstler war für seine eigene Katalogseite typographisch und
illustrativ verantwortlich – zeigte unter der im handschriftlichen Duktus auf-
geführten Liste seiner Werke die Federzeichnung eines im Bett liegenden
Mädchens. Man sah nur wenig von ihrem Gesicht, alles andere ist Gewoge von
Leintüchern und Haaren. Damit begegnet uns wohl zum erstenmal eines der
Hauptmotive aller Jugendstilmalerei: die Darstellung von quellendem, fließen-

dem Frauenhaar, das in arabeskenhaften Strähnen die Fläche überzieht und graphisches Eigenleben führt. Der Duktus des Haares zeigt dabei deutlich die Berührung mit dem japanischen Holzschnitt HOKUSAIS, seiner damals berühmt gewordenen *Woge*. Die Thematik aber ist schon in der Lyrik des Symbolismus vorgebildet, so in dem Gedicht Baudelaires 'Das Haar' aus den ›Fleurs du Mal‹, in dem das Haar als Metapher die Sinnlichkeit des Weibes ausdrückt.[49]

Im Werk Anquetins wird auch zum erstenmal die Berührung zwischen englischem und französischem Jugendstil nachweisbar. 1889 entsteht sein Gemälde *Windstoß auf dem Pont des Saints Pères* (Abb. 8), das stilistisch überzeugend mit einem Holzschnitt von CHARLES RICKETTS aus der im gleichen Jahr erschienenen englischen Zeitschrift ›Dial‹ in Verbindung gebracht wurde[50]: » Wie vom Winde ergriffen wehen die Haare eines männlichen Kopfes, dessen Antlitz in der rechten oberen Ecke im Profil zu erkennen ist, züngelnden Flammen gleich in die quadratisch umgrenzte Fläche des Bildes hinein.« Aber diese rein formale Anregung wird von Anquetin sowohl kompositionell wie inhaltlich überzeugend verarbeitet: er malt keine Straßenszene im Sinne der Impressionisten, obwohl er einen scheinbar zufälligen Bildausschnitt wählt, sondern er verbildlicht den abstrakten Begriff 'Windstoß' und macht ihn an seinen Auswirkungen sichtbar: den jagenden Wolken, den 'züngelnden Flammen gleichen' Mähnen der Pferde links, dem flatternden Mantel und Schal der Dame des Mittelgrundes, die sich im Laufen dem Wind entgegenstemmen muß, und der Frau rechts vorne, die mit der Hand ihren Hut festhält. Die Komposition ist aus parallelen Ebenen aufgebaut und lebt allein von der Kraft der Bewegungsrichtungen, die im Vordergrund von links nach rechts, im Mittelgrund aber umgekehrt von rechts nach links drängen. Pferde und Frau mit Hut aber sind nicht des zufälligen Bildausschnittes wegen vom Bildrand überschnitten, sondern weil sie als Metapher in die Komposition eingesetzt sind. Mit dieser 'metaphorischen' Bedeutung der überschnittenen Randfiguren geht Anquetin einen Schritt weiter als Bernard.

10 Henri de Toulouse-Lautrec

Als Aristokrat unter den Künstlern schien er dazu berufen, den Nekrolog des Zeitalters zu halten und dessen Untergang an sich selbst zu vollziehen. Aber

Leben und Schicksal dieses Künstlers sind heute so populär, daß wir uns hier auf die Charakterisierung seiner kunstgeschichtlichen Stellung zum Jugendstil beschränken dürfen.

Von den Künstlern, die in der 'Ecole du Petit Boulevard' zusammengearbeitet hatten, war er zweifellos der konservativste, der am wenigsten Fortschrittliche. Für ihn blieb der Impressionismus die Grundlehre seiner Kunst: Das, was sich unmittelbar vor seinem Blick abspielte, hielt er fest. Aber es war schon der Impressionismus der achtziger Jahre, den er kennengelernt hatte, mit einer neuen, die Formen klärenden Tendenz, wobei sich TOULOUSE-LAUTREC um eine präzise Erfassung in Umriß und Flächenform bemühte. Schon 1887 malt er die Goulue und den Schlangenmenschen Valentin im Moulin de la Galette; skizzenhaft und flüchtig hält er ihre raschen Tanzbewegungen fest, und dann kehren dieselben Posen in späteren Bildern und Zeichnungen immer wieder. Toulouse-Lautrec hatte den charakteristischen Augenblick im Bewegungs- ablauf des Tanzes fixiert – aber nicht im Sinne der Ballettbilder DEGAS' mit ihrer dauernden Wiederkehr ähnlich anmutiger Haltungen und Bewegungen, sondern im Sinne eines unverwechselbaren, individuellen und damit eigentlich unwiederholbaren Ausdrucks. Das ist nicht einfach Tanz, sondern es ist *ihr* Tanz: der Tanz Valentins und der Goulue.

Im Grunde verlangt diese Einstellung zum Objekt eine stärkere Präzisierung, der Toulouse-Lautrec aber immer noch ausweicht, während Bernard und An- quetin sie längst auf ihre Weise vollzogen haben; bis er im Jahre 1891 mit der Ausführung des Plakats für *Moulin Rouge* (Abb. 9) seine grundlegende Leistung im neuen Stil vollbringt. Auch hier ist die Szene so gesehen, wie sie sich tatsächlich abgespielt haben mag: Vor der dunklen Silhouette des den Tanzplatz umstehenden Publikums wirft die Goulue ihre Röcke und Beine in die Höhe, und vorne tanzt Valentin mit grotesken, knochenlosen Bewegungen. Bei der Gestaltung dieses im Grunde banalen Motivs aber zieht Toulouse- Lautrec die volle Konsequenz aus dem konturbetonten, mit homogenen Farb- flächen arbeitenden Stil Bernards und vollendet ihn mit seiner ureigenen, knappen und zwingenden Zeichenkunst. Eine schwarze, silhouettenhafte Zu- schauermenge hatte auch Bernard schon einmal in einer Federzeichnung eines

22 Fernand Khnopff, Weibliches Bildnis. Lithographie. Um 1898

Tanzlokals im Hintergrund gegeben[51], aber Toulouse-Lautrec macht daraus den multiplizierbaren Typ des anonymen Zuschauers. Die Gegenläufigkeit der Bewegungsvorgänge in Mittel- und Vordergrund zusammen mit der überschnittenen Figur sind uns zuerst bei Anquetin begegnet, in seinem *Windstoß*, aber bei Toulouse-Lautrec erfolgt eine neuartige Konzentration, die aus der Schaustellung der beiden das typische und doch immer noch spontane Geschehen macht. Aus den Gegensätzen von Hell und Dunkel, Fern und Nah, Groß und Klein, Deutlich und Undeutlich, den Bewegungen nach links und nach rechts, entsteht ein Bildrhythmus, aus dem man den hektischen Galopp von Offenbachs Cancan herauszuhören meint.

Die Gestaltung betrifft hier nicht nur den Bildanteil, sie betrifft das ganze Plakat, in dem erstmals Schrift und Bild einer einheitlichen Gestaltung unterworfen sind. Aber nicht nur die Buchstaben sind vom Künstler selbst in einem neuen zur flächigen Darstellung passenden Duktus mit dunkler Kontur entworfen, sondern ihre Anordnung folgt der gleichen Tendenz, wie die bildliche Darstellung: »Suggérer au lieu de dire« – Suggerieren statt erzählen, überreden statt reden! Aus dem gleichen Anfangsbuchstaben, dem M von Moulin Rouge, wird dreimal der Name dieses Lokals wiederholt, zweimal mit engerem, einmal mit weiterem Zeilenabstand in einprägsamem Rhythmus. Das Prinzip der Wiederholung einer Grundform oder eines Grundtyps, das Bernard in seinen *Bretoninnen auf der Wiese* wohl erstmals so verwendet hatte, dem wir in der Literatur in Wort- und Satzwiederholungen begegnen und das der suggestiven Vermittlung eines Inhaltes oder einer Vorstellung dient, finden wir hier zum erstenmal auch auf das Plakat übertragen, und damit dürfte eines der Grundprinzipien der Reklamekunst geschaffen sein.

Toulouse-Lautrecs Plakate, von denen wir hier nur das schöpferischste erste Beispiel vorgeführt haben, wirken klärend auf seine eigene Malerei zurück, ebenso klärend aber wirken sie auch insgesamt auf die Malerei des neuen Stils, dessen Prinzipien sie in programmatischer Klarheit vertreten. Toulouse-Lautrec schafft in den nun folgenden Jahren Werke, die zu ergreifenden Analysen des Zeitalters werden und Vorstellungen aufreißen, denen sich die Zeitgenossen lieber entzogen hätten. Schausteller, Clowns, Straßen- und Bordelldirnen

23 Jan Toorop, Mädchen mit Schwänen. Lithographie. 1892

werden durch seine Malerei zu Symbolen einer dekadenten Gesellschaft, die ihre Laster moralisch zu bemänteln sucht.

Es sind wechselseitige Beziehungen, die ihn so mit den Außenseitern der bürgerlichen Gesellschaft der Jahrhundertwende verbinden. *Yvette Guilbert* (Fig. 3) ist durch seine Bilder zur 'Muse des Fin de-Siècle' geworden, aber sie selbst war schon in ihrer äußeren Erscheinung und in ihrer Kunst vollkommenster Ausdruck ihrer Zeit. Ihre überlangen, mit dreiviertel Handschuhen aus schwarzem Leder bekleideten Arme, stehen wie Hieroglyphen der Dekadence auf der weißen Fläche des Papiers. Hellsichtige Geister unter ihren Zeitgenossen erkannten das, wie die von GEORGES CLEMENCEAU 1894 geäußerten Bemerkungen über die Lithographienserie des Künstlers erkennen lassen: »Sehen Sie dieses Gespenst, das in so ausdrucksvollen Haltungen dargestellt ist! Was sagen Sie zu diesen kleinen, kohlschwarzen Augen, die durch die Schminke verlängert sind – zwei dunkle Flecken im blassen Gesicht! Und diese zu lange Nase mit den breiten Nüstern, die ganz plötzlich abknickt? Und dieser große Mund des Mädchens aus dem Volke, der alles zu nehmen und alles zu geben verspricht? Sehen Sie, wie nacheinander die schreckliche Grimasse des Ekels, bald das lustige Lachen, das spottende Maulen, das abstoßende Tierhaftwerden vorbeiziehen. Und dieser lange, endlose Hals, diese Büschel brauner Löckchen, diese beiden schwarzen Fühler mit ihrer nüchternen und doch so packenden Geste! Die zu harten Schatten, das zu heftige Licht lassen das eigenartige Skelett schlottern, und dieses Gespenst wirkt ergreifend wie eine apokalyptische Vision.«[52]

Die Wirkung, die Toulouse-Lautrec auf seine Zeitgenossen ausgeübt hat, läßt sich kaum überblicken: Er wirkte wie ein Brennglas: in sein Werk war eine Fülle von Anregungen eingegangen, deren Herkunft sich kaum beweisen läßt. Viel verdankt er seinen Freunden Bernard und Anquetin, dem Impressionismus und dem japanischen Holzschnitt; aus allem schuf er den exemplarischen Plakatstil, der für einen Teil der Jugendstilkunst so charakteristisch geworden ist, der aber auch gleichzeitig ein zu einfaches künstlerisches Rezept anbot. An diesen Plakatstil knüpft dann auch die Unzahl der Nachahmer an, die keinen Unterschied zwischen Plakat und Malerei machen und den neuen Stil bald in jene Sackgasse führen, in den er kurz nach 1900 durch die mittelmäßigen Talente geraten ist. Toulouse-Lautrec aber hat selbst im Plakat nie 'plakativ' gearbeitet; er ging immer von der abstrahierenden Vereinfachung einer sich tatsächlich vor

3   Henri de Toulouse-Lautrec, Yvette Guilbert. Lithographie 1894

seinen Augen abspielenden Szene aus. Er hat stets von innen her die Grenzen des Plakatstils durch die Kraft seiner Symbole gesprengt, die immer in einem menschlichen Erlebnis wurzeln, das zwar frei ist von jeder Moral, aber auch frei von jeder Täuschung und Unehrlichkeit. GOMEZ DE LA SERNA sagte von ihm: »War er galant mit Frauen, so nicht wie der Beau; Lautrec schuldete jeder Frau das Stück innerer Karikatur, das nie Karikatur ist – das Etwas, das sie, der schmeichelnden Komplimente müde, insgeheim in sich trägt. Beim Morgengrauen tritt es zutage, oder auch nach dem trügerischen Fest, wenn sie wirklich einmal in den nächtlichen Spiegel schaut, so ausgesucht der Schmuck auch immer sei.«[53]

11 Die Gruppe der Nabi

Diesen Namen gab sich eine kleine Künstlergruppe, die in der Académie Julian in Paris zusammenarbeitete, einer Privatakademie ähnlich dem Atelier Cormon, die nicht zuletzt wegen ihrer fortschrittlichen Gesinnung weit über die Grenzen Frankreichs hinaus bekannt war. PAUL SÉRUSIER, einer der Künstler aus der Académie Julian, besuchte im Sommer 1888 Pont-Aven und machte hier die Bekanntschaft von Gauguin und Bernard, beteiligte sich an ihren Gesprächen und versuchte, die Prinzipien ihrer Malerei zu verstehen. Gauguin erteilte ihm schließlich praktischen Unterricht und ließ ihn unter seiner Anleitung auf dem Deckel einer hölzernen Zigarrenkiste eine Landschaft malen, die den kleinen Fluß Aven mit seinen baumreichen Ufern zeigt. Die reine Farbe, erklärt Gauguin, drückt mehr als alle Nuancen das aus, was man vor der Natur empfindet: »Wie sehen Sie diesen Baum? Ist er sehr grün? Also malen sie ihn mit dem schönsten und stärksten Grün ihrer Palette. Und diesen Schatten sehen Sie eher blau? Fürchten Sie sich nicht davor, ihn so blau wie möglich zu malen.« Das gleiche rät er für den roten Schimmer des Ufers, die blauen Reflexe des Himmels im Wasser, oder die gelbliche Färbung eines Weidenbaumes. So setzt Sérusier nach Gauguins Anleitung Farbfleck neben Farbfleck ohne nuancierende Übergänge. Das Bild wirkt fast fauvistisch und ist expressiv in der Farbwirkung, doch wird durch eine ausgewogene, harmonisierende Farbverteilung eine beruhigende Gesamtstimmung erreicht. Sérusier bringt dieses Bild nach Paris, wo es zum 'Talisman' einer kleinen Gruppe von Malern in der Académie Julian wird, die sich durch Sérusiers Begeisterung von der neuen Malerei Gauguins und Bernards beeindrucken lassen[54]. Außer Sérusier gehören MAURICE DENIS, H. G. IBELS, PAUL RANSON und K. X. RUSSEL zu der Gruppe. Später treten noch PIERRE BONNARD, EDOUARD VUILLARD, JAN VERKADE und ARISTIDE MAILLOL dem Kreis bei.

Im Café Volpini, während der Weltausstellung von 1889, kamen diese Künstler zum erstenmal mit Bildern von Gauguin und Bernard unmittelbar in Berührung. Aber Sérusier ist der einzige von ihnen, der zu Gauguin in die Bretagne fährt und auch in den folgenden Jahren regelmäßig den Sommer dort verbringt. Die übrigen Künstler dieser Gruppe verlassen Paris nicht und lehnen es ab, sich in die Einsamkeit eines Provinzdorfes zurückzuziehen; ihr Verhältnis zum neuen Stil ist grundsätzlich anders: während die Gruppe von Pont-Aven und Pouldu (ebenso wie die Bohémienmaler Anquetin und Toulouse-Lautrec) den neuen Stil aus der Überwindung des Impressionismus entwickelt haben und ihn immer – auch in der abstrahierenden Vereinfachung – aus der Anschauung ableiten, kommen die Nabis aus der klassizistisch-akademischen Ateliertradition und verbinden diese mit dem fertigen Ergebnis des neuen Stils. Damit entsteht eine neue Stilkomponente der Jugendstilmalerei.

In der Nähe der Académie Julian gab es ein kleines Café, in dem sich diese Gruppe anfangs zur Diskussion zusammenfand; später versammelte man sich jeweils in der Wohnung eines der Mitglieder, meistens bei Ranson. Sérusier benannte die Gruppe mit dem hebräischen Namen 'Nabi'; das bedeutet 'Propheten' und drückt schon fast ein Programm, zumindest jedoch eine bestimmte Haltung und außerkünstlerische Vorstellung aus: die des *Symbolismus*. 'Symbol' bedeutete in diesem Kreis aber etwas anderes als in der Malerei von Pont-Aven: nicht die Urbildlichkeit eines Gegenstandes sollte ausgedrückt werden, sondern seine 'Hintergründigkeit', das heißt eine inhaltliche Bedeutung, die in einer anderen Sphäre als der der reinen Malerei liegt und nicht mehr allein aus der Form erklärt werden kann.

Ein weiterer Unterschied zwischen den Gruppen besteht darin, daß bei den Zusammenkünften der Nabi nicht gemalt wird; man trifft sich zur Aussprache mit den Kollegen, mit Literaten, Musikern und Wissenschaftlern. Gelegentlich werden Puppenspiele aufgeführt, zu denen man die Figuren, Kostüme, Kulissen und Texte zusammentrug; man besuchte zusammen Konzerte, Theater und Ausstellungen. Dem Kreis gehörten Dichter an wie ALFRED JARRY, der

Schöpfer des ›Ubu Roi‹, ROBERT LAMOUREUX, der Begründer des La-
moureux-Symphonieorchesters und unter anderem auch ein orientalischer
Sprachwissenschaftler. Jan Verkade, der später als Beuroner Malermönch
PATER WILLIBRORD O. S. B. bekannt gewordene holländische Maler, schildert
die Atmosphäre dieses Kreises: »Welchen Wert diese Versammlungen für uns
hatten, kann ich nicht besser andeuten als mit den Worten des Heiligen Augusti-
nus, der von dem Freundeskreis seiner reifen Jugend in Carthago berichtet:
Wir sprachen und scherzten miteinander, erzeigten uns allerlei Gefälligkeiten,
erfreuten uns gemeinsam an den Werken der schönen Literatur, trieben zusammen Scherze und sagten einander Komplimente. Mitunter widersprachen
wir auch, doch ohne Gehässigkeit. Wir waren einer des anderen Lehrer und
Schüler; nur ungern vermißten wir die Abwesenden und empfingen freudig die
Kommenden. Diese und ähnliche Zeichen von Liebe und Gegenliebe, wie sie
das Herz durch Mienen, Sprache, Augen und tausend einzelne Gebärden an den
Tag legt, schweißten die Seele zusammen, so daß aus vielen eine einzige
wird.«[55]

MAURICE DENIS gibt noch weiteren Aufschluß über die Zusammenkünfte:
zusammen mit Sérusier kommentiert er Platons Höhlengleichnis; man liest
Zarathustras Hymnen und Lehren in der Avesta, daneben aber Baudelaire,
Verlaine, Mallarmé, Rimbaud, Villiers de l'Isle-Adam und Laforgues Einführung zu Schopenhauer. Man beschäftigt sich mit Buddhismus und besucht
gemeinsam die spiritistischen Zirkel der Rosenkreuzer-Bewegung, man befaßt
sich mit den magischen Künsten der Kabbala und der Theosophie Swedenborgs
und besucht daneben die scholastischen Vorträge der Dominikaner in der
Faubourg St. Honoré. Der Nabi Hermant, ein Konzertpianist, spielt auf einem
Harmonium Kompositionen von Wagner und Bach, und man inszeniert in der
Wohnung von Lamoureux Maeterlincks ›Sieben Prinzessinnen‹ als Marionet-
tenspiel.

So steht die Gruppe der Nabis inmitten der symbolistischen Strömungen,
die sich im Paris der neunziger Jahre wie in einem geistigen Strudel begegnen
und brechen. Religiöse Strömungen spielen dabei keine geringe Rolle, besonders die dem Symbolismus verwandt empfundene Form des Christentums, in
dessen streng dogmatischem Glauben Denis, Sérusier, Filiger, Verkade und
andere aufgewachsen waren. Die seelische Auswegslosigkeit, in die alle Welt-
anschauungs-Surrogate schließlich führen mußten, ließ viele ihrer zeitweiligen

Anhänger nach kurzer Zeit wieder zur orthodoxen Form des Christentums zurückkehren. Eine Welle von Konvertierungen folgte auf das Chaos, das der Zusammenbruch des Positivismus verursacht hatte. Unter dem Einfluß von Sérusier und Denis traten Verkade und sein Malerfreund Ballin zum katholischen Glauben über, und ein großer Teil der Nabi-Maler widmete sich später fast ausschließlich religiöser Thematik. Sie schufen Altarbilder, malten Kirchen aus und illustrierten religiöse Erbauungsbücher. So wird gerade der Kreis der Nabi eine Quelle des künstlerischen Neukatholizismus, dessen Religiosität jedoch stark von der Stimmung bestimmt wird, wie etwa auch VERLAINES religiöse Lyrik, die von Maurice Denis illustrierte Dichtung ›Sagesse‹, Frucht einer vorübergehenden Stimmung in seiner Gefängniszeit war.

Auch für diese Religiosität, die letztlich zu einer 'Überwindung' der Kunst führt, gab Schopenhauer die Theorie voraus: Die Kunst ist für ihn – wie wir bereits erinnerten – *eine* Form der Erlösung aus der Tretmühle des Willens, aber eine vorübergehende, nur im Augenblick wirkende Erlösung ohne Dauer. Die endgültige, dauernde Erlösung ist nur in der Überwindung des Egoismus, durch die Loslösung von den Gütern der Welt, durch das Mitleid möglich, also durch jene Lösung von der Welt, wie sie der morgenländische und der christliche Heilige verkörpert. Dieses Ideal hat bei den Künstlern unseres Kreises eine merkwürdig starke Nachfolge gefunden: Verkade hat die Kunst schließlich aufgegeben, um als Mönch im Kloster ein heiligmäßiges Leben zu führen. Paul Sérusier schrieb einmal an Verkade: »Ich verlange nach Frieden für Leib und Seele und sehe nur zwei Lösungen: eine christliche Ehe oder besseres, wenn ich würdig werde.« Maurice Denis unterstützte später ein Waisenhaus und arbeitete fast nur noch für die Kirche; sein 1919 eröffnetes 'Atelier d'Art Sacré' übte großen Einfluß auf die christlich-liturgische Kunst der zwanziger Jahre in ganz Europa aus. Er wurde Mitglied des dritten Ordens der Benediktiner und nach seinem Tode in der Mönchskutte der Tertiarier beigesetzt.

Das gedankliche Bemühen um die Grundlagen der Kunst spielt somit bei den Nabis eine vordringliche Rolle. Sérusier hat die Ergebnisse der Diskussionen und seines eigenen Nachdenkens in der theoretischen Schrift ›ABC de la Peinture‹ niedergelegt und Maurice Denis schrieb zwei Bände ›Theorien‹. Bei allen Bemühungen geht es um den Anschluß an die Tradition und um Feststellung einer der Kunst immanenten Gesetzlichkeit. So folgert Denis schließlich in dem berühmt gewordenen Satz, der die Quintessenz aller Jugendstilmalerei auszudrücken scheint (während er in Wirklichkeit jede Malerei damit charakterisiert): »Ein Bild, ehe es ein Schlachtroß, einen weiblichen Akt oder irgendeine Erzählung wiedergibt, ist in erster Linie eine ebene, in einer bestimmten Ordnung mit Farben bedeckte Fläche.« Charakteristisches Prinzip der Jugendstilmalerei aber wird es, diese 'bestimmte Ordnung' auf der Fläche gegenüber dem Gegenstand zu betonen, ja, den Gegenstand in die bewußte Konzeption dieser Ordnung einzubinden. Beim Studium der möglichen Grundlagen für eine solche, mit Bewußtheit sichtbar gemachte Ordnung entdeckt Verkade die Lehren des Paters DESIDERIUS LENZ für die Beuroner Malerschule, dessen Lehre vom Goldenen Schnitt und den idealen Maßen die Nabi-Maler mit dem dekorativen Symbolismus zu verbinden suchen. Als Ergebnis verkündet Maurice Denis schließlich: »Es gibt die Entsprechung zwischen der Harmonie der Formen und der Logik des Dogmas ... alle Meister der Kunst schufen nach Maß, Zahl und Gewicht und ahmten darin Gott nach.«

12 Die Revue Blanche und Ambroise Vollard

1891 erschien in Paris die ›Revue Blanche‹, die erste bibliophile Zeitschrift der künstlerischen und literarischen Avantgarde. Ihr Gründer war der einer polnischen Familie entstammende THADÉE NATANSON, der mit seiner Frau, jener berühmt gewordenen MISIA, einen gesellschaftlichen Mittelpunkt bildete, um den sich Maler, Literaten, Musiker und Kritiker scharten. FÉLIX FÉNÉON, der im Zuge der Dreyfus-Affäre von seiner Beamtenlaufbahn im Kriegsministerium suspendiert wurde, leitete seit 1894 die Redaktion der Zeitschrift, die bis 1903 zuerst monatlich, später alle zwei Monate erscheinen konnte. Misia: »Die Revue Blanche kostete entsetzlich viel, und es wurde von Jahr zu Jahr schwieriger, das Defizit auszugleichen. Nur der beispiellose Erfolg des Romans von Sienkiewicz ›Quo vadis?‹ ermöglichte es der Revue, weiter zu bestehen.«[56]
    In dieser Zeitschrift kam alles zusammen, was gegen die Konvention opponierte. Es erschienen Beiträge von JULES RENARD, OCTAVE MIRBEAU, MALLARMÉ, TRISTAN BERNARD, ROMAIN COOLUS, LUGNÉ POE, EDOU-

24 Jan Thorn-Prikker, Die Braut. 1893

ARD DUJARDIN, IBSEN, MARCEL PROUST, PAUL VALÉRY, FRANCIS
JAMMES und ANDRÉ GIDE, um eine Auswahl der in bunter Reihe vertretenen
Autoren zu nennen – es sind die bedeutendsten, die zur Jahrhundertwende in
Frankreich geschrieben haben. Vorbildhaft aber war auch die Mitarbeit der
Künstler. Fénéon förderte vor allem die Nabis und band Originalgraphiken
dieser Künstler den Heften ein; es handelte sich dabei jedoch meist nicht um
Illustrationen zu den literarischen Beiträgen, sondern um freie Graphik. Außer-
dem entwarfen die Nabis für die Revue Blanche Verkaufs- und Werbeplakate,
die an Litfaßsäulen angeschlagen wurden und von weitem den Blick auf sich
zogen. Sie stehen in der noch jungen Tradition des von Toulouse-Lautrec geschaffenen Plakatstils. So charakteristisch war der künstlerische Schmuck dieser
Zeitschrift, daß man die Nabis wegen ihrer Mitarbeit früher sogar als »die
Maler der Revue Blanche« bezeichnete.

In enger Verbindung mit der Redaktion der Zeitschrift wurden in ihren
Räumen kleine Ausstellungen veranstaltet. Neben den Nabis zeigte hier vor
allem Toulouse-Lautrec seine Bilder. Von der schönen Misia einmal gefragt,
warum er die Frauen immer so häßlich male, soll er ihr geantwortet haben:
weil sie so häßlich sind! Aber auch neue Musik erklang in diesen Räumen:
DEBUSSY, RAVEL, STRAWINSKY.

Fast gleichzeitig entstand in Paris ein zweiter Brennpunkt moderner Kunst:
1890 richtete AMBROISE VOLLARD in einer Mansardenwohnung des Montmartre eine Kunsthandlung ein, in der er gleichzeitig wohnte. Aber schon 1893
entstand sein größeres Geschäft in der Rue Lafitte, der damals sprichwörtlichen
'Bilderstraße' von Paris. Hier gab er seine berühmten 'Kellerdiners', deren
Gäste nicht weniger bedeutend waren als die Besucher und Mitarbeiter der
Revue Blanche[57].

Sowohl die Zeitschrift der Revue Blanche, ihre Redaktion und ebenso die
Kunsthandlung Vollards sind von allergrößter Bedeutung für die Ausbreitung
des neuen Stils über ganz Europa. Nach dem Vorbild der Zeitschrift sind in
vielen europäischen Ländern ähnliche bibliophile Veröffentlichungen entstanden, und in den Räumen der Redaktion und der Kunsthandlung Vollards vollzogen sich Berührungen, deren Wirkungen in der ganzen europäischen Kunst-

25 Theo van Hoytema, Eulen. Lithographie. 1894

entwicklung spürbar sind, auch wenn man sie nicht mit Dokumenten nachdrücklich belegen kann. Aber was in Paris in diesen Jahren geschaffen wurde, ist an diesen Zentren auch sofort den Fremden zugänglich, und so genügt im Grunde schon der Nachweis des Aufenthalts in dieser Stadt, um eine Berührung mit der hier entstandenen jüngsten Kunst anzunehmen.

13   Maurice Denis (1870–1943)

Das Werk von MAURICE DENIS ist ebenso wie seine theoretischen Schriften für die Kunstauffassung des Nabikreises besonders charakteristisch, von der wir bereits andeuteten, daß sie die akademische Tradition mit dem neuen Stil zu verbinden suchte. In einem Kapitel seiner ›Theorien‹ befaßt er sich mit der Malerei von INGRES und PUVIS DE CHAVANNES und legt dabei eine der wichtigsten geschichtlichen Quellen für den neuen Stil dar. Für ihn selbst sind die Genoveva-Fresken von Puvis im Panthéon das nachwirkende Kunsterlebnis: alles Geschehen und Handeln der Figuren vollzieht sich auf großen Wandflächen in einer selbständigen, von der äußeren Welt unabhängigen Wirklichkeit. Große Form, zusammenhängende farbige Flächen, Verzicht auf Fluchtperspektive, Konturierung mit dunklen Linien, Bewegungslosigkeit, horizontale und vertikale Ordnungen geben der Handlung die Monumentalität der Legende und fügen sich dem architektonischen Rahmen ein.

Im Anschluß an diese Tradition, aber mit den von Bernard und Gauguin entwickelten Ideen des neuen Stils, sind die ersten bekannten Werke von Denis zu Beginn der neunziger Jahre entstanden: Sein *April* von 1892 *(Frühlingserwachen*, Abb. 10) und das ein Jahr später entstandene große Bild der *Musen* im Musée d'Art Moderne in Paris[58]. Hier ist kein Natureindruck vereinfacht, sondern diese Bilder sind von vorneherein als Figurenkomposition entworfen, deren inhaltliche Bedeutung literarisch-symbolhaft zum gemalten Gegenstand hinzutritt. *April* zeigt eine weite Landschaft, deren Horizont bis an den oberen Bildrand führt; sie ist durch eine spitzwinklig geknickte Terrassenböschung horizontal zweigeteilt. In der Landschaft des Hintergrundes findet man nur gelbe und rostbraune Töne; die Gartenlandschaft des Vordergrundes, durch ein Terrassengitter von der weiten Welt getrennt, aber zeigt frisches, frühlingshaftes Grün. Auf einem arabeskenhaft die Wiese durchziehenden Weg, der die

große Kurve des tiefblauen Flusses im Hintergrund weiterführt, wandeln weißgekleidete Damen in schleppenden Gewändern und pflücken weiße Blumen
vom Boden. Im Grunde ist es sechsmal die gleiche, gelenk- und gliederlose
Gestalt, die sich als Silhouette von der Umgebung abhebt und nur in Umriß
und Bewegung variiert wird. Der arabeskenhaft gekurvte Weg bindet sie in
einen geheimnisvollen Zusammenhang ein, in dem sie ein weltfremdes, ästhetisches Dasein führt, bis sie rechts vorne aus dem Bilde sacht entschweben.

Das ist reine Seelenmalerei, mit einer Sentimentalität, die präraffaelitisches
und BLAKE'sches Erbe einschließt, aber gleichzeitig in einer Stimmung kindlich
naiver Naturgläubigkeit gemalt, einer Empfindsamkeit des frommen Herzens,
die sich eine problemlose Welt im Zustand reiner Glückseligkeit erträumt. Man
erinnert sich dabei an den ersten Eindruck, den VERKADE von Denis schilderte:
»Er glich einer Jungfrau, die nie von der Seite der Mutter gewichen war. Und
seine Werke machten ganz den gleichen Eindruck. Sie trugen das Siegel einer
reichen, keuschen, kindlichen frohen Phantasie.« Gleichzeitig aber herrscht in
einem solchen Bild eine dekorative Disziplin und ein einheitlicher, dem Musikalischen nahekommender Klang der reinen Linien. Mit Hilfe formaler Korrespondenzen und fein abgestimmter Gegensätze entsteht – gerade durch den
Verzicht auf jedes erzählerische Detail – eine Komposition von ruhig monumentaler Geschlossenheit.

Neben seinem malerischen Œuvre entstehen Buchillustrationen, die zu den
besten Leistungen des französischen Jugendstils gezählt werden müssen. 1892
illustriert er mit Lithographien ein Buch von EDOUARD DUJARDIN ›Réponse
de la Bergère au Berger‹, das im Verlag der Revue Blanche erscheint. Die Vereinfachung des Bildes auf wenige schwingende Linien und klare Teilung der
Fläche ist von einer in der Buchkunst bisher unbekannten Ausdruckskraft.
ANDRÉ GIDE, der diese Lithographien bereits vor ihrer Publikation kennenlernt, bittet Denis, ›Le Voyage d'Urien‹ für ihn zu illustrieren, und er räumt der
Arbeit des Illustrators solche Bedeutung zu, daß die Titelseite den Namen
beider Autoren trägt: André Gide – Maurice Denis. Der Künstler legt anläßlich
dieser Publikation seine Vorstellung von Buchkunst nieder als einer »Dekoration des Buches, ohne Abhängigkeit vom Text, aber mit einer arabeskenhaften Ausschmückung der Seiten, die den gedruckten Text mit expressiven
Linien begleiten.«

Fast gleichzeitig entstehen Holzschnitt-Illustrationen zu ›Sagesse‹ von Paul

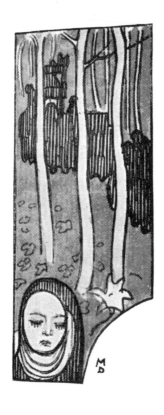

4   Maurice Denis, Holzschnitt aus ›Sagesse‹. Nach 1893

Verlaine, von denen Denis einen Teil bereits 1891 ausgestellt hatte; mit späteren Ergänzungen erscheint das Buch 1911 bei Vollard. Und ebenfalls zur gleichen Zeit, von 1893–1898 arbeitet Denis an lithographischen Illustrationen zur ›Nachfolge Christi‹ des Thomas von Kempen, die Vollard 1903 herausbrachte. Anknüpfend an die Experimente Bernards und inspiriert durch japanische Holzschnitte, bevorzugt er für ›Sagesse‹ hohe und schmale Formate mit unregelmäßigen, halb- oder viertelkreisförmigen Einschnitten (Fig. 4); andere enthalten einen rechtwinkligen Einschnitt, wieder andere sind nur zur Hälfte gerahmt und ragen mit dem anderen Teil der Darstellung in die leere Papierfläche hinein. In dieser Buchkunst begegnet man einem heute noch fast unbekannten Denis. Die Sentimentalität der Gemälde ist eliminiert zugunsten einer reinen Linien- und Flächensprache, in der die harte, aber immer überschaubare Holzschnittlinie ebenso so ausdrucksvoll erscheint wie die sensible, psalmodierende Bleistiftlinie in der Lithographie. Mit großer Feinfühligkeit stimmen sie den Leser in die Welt des Dichters ein.

14 Paul Sérusier (1863–1927)

SÉRUSIER hatte den Freunden in der Académie Julian die Botschaft GAUGUINS vermittelt, und er war deshalb immer als der eigentliche Initiator der Nabis bezeichnet worden; selbst Maurice Denis nannte ihn gelegentlich seinen eigentlichen Lehrer, und Verkade, der Gauguin selbst in Paris nur noch vorübergehend sah, schrieb: »Ich wurde nun durch Sérusier ebenfalls Schüler von Gauguin.« Aber gerade er bildet unter den Nabis die Ausnahme, da er immer wieder Paris verläßt und im Sommer in der Bretagne – vor der Natur – arbeitet. Nach Gauguins endgültiger Abreise verläßt er jedoch Pont-Aven und Pouldu und wählt sich Huelgoat für seine Sommeraufenthalte; nach 1914 kauft er sich in Chateauneuf-du-Fou ein Haus und zieht sich für immer dorthin zurück.

Die Begegnung mit Gauguin und Bernard bleibt für Sérusier zunächst bestimmend, und die ersten bretonischen Bilder sind von Werken der beiden Anreger kaum zu unterscheiden. Bald aber zeigt er eine besondere Auffassung der menschlichen Figur als ein stilles, jeder Bewegung und Beziehung zur Umwelt entsagendes, in sich gekehrtes Wesen (Abb. 11). Und daraus ergeben sich im Bilde die verwandtschaftlichen Beziehungen des Menschen zu seiner Umgebung. Seine Menschen sind ebenso urtümlich, ebenso schweigend, ebenso selbstverständliche Schöpfung der Natur wie die großen Felsen, die Bäume und die hügeligen Wiesen; die Unterschiede zwischen belebter und unbelebter Natur, zwischen kreatürlicher und lebloser Schöpfung verwischen sich. Nur ein Schritt ist es von hier zur Märchen- und Feenwelt seiner späteren Bilder, die aus der bretonischen Folklore ihre Motive von der *Sternsäerin*, den *Drei Spinnerinnen* oder den *Feen im Wald* ableiten. Es sind weniger Naturkräfte als vielmehr Naturstimmungen, die durch sie personifiziert werden.

Sérusiers Lehrtätigkeit als Professor an der Académie Ranson (von der im nächsten Abschnitt die Rede sein wird) verhindert jedoch die Festlegung auf literarische und symbolische Motive und regt eine durch den Lehrbetrieb notwendige Vielseitigkeit seines Werkes an. Es entsteht vor allem eine Reihe von

Stilleben, in denen er der Lehre CÉZANNES nachgeht; dabei bemüht er sich weniger um die raumkörperliche Struktur der Dinge, als vielmehr darum, diese Körperlichkeit in die Fläche zu projizieren und innerhalb der Rahmenform dekorativ zu verspannen. Der frühe Expressionismus, vor allem die Deutsche PAULA BECKER-MODERSOHN, werden an diese malerischen Interpretationen Cézannes durch Sérusier anknüpfen.

15 Paul Ranson (1864–1909)

RANSON gehörte schon deshalb zu den wichtigsten Malern des Nabi-Kreises, weil die wöchentlichen Zusammenkünfte meist in seinem Atelier stattfanden, wo seine Frau zu den Diskussionen Sandwiches und Bier reichte. 1908 gründete er eine private Kunstakademie, die von Anfang an gut besucht wurde. Aber bereits ein Jahr später starb er, und seine Witwe führte, unterstützt von den Freunden Denis und Sérusier, die Akademie weiter.

Ransons Bedeutung lag weniger in seiner Malerei, mit der es ihm schwer fiel, sich von der akademischen Lehre zu lösen; aber er war ein vorzüglicher Zeichner, illustrierte Bücher und spezialisierte sich schließlich auf Entwürfe für Bildteppiche; seine Frau, eine Kunstgewerblerin, die in seiner Akademie die Handarbeitsklasse übernahm, führte diese Entwürfe in Stickerei aus; so sind alle Teppiche Ransons mit dicker Wolle auf einem groben, straminartigen Stoff mit gleichmäßigen, sauberen Stichen gestickt[59].

Die Bildmotive seiner Teppiche verleugnen nicht die Schulung an der klassischen Figurenkomposition. Jedes Bild ist aus zwei oder drei miteinander in Beziehung stehenden weiblichen Figuren aufgebaut, die bodenlange Gewänder und volles, meist in weiten Kurven fallendes Haar tragen. Ihre Umrisse sind durch dunkle Linien gegen den Flächengrund abgesetzt und wenige, meist dem Fluß des Gewandes folgende parallele Linien ersetzen die Binnenzeichnung. Im Duktus der Linien aber ist Ranson nervöser und beweglicher als seine Freunde; in seinen Kompositionen herrscht Wind und Bewegung, wie in den Bildern von Anquetin und Toulouse-Lautrec.

Vor allem seine graphischen Arbeiten zeigen diese barocke Beweglichkeit. Von den Initialen zu einer legendenhaften ›Geschichte der Jungfrau Maria‹ wird hier der Buchstabe O (Fig. 5) wiedergegeben, der Anlaß für ein kreisförmi-

5   Paul Ranson, Initiale zu den Marienlegenden. Um 1896

ges Bildformat bietet. Ein kleines Kind steht furchtlos vor zwei Drachen-
ungeheuern, die aus dem Meer aufgetaucht sind und es zu verschlingen drohen.
Die zeichnerischen Mittel dienen gleichzeitig dem Motiv und der ornamentalen Flächengestaltung. Die an- und abschwellenden, arabeskenhaften Linien
umreißen nicht nur die Körper der Drachen, sondern sie dienen gleichzeitig
– fast wie in einer Tauschierarbeit – zur Umgrenzung der selbständig wirkenden Zwischenflächen. So ist jede Linie zugleich dekorativ-abstrakt *und* gegenständlich lesbar. Dies gilt auch für die kurzen Striche der Flächenfüllung, die
neben ihrem dekorativen Wert zugleich das aufschäumende bewegte Wasser
bezeichnen. Erfüllt so die Gestaltung der Initiale die Forderung, reines Ornament zu sein, so illustriert das vom Buchstaben gerahmte Bild gleichzeitig die

wundersame Geschichte von dem kleinen hilflosen Kind, vor dessen segnender Handbewegung die riesenhaften Ungeheuer federnd zurückweichen.

16   Pierre Bonnard (1867–1947) und Edouard Vuillard (1868–1940)

Sie gehören beide zur Generation der Jugendstilmaler und sind beide Angehörige der Nabi-Gruppe. Trotzdem erschöpft sich ihr Werk nicht im Jugendstil; sie sind beide Augenmenschen und sprengen deshalb rasch den Rahmen dieses Stils; auch wenn sie anfänglich fest darin wurzeln.

BONNARD entschließt sich erst nach einer kurzen juristischen Praxis für die Malerei und tritt in die Académie Julian ein, wo er die Nabi-Freunde kennenlernt. 1891 entstehen seine ersten Arbeiten für die Revue Blanche und 1894 sein Plakat für diese Zeitschrift, das in dieser Serie am berühmtesten geworden ist. Bereits 1895 verlegt VOLLARD die erste Mappe mit zwölf Lithographien ›Quelques Aspects de la Vie de Paris‹ und eröffnet damit die Reihe bedeutender illustrierter Bücher, die Bonnard für ihn schafft (Parallélement, Daphnis et Cloé, Dingo).

Der Übername 'le Nabi très japonais', den Bonnard erhielt, bezieht sich vor allem auf seine Zeichenkunst. Er vermag eine Figur mit lockerem Pinsel als schwarze Silhouette auf die Fläche zu tuschen und fängt in ihrer Haltung jede typische Hand-, Fuß- und Kopfbewegung ein (Fig. 6). Das reine, auf Zwischentöne verzichtende Schwarz-Weiß, wobei die Schwarzflächen bei weitem überwiegen und weiße Flächen nur die notwendigsten Akzente einstreuen, wird dabei mit einer Ungezwungenheit vorgetragen, die vergessen läßt, daß sich darin ein Programm ausdrückt. Die Kontur seiner Figuren bleibt locker und offen und unterstützt darin den Eindruck der Sensibilität, den auch die koketten, elegant-mondänen Figürchen seiner Pariser Salons verkörpern. Aber nicht nur die Zeichnung selbst, sondern die ganze leere Fläche des Blattes beginnt im Umkreis der vignettenhaften Figur zu leben.

Nur ganz selten schloß sich Bonnard dem literarisch-symbolistischen Programm der Nabi-Freunde unmittelbar an, aber auch dann ist der symbolhafte

26   Edvard Munch, Sterbezimmer. Um 1894–95

Sinn nur unterlegt und das Bild kann ihn ebensogut entbehren. So in einem dreiteiligen Panneau des Musée d'Art Moderne in Paris, das eine – durch alle drei Teile durchgehende – Parkanlage mit Menschen auf Bänken zeigt. Aber diese Menschen sind so gruppiert, daß sich von links nach rechts die drei Menschenalter ablesen lassen. Doch die symbolische Absicht des Bildes wird von der naturhaft-optischen Intensität der Komposition sofort aufgefangen und ausgeglichen.

VUILLARD ist mit Bonnard eng befreundet und auch malerisch so sehr mit ihm verwandt, daß die Nennung beider Namen in einem Atemzug berechtigt erscheint. Während jedoch Bonnard eine Szene im Raum fast wie auf seinen Holzschnitten, großformig und in zusammenhängenden Flächen gestaltet, ist ein Bild von Vuillard aus dieser Zeit eine kleinflächig-zerteilte, konsequente und fast nüchterne Projektion der Szene in die Fläche (Abb. 12). Nur diese besitzt für ihn die Realität der Bildform, und er zerstört den Raumeindruck mit seinen kühnen Ausschnitten und Überschneidungen vollständig, um der Fläche ein ornamentales Eigenleben zu sichern. Alle Figuren und Gegenstände im Raum liegen konsequent in einer Ebene; Vorder-, Mittel- und Hintergrund sind nur noch als neben- oder übereinander liegende Streifen wahrnehmbar. Alle Dinge im Raum, die menschlichen Figuren einbegriffen, werden – wie die Tapete an der Rückwand – mit einem dichten Muster überzogen. Nur durch die Differenzierung dieses Musters sind die Gegenstände im Raum überhaupt noch erkennbar.

Diese Konsequenz der Flächenaufteilung finden wir ebenso in späten Bildern von MAURICE DENIS, die darin sicherlich von Vuillard angeregt sind[60]. Wir finden sie aber etwa gleichzeitig auch in dem von uns abgebildeten Holzschnitt von ARMAND SÉGUIN (Abb. 7) und zwar mit einer Konsequenz im Graphischen, wie sie dagegen das graphische Œuvre von Vuillard keineswegs zeigt. Es liegen zu wenige Anhaltspunkte vor, um die Prioritätsfrage mit Erfolg zu klären; gewiß sind beide Möglichkeiten, im Graphischen wie im Malerischen, Weiterentwicklungen des Flächenstils, den wir schon bei VAN GOGH – besonders in seinen Rohrfederzeichnungen – wenn auch mit einheitlicherer und

27   Axeli Gallén-Kalléla, Leminkainens trauernde Mutter. Um 1898
28   Max Klinger, Im Kornfeld. Radierung aus ›Amor und Psyche‹. 1880

6 Pierre Bonnard, Lithographie aus der ›Revue Blanche‹. Um 1895

stärkerer Dynamik beobachten konnten. Jedoch erst bei Vuillard entsteht mit diesen Mitteln und in Verbindung mit einer fein instrumentierten, gedämpften Farbigkeit ein Bild des ornamentalen Gleichgewichts. Indem sich das Auge von Fläche zu Fläche tastet und dabei Muster für Muster in seiner dinglichen Bedeutung identifiziert, lebt der Betrachter sich in einen Bildraum von starker Intimität ein. Die Raumstimmung ist im Grunde ähnlich wie bei Bonnard, aber man nähert sich ihr fast von der entgegengesetzten Seite. Entsprechungen dazu, jedoch mit einer anderen Auffassung der gegenständlichen Elemente, begegnen wir erst wieder im Wiener Jugendstil.

17 Aristide Maillol (1861–1945)

1881 kommt MAILLOL nach Paris und bewirbt sich um Aufnahme in die
'Ecole des Beaux Arts', die ihn wegen Unfähigkeit zurückweist. Schließlich
gelingt es ihm doch, die Zulassung zu erwerben, und er tritt in die Malklassen
von Gérôme und Cabanel ein. Von den Lehrmethoden der Akademie ent-
täuscht, wird die Ausstellung im Café Volpini während der Weltausstellung
von 1889 für ihn zum entscheidenden Erlebnis. Er schließt sich wenig später
den Nabis an, da er von den gleichen Voraussetzungen zum neuen Stil
kommt wie jene Künstler. Der Duktus seiner Zeichnungen, vor allem seine Beschäftigung mit dem Entwurf von Wandteppichen, lassen auf eine enge Berührung mit Ranson schließen, zumal auch die Motive seiner Entwürfe fast
die gleichen sind. Identisch ist auch die Herstellungstechnik in Stickerei, da die
Nabi keine Möglichkeit hatten, einen Webstuhl aufzustellen und sich mit der
handwerklichen Seite der Webtechnik zu befassen. 1893 geht Maillol für zwei
Jahre in seine südliche Heimat Banyuels-sur-Mer zurück, wo er eine Teppich-
werkstatt gründet, in der zwei Mädchen für ihn arbeiten. Doch schon 1895
gibt er die Werkstatt wieder auf, heiratet eines der beiden Mädchen und kehrt
nach Paris zurück[61].

Wenn auch die Entwurfsskizzen zu den Wandteppichen Maillols denen
Ransons stark ähneln – sie zeigen vor allem die für Ranson charakteristische
Beweglichkeit der Konturen –, so ist ihre Durcharbeitung jedoch sehr selbständig. Maillol inspiriert sich noch stärker an den klassischen Gobelins des
sechzehnten und siebzehnten Jahrhunderts und füllt die Fläche neben den Figuren dicht mit Blattwerk und Vögeln, und auch die Figuren selbst reduziert
er nicht auf ihre Umrisse, sondern teilt alle Gewandfalten durch dichte Schatten-
partien. Dabei werden Auseinandersetzungen mit italienischer Quattrocento-
malerei sichtbar, wie sie auch eine Reihe hier nicht behandelter Graphiken
Bernards und Séguins aus dem Beginn der neunziger Jahre zeigen. Zugleich
aber liegt der dichten ornamentalen Füllung des Bildfeldes eine ähnliche Absicht zugrunde, wie den Bildern Vuillards aus diesen Jahren.

Solche Tendenzen werden in dem hier wiedergegebenen Holzschnitt Maillols *Hero und Leander* (Abb. 13), der nach 1893 entstanden ist, besonders deutlich. Ähnlich wie auf dem etwa gleichzeitig entstandenen Holzschnitt Séguins
(Abb. 7) ist die Fläche mit einem dichten Strudel differenzierter, ihre Richtung

wechselnden Strichlagen gefüllt, die größtenteils als Wasser gegenständlich motiviert sind, das die an den Strand geworfenen Figuren umspült. Aber die Bewegungsabläufe sind stärker zusammengefaßt als bei Séguin und steigern sich zu expressiver Dynamik, die gleichzeitig den Gegenstand der Darstellung deutet, während die Kompositionen Séguins – ähnlich wie bei Vuillard – in ornamentaler Bewegungslosigkeit verharren.

Gegen Ende der achtziger Jahre wendet sich Maillol, der als Maler und Teppichentwerfer seine künstlerische Entwicklung begonnen hatte, immer mehr der Bildhauerei zu. Es ist die Zeit, in der der ganze Nabi-Kreis und die ihm nahestehenden Künstler wie auch Bernard, sich um eine Belebung klassischer Formen bemühen und besonders die italienische Malerei und Plastik der

7   Félix Vallotton, Das Bad. Holzschnitt. 1894

Früh- und Spätrenaissance als Anregungen ausschöpfen. Aber nicht nur in der Plastik, auch in der Malerei findet Maillol jetzt zur geschlossenen, klar überschaubaren Form. Sein Gemälde von 1898, *Das Meer* oder *Die Woge* betitelt, zeigt bereits Züge seiner späteren Illustrationsgraphik: In ein quadratisches Bildformat wird ein weiblicher Akt als Profilfigur in die Diagonale verspannt; die Bewegungen der Arme und Beine verlaufen fast rechtwinklig zum Körper und betonen die Grundrichtungen der Fläche. Eine auf die Ränder der Figur beschränkte Modellierung verleiht dem Körper geringe Plastizität, die jedoch verstärkt wird von der die Gestalt hinterlegende konkave Form einer grünblauen Woge, deren Schaumränder – an die *Woge* Hokusais erinnernd – den nackten Körper ornamental umspielen[62].

Maillols Buchillustrationen gehören alle einer späteren Zeit an: die ›Eklogen‹ Vergils entstanden 1925, ›Belle Chair‹ von Verhaeren 1931, Ovids ›Liebeskunst‹ 1935, ›Daphnis und Cloe‹ von Longus 1937, die ›Hetärengespräche‹ Lukians 1938. Trotz der späten Entstehung ist der Zusammenhang mit Jugendstilgraphik deutlich, in der das Bild konzentriert umfassenden Rahmung, der konsequenten linearen Zeichnung, dem Prinzip der ornamental ruhigen Flächenfüllung und den parallel zur Bildebene verlaufenden Bewegungen; nicht zuletzt aber auch in dem organischen Verhältnis, in dem der Schriftblock und der Holzschnitt zu einander stehen.

18 Félix Vallotton (1865–1925)

Der in der Schweiz geborene, aber bereits seit 1882 dauernd in Paris lebende Künstler ist gleichzeitig Maler, Holzschneider und Schriftsteller. Zwar gehört er nicht der Nabi-Gruppe an, aber als Schüler der Académie Julian ist er eng mit diesen Künstlern befreundet, arbeitet mit ihnen zusammen für die Revue Blanche und beteiligt sich gelegentlich an ihren Ausstellungen. 1896 illustriert er mit seinen Holzschnitten ›La Maitresse‹ von Renard und das ›Livre de Masques‹ von de Gourmont und wird damit bald international bekannt. Wir begegnen seinen Illustrationen im ›Pan‹, in der ›Jugend‹, im ›Bunten Vogel‹, im ›Studio‹ und in anderen ähnlichen Zeitschriften.

VALLOTTONS eigentliche revolutionierende Leistung liegt auf dem Gebiet des Holzschnitts, dem er in der ersten Hälfte der neunziger Jahre eine ausdruckssteigernde Form gibt. Schwer läßt sich sagen, inwieweit Querverbindungen zu England bestehen, wo der Holzschnitt im Werk von AUBREY BEARDSLEY eine ähnlich gerichtete Entwicklung erfährt.

Vallottons Gestaltungsmittel ist der reine Schwarz-Weiß-Kontrast, den er ohne Zwischentöne und Übergänge anwendet (Fig. 7,8). Aber im Gegensatz zu Bernard, Toulouse-Lautrec oder Gauguin spannt er seine Kompositionen in den engen Rahmen einer meist kleinformatigen Rechteckform und verteilt in der homogenen Schwarz- oder Weißfläche rhythmisch kontrastierende Akzente. Nie ist Schwarz und Weiß gleichgewichtig behandelt, sondern immer herrscht das eine vor und wie durch grelles Blitzlicht werden die weißen Flächen, die das Gegenständliche klären, aus ihrer schwarzen Umgebung herausgerissen. In der Vorliebe für die großen und klaren, durchgehend gezeichneten Linien, die das Schwarze vom Weißen trennen, wird Vollottons starke Rückbindung an die klassischen Zeichner, vor allem an INGRES deutlich, von dessen *Türkischem Bad* er aufs stärkste beeindruckt war.

Dem Hell-Dunkel-Kontrast entsprechen bei Vallotton immer auch inhaltliche Gegensätze, die er mit einer fatalistischen Einstellung zum Leben, ohne Pointe und Verzerrung – und dort, wo er bewußt karikiert, auch ohne Zy-

8 Félix Vallotton, Vignette aus ›Der bunte Vogel‹. Berlin 1897

nismus – vorträgt. Auf einem Holzschnitt, den er *Petite Ange* – Kleine Engel –
nennt, wird ein Clochard von einem Polizisten abgeführt und mit Gejubel von
kleinen Kindern begleitet: das Elend des einen ist das Vergnügen der anderen.
Ganz ähnlich gibt sich sein Holzschnitt vom *Leichenwagen*, auf dem das gesittete
in Reih-und-Glied-Stehen der Trauergemeinde zu den Sargträgern kontra-
stiert, die keuchend und mit profanem Kraftaufwand ihre alltägliche
Arbeit verrichten. Diese Beispiele ließen sich fortsetzen; doch daneben hat
Vallotton vorzügliche Porträts in Holz geschnitten, Bildnisse von Dostojewski, Richard Wagner, Edgar Allan Poe, Robert Schumann, Mallarmé
und anderen: aus einer unregelmäßig arabeskenhaften Schwarzfläche, einem
ausgelaufenen Tintenfleck ähnlich, werden wenige, kleinste Weißformen
herausgeschnitten, die den Porträtierten mit sparsamsten Mitteln vorstellen.
Dieser Holzschnittstil Vallottons ist für die Entwicklung von größter Bedeutung, denn er bereitet unmittelbar den expressionistischen Holzschnitt, vor
allem KIRCHNERS, vor.

Weniger einheitlich als das graphische Œuvre ist die Malerei Vallottons,
deren Ursprünge – wie die Hodlers – im Schweizer Naturalismus liegen. Von
1892 bis 1910 entstehen deutlich der Atmosphäre der Nabis verpflichtete Bilder,
deren anfangs symbolhafte Motive allmählich durch reine Anschauungsmotive
(im Sinne Bonnards oder Vuillards) verdrängt werden. Doch fast gleichzeitig,
seit etwa 1900, erstrebt Vallotton eine sachlich-objektivere Auseinandersetzung
mit dem Modell, wobei erneut Ingres als Vorbild angerufen wird. Als Beiträge
zur Neuen Sachlichkeit sind besonders seine in Umriß und Modellierung un-
sinnlichen, gefühlsabstrakten Aktkompositionen bedeutsam.

19   Die Ausbreitung des neuen Stils in Frankreich

Wir müssen uns im Rahmen dieser Darstellung darauf beschränken, die Entstehung der Grundzüge in der französischen Jugendstilmalerei aufzuzeigen und
können der rasch sich ausbreitenden Vielfalt der Erscheinungen hier in keiner
Weise gerecht werden. Seit der Gründung der Revue Blanche und seit den
ersten Plakaten TOULOUSE-LAUTRECS wirkt der neue Stil, so wie BERNARD
es vorausgesagt und gewollt hatte, in die Breite; es entsteht eine Fülle zweit-
und drittrangiger Werke, die auf die Stilschöpfungen der Begründer aufbauen.

Den Typus vieler Jugendstilkünstler unter den Eklektizisten vertritt EDMOND AMAN-JEAN (1860), der aus der Schule Carrières kommt und die neuen Tendenzen diesem Stil assimiliert. Er ist der erste französische Maler, bei dem sich auch der Einfluß der englischen Präraffaeliten bestimmend auswirkt. Das unkörperliche Hell-Dunkel seines Lehrers Carrière faßt er in die arabeskenhaften Konturen des neuen Flächenstils und läßt die Menschen und ihre räumliche Umgebung in sanften, die Stimmung betonenden Kurven zusammenklingen. Die Farbe spricht in leisen und matten Tönen von Blau, indischem Gelb, von Rosa und Purpur, von Malve und Jadegrün, gedämpft durch eine Harmonie von Grau. Seine Kunst wird besonders dem weiblichen Bildnis gerecht, und er erfaßt die dekorative Grazie ruhiger Bewegungen mit feinsinnigem Gefühl. Er malt die Frauen der Salons, die müde und gelangweilt ins Leere schauen, die mit träumenden Augen und traurigen Händen eine Welt über sich ergehen lassen, die ihnen keine neuen, keine tiefen Gefühle mehr zu bieten vermag (Abb. 14).

Auch der in Paris naturalisierte Schweizer THEOPHIL STEINLEN (1859–1923) gehört zu den populären Eklektikern dieser Zeit. In seinem Werk spielt der Politiker und Soziologe eine größere Rolle als der Künstler; seine scharf pointierten Zeichnungen für satirische Blätter und seine sozial-polemischen Plakate verwerten erfolgreich Anregungen aus Werken Toulouse-Lautrecs und Vallottons. Sein Werk ist angewandte Kunst, aber im Sinne einer zeitbedingten Notwendigkeit und darin einer großen Wirksamkeit. Kein geringerer als ANATOLE FRANCE schrieb von ihm: »Eine feine, lebhaft geweckte Empfänglichkeit, ein nie versagendes Augengedächtnis und die Macht der schnellen Ausdrucksfähigkeit haben Steinlen im voraus dazu bestimmt, der Zeichner und Maler des Lebens, das an uns vorüber zieht, zu werden. Mit diesen flüchtigen Erscheinungen hat er gelitten, hat er gelacht; er hat ihre bedrückende Einfalt und ihre Größe erkannt.« So steht Steinlen in einer Entwicklungsreihe moderner Künstler, die in Frankreich mit Daumier begann und in Deutschland mit Käthe Kollwitz und Hans Baluschek fortgesetzt wird; dem entspricht eine sozial-kritische Richtung auch in der zeitgenössischen Literatur.

Zu diesem Kreis der Eklektizisten gehört auch ALBERT BESNARD (1849–1934). Für ihn ist der Jugendstil keine Verpflichtung durch Generationszugehörig-

29 Walter Leistikow, Villa im Grunewald. Nach 1900

keit, sondern er ist ihm gegenüber – wie allem Neuen – aufgeschlossen. Er assimiliert rasch alle jene Züge des neuen Stils, deren Breitenwirkung er mit sicherem Instinkt erkennt. Gerade wegen dieser Aufgeschlossenheit und Vielseitigkeit ist er der jungen Generation ein guter Lehrer und wird als solcher immer wieder geschätzt. 1890 gründet er mit Gleichgesinnten den zweiten Pariser Frühjahrssalon unter dem Titel 'Société National des Beaux Arts' und will mit dieser Vereinigung einen Ausgleich zwischen dem müden Akademikertum und der Avantgarde schaffen. In seinem Werk zieht er selbst das Resumé aus den bahnbrechenden Schöpfungen seiner Zeitgenossen und wird damit im Grunde zum Zerrbild jener von RICHARD WAGNER und EMILE BERNARD erhobenen Forderung, daß ein Kunstwerk in neuer Zeit nicht geschaffen werden könnte, ohne die großen Errungenschaften der voraufgegangenen und gleichzeitigen Kunst zu berücksichtigen. Bei Besnard aber besteht dieser Eklektizismus in einer Milderung der konsequenten künstlerischen Formen der Stilschöpfer und einer Dosierung des Neuen in einem Grade, den das Publikum gerade noch akzeptiert; damit begründete er seinen Erfolg, der sein Leben aber kaum überdauert hat.

Bei Künstlern wie PIERRE PAUL GIRIEUD (1874/75–1940), FRANÇOIS JOURDAIN (geb. 1876), JEAN-LOUIS FORAIN (1852–1931), JULES CHÉRET (geb. 1836), HENRI JOSSOT (Fig. 9), PAUL HELLEU, HENRI RIVIÈRE erfährt der neue Stil durch die Synthese der inzwischen wirksam gewordenen Stilformen eine stärkere Bindung an das illustrative Kunstgewerbe. Das bedeutet für diese Künstler in ihrer Zeit eine breite Wirkung über Frankreich hinaus. Die führenden Kunstzeitschriften, die kaum den Abstand besitzen, um gut von mittelmäßig zu unterscheiden, nehmen sich häufig gerade der Mittelmäßigen an, und ein an sich zweitrangiger Künstler wie Girieud wird sogar Mitglied der 'Neuen Künstlervereinigung München'. Gleichzeitig aber führen diese Künstler den neuen Stil in eine manirierte Endphase, aus der eine Weiterentwicklung nicht mehr möglich ist. Das Nur-Dekorative fällt schon kurz nach 1900 der Neuen Sachlichkeit und dem neuen, expressiven Ausdruckswillen zum Opfer.

30 Ludwig von Hofmann, Tanz. Pastell. Um 1900
31 Hugo von Habermann, Bacchantin. 1897

9 Henri Jossot, Das Frühstücksei.
Vignette aus der ›Insel‹

V Jugendstilmalerei in der Schweiz

1 Ferdinand Hodler (1853–1918)

Ihren wesentlichsten Beitrag zur Entwicklung der modernen Kunst leistet die Schweiz mit FERDINAND HODLER; er entwickelt die Voraussetzungen für das monumentale Wandbild der Gegenwart und ist einer der bedeutendsten Künstler der Jugendstilmalerei überhaupt. An seinem Werk entzünden sich noch heute die gegensätzlichsten Meinungen. WILHELM HAUSENSTEIN verwirft 1921 sein Werk: »Man findet einige schöne Ansätze, kaum mehr. Es fehlt alle künstlerische Üppigkeit; jenes Stück Rubens, jenes Stück Barock, das keiner runden Leistung gänzlich mangelt. Im ganzen bleibt eine Dürre, die beengt…« Im Gegensatz dazu empfindet die junge Generation des beginnenden zwanzigsten Jahrhunderts Hodler neben CÉZANNE als die Schlüsselfigur der künstlerischen Erneuerung, denn beide fassen mit ihrem Werk eine große Tradition zusammen und bilden aus ihr eine tragfähige Grundlage. Sie bewirken keinen Bruch mit der Vergangenheit, sondern ermöglichen im Gegenteil den Anschluß an die Tradition.

Hodlers künstlerische Entwicklung verläuft äußerst folgerichtig; den ersten Malunterricht erhält er von seinem Stiefvater, einem Dekorationsmaler. 1869 kommt Hodler nach Thun in die Lehre zu dem Landschaftsmaler SOMMER, der Hodler im *pleine air* unterweist. 1871 tritt er in die 'Ecole des Beaux Arts' in Genf ein und wird Schüler von BARTHÉLEMÉ MENN, einem feinsinnigen Pädagogen, unter dessen Führung das Werk des Künstlers spürbar in die Richtung seiner späteren Malerei gelenkt wird. Genf bleibt fortan der Aufenthaltsort für Hodler und er verläßt die Stadt nur noch zu kurzen Bildungsreisen, 1875 nach Basel, wo ihn HOLBEIN tief beeindruckt, 1878–1879 nach Madrid zu einer nachhaltigen Begegnung mit VELASQUEZ, 1891 nach Paris und 1904 nach Wien auf Einladung KLIMTS.

Die ersten Werke der Genfer Zeit sind kleinformatige Landschafts- und Figurenbilder, aber mit dem deutlichen Zug zur Vereinfachung und Monumentalisierung. Der *Stier* von 1882, ein 'Tier-Porträt' im Profil, füllt kraftvoll fast die ganze Bildfläche und wirkt in der Einfachheit seines Stehens sinnbildhaft. Einzelfiguren oder Figurengruppen, wie die Darstellung der Fabel *Der Müller, sein Sohn und der Esel* zeigt eine Beobachtung der Figuren, die auf den wesentlichen und typischen Ausdruck in Gebärde und Haltung angelegt ist. Dieser realistische Anfang, bei dem der Impressionismus, mit dem er nur indirekt in Berührung gerät, zur Aufhellung seiner Palette beiträgt, ohne die Formen aufzulösen, seine Vereinfachung auf Grund genauer Beobachtung, das konsequente Aug in Aug mit der Natur, sind für Hodlers Verhältnis zum neuen Stil, mit dem er gegen Ende der achtziger Jahre in Berührung kommt, kennzeichnend.

Das Studium an der Akademie bringt Hodler mit Themen in Berührung, die sich nicht aus der Naturanschauung ableiten lassen: mit gedanklichen Historien. Seine *Disputation* aus den späten achtziger Jahren ist eine Huldigung an den Geist von Genf: CALVIN. Das Bild zeigt den Reformator, wie er mit segnender Gebärde auf den Betrachter zuschreitet, während ihn, fast symmetrisch gruppiert, vier Männer begleiten, die in nahezu pantomimischer Gebärde nachdenken, sprechen oder zuhören. Die Kulisse des Genfer Marktes tritt wie eine Folie hinter die dreiteilige Figurengruppe zurück, die silhouettenhaft ausgeschnitten wirkt[63].

In dieser Zeit wird Hodler auf der Genfer Akademie das Stilprinzip Puvis de Chavannes vermittelt, ohne daß er dessen Hauptwerke vorerst selbst zu Gesicht bekommt. 1890 malt der bereits Siebenunddreißigjährige sein Bild *Die Nacht*, das in Genf einen Skandal auslöst, Hodler aber mit einem Schlag bekanntmacht[64]. Er wird im folgenden Jahr nach Paris eingeladen, wo dieses Bild großes Aufsehen erregt. Hier kommt Hodler mit den Nabis in Berührung, die ihn, den mystisch veranlagten Calvinisten, bei den Rosenkreuzern einführen, deren transzendentaler Idealismus ihn offenbar stark beeindruckt. In Paris lernt Hodler aber vor allem den Neuen Stil in seiner um 1890–1891 wirksamen Phase kennen, dazu die Werke Puvis de Chavannes und der englischen Präraffaeliten, die ihrerseits wieder die Kenntnis der Werke Blakes vermitteln.

Auch im Paris dieser Jahre ist der englische Einfluß nachhaltig spürbar, von dem
Hodler nun für dauernd berührt bleibt.

Seit dem Bild der *Disputation* übt Hodler das Prinzip der monumentalen
Ideenmalerei, in der menschliche Figuren geistiges Verhalten verkörpern, ihr
Menschsein also förmlich einer Idee opfern. Hodler greift damit eines der
Hauptprobleme des neunzehnten Jahrhunderts auf, um dessen Lösung sich die
deutsche Kunst von CORNELIUS bis GENELLI, die französische Malerei von
INGRES bis PUVIS DE CHAVANNES und die englischen Präraffaeliten seit
BLAKE bemüht haben. Diese Bemühungen stellen die eine Linie der Tradition
des neunzehnten Jahrhunderts dar, deren andere in der Umgestaltung des
Naturbildes zu den Impressionisten und zu Cézanne führte. Noch zu Hodlers
Lebzeiten erfüllen sich diese Bemühungen im Werk eines anderen älteren
deutschen Malers: HANS VON MARÉS (1837–1887), der Symbole des menschlichen Lebens in monumentalen, zyklischen Zusammenfassungen ausdrückt und im Bild des Menschen das Sinnbild des zeitlos Menschlichen
gestaltet. Hodlers Symbole aber greifen über das Menschliche hinaus auf die
allgemeinen Zusammenhänge, für die das Menschliche nur einen Sonderfall
darstellt, mit dessen Hilfe er allerdings das Allgemeine sichtbar machen will:
das Schlafen, das Erwachen, das frühlinghafte Erblühen im Mädchen und im
Jüngling, den Rhythmus des Lebens (Abb. 15). Hier aber liegt gleichzeitig eine
Diskrepanz, deren bildhafte Lösung nicht immer gelingt, im letzten gar nicht
gelingen kann: Der Dualismus zwischen dem Allgemeinen und dem Einzelfall
bleibt bestehen und bewirkt die Vorbehalte, die gegen Hodlers Kunst immer
gemacht werden; aber dieser Dualismus ist ein Prinzip seiner Kunst und kennzeichnet die Seelenlage einer Zeit, die in sich gespalten ist. Wenn Hodler ihr
Ausdruck gibt, ist es falsch, aus der Schwäche der Zeit eine Schwäche seiner
Kunst abzuleiten.

Hodler hatte sich von Anfang an das monumentale Bild als Aufgabe gestellt.
In der *Disputation* und den ersten Historienbildern wird Hodler der dramatischen
Größe des Augenblicks durch seine wirkungsvolle Gliederung der Figurengruppen gerecht, aber er bleibt noch am Äußerlichen des Lokalkolorits, der
Milieuschilderung und des Psychologischen haften: Bedingungen, die Monumentalität von vornherein ausschließen und zugleich begründen, warum das
neunzehnte Jahrhundert im Prinzip keine Monumentalmalerei, sondern nur
großformatige Bilder hervorgebracht hat. Erste Begegnung mit dem neuen

Stil in Paris, besonders durch Vermittlung der Nabis, und die Kenntnis von Werken Blakes, verhelfen bei Hodler einer echten Monumentalität zum Durchbruch.

Er verlegt fortan alles Geschehen in den abstrakten, geistigen Erlebnisraum, in dem die Gesetze der Geometrie gelten; auch dann, wenn es sich wie zum Beispiel beim *Aufbruch der Jenenser Studenten* um die Gestaltung eines Historienbildes handelt. Stets bestimmt die Horizontale den Schauplatz, dessen landschaftliche Elemente ohne Tiefenillusion, ohne naturhafte Beleuchtung und völlig entmaterialisiert, zur Folie des ganzen Bildes werden und das Geschehen einerseits akzentuierend hinterlegen, andererseits es in eine flächenhafte, gobelinartige Wanddekoration einbinden. Die Vertikale ist den Menschen vorbehalten und wird schlechthin zum Sinnbild des Menschlichen, besonders auch dann, wenn sich durch Schrägformen die Gebundenheit an die Welt und der Prozeß des Loslösens aus der Erdbezogenheit ausdrückt.

Das Erscheinungsbild des Menschen, der zum Träger einer allgemeinen Bedeutung werden soll, wird durch die strenge Stilisierung seinen biologischen Bedingungen entzogen und vergeistigt. Hodlers Skizzen zeigen den mühevollen Weg zu diesen Ergebnissen, der immer beim Modellstudium beginnt und auch in der später gefundenen Formulierung das Modell nicht verleugnet. Deutlich ist das Prinzip der Blake'schen Ausdrucksgebärde übernommen, die einer Figur gleichsam von außen auferlegt wird und einer Aktfigur (hier wird dieses Prinzip besonders deutlich) ihre Bewegung von den übergeordneten Formzusammenhängen her vorschreibt und aufzwingt. So lösen sich in seinem Gemälde *Frühling* die beiden Gestalten in verschiedenen Phasen vom Erdboden los und dehnen sich dem Sonnenlicht entgegen; das Mädchen vegetativ, ohne eigenen Willen, wie eine Pflanze in der Wärme des Sonnenlichts, der Jüngling entschlossen, in der Bereitschaft, das Leben zu meistern. Dabei bezieht sich die vom neuen Stil der französischen Malerei angeregte Vereinfachung auf das Typische – im Gegensatz zur Gestaltung des Hintergrundes – bei der menschlichen Figur nicht auf die Darstellungsmittel, sondern wie schon in der *Disputation*, auf Körperhaltung und Bewegung, die pantomimisch zur bedeutungsvollen Ausdrucksgebärde wird. Diese Gebärden fixiert Hodler durch eine Liniensprache, die vielleicht das hervorstechendste Charakteristikum seiner Kunst darstellt. Sie ist naturalistisch und abstrakt zugleich. Naturalistisch, weil sie den natürlichen Umrissen des menschlichen, beinahe realistisch modellierten

Körpers folgt, abstrakt, weil sie den Umriß zum Selbstzweck erhebt, um den der Linie immanenten Willen sichtbar auszudrücken. Verfolgt man diesen Dualismus im Werk Hodlers weiter, so ergibt sich, daß er seinem vermeintlichen Naturalismus manche Abweichungen unterschiebt, Veränderungen der Proportionen, die anderen als physikalischen oder biologischen Gesetzen folgen. Diese scheinbare Diskrepanz zwischen Stilisierung und akademischem Naturalismus, der man in der Jugendstilmalerei immer wieder begegnet, bewirkt andererseits eine gegenseitige Steigerung, die zu einer neuen spezifischen Bildeinheit führt.

In den monumentalen Kompositionen Hodlers ist der Mensch nie einzeln, sondern immer in den großen Zusammenhängen des Menschlichen wiedergegeben; ihre Zahl ist nie zufällig, sondern immer rhythmisch bedingt. Hodler greift dabei auf ein Stilmittel zurück, das schon Blake vorbildlich gestaltet hat und das auch Emile Bernard in abgewandelter Form seiner Bildgesetzlichkeit zugrunde legte: den Parallelismus, das ist die rhythmische Wiederholung gleichgerichteter Bewegungsformen oder Körperhaltungen. Die sechsmal erhobene Faust zur Steinigung Achans in einer Komposition Blakes oder der Leichenzug vom *Kalvarienberg* mit den sechs hintereinander parallel zur Bildebene schreitenden Männern in bodenlangen Gewändern bieten Formprobleme, an die Hodler unmittelbar anknüpft.[65] Nicht der Sonderfall des Menschlichen drückt sich darin aus, die Ausnahme, sondern das Gemeinsame, der Typus. Hodler selbst sagte einmal: »Wir alle haben unsere Freuden und unsere Schmerzen, die nur Wiederholungen jener der anderen sind und die nach außen durch dieselben oder durch analoge Gesten sichtbar werden.« Und so gestaltet Hodler nach dem Prinzip der rhythmischen Wiederholung seine großen Wandbilder *Die Schlacht bei Murten*, den *Aufbruch der Jenenser Studenten*, das Reformationsbild im Rathaus zu Hannover, wo die Zahllosen den Einen umdrängen, der über dem Türsturz wie auf einem Sockel steht, die Linke aufs Herz legt und die Rechte zum Schwur steil nach oben hebt, während der Chor der Umstehenden diese Gebärde – man möchte sagen: tausendfach – wiederholt.

Nicht nur ein neuer Monumentalstil, vielmehr eine neue Auffassung des Gesamtkunstwerks als geistige Konzeption liegt dem zugrunde. Die Wand wird nicht nur tektonisch geschmückt, sondern sie enthält eine programmatische Formel, proklamiert eine Lebensauffassung, die den einzelnen in seiner schicksalhaften Verkettung, in seiner bedingungslosen Unterordnung sieht. Dies ist calvinistischer Geist, dessen düstere Symbolik uns überall in der Malerei Hodlers begegnet, in einer Schwermut, die das Leben ohne Freude, den Menschen ohne Glück sieht: in den *Lebensmüden*, den *Erschöpften*, dem fast epileptischen Bewegungszwang der *Eurhythmie*. Aber auch Hodler erlebt im Spätwerk, als Reflex des Expressionismus nach 1900, den Aufschwung aus dieser Passivität in eine befreite, ausdrucksstarke Naturanschauung, wie seine Alpenbilder, seine Selbstbildnisse zeigen; doch diese spätere Entwicklung bleibt ohne die große Wirkung auf die nachfolgende Malerei, die von Hodlers monumentalem Jugendstil ausgeht und noch im Bauhaus spürbar ist.

2 Cuno Amiet (1868–1961)

CUNO AMIET ist neben Hodler der bedeutendste Jugendstilmaler der Schweiz doch kein eigentlicher Stilschöpfer, wie sein großer Landsmann, sondern mehr ein assimilierendes, lernbegieriges Talent, das Anregungen bereitwillig aufnimmt und um 1900 eine Synthese fast aller Stilschöpfungen, mit denen er in Berührung kommt, anbietet (Abb. 16). Nach zweijährigem Studium bei dem Schweizer Landschaftsmaler FRANK BUCHSER und zwei weiteren Lehrjahren an der Münchener Akademie, kommt er 1889 nach Paris, und lernt an der Académie Julian seinen Landsmann VALLOTTON und dessen Freunde SÉRUSIER und MAURICE DENIS kennen. Das Interesse für den neuen Stil erwacht bei ihm aber erst in der Zeit, da er GAUGUIN selbst nicht mehr kennenlernen kann. Paul Sérusier nimmt ihn 1892–1893 jedoch mit nach Pont-Aven, wo er die Bekanntschaft BERNARDS und SÉGUINS macht und in die Prinzipien des neuen Stils eingeweiht wird: Natur zu schauen, das Geschaute zu vereinfachen und auf seine Urbildlichkeit in Form und Farbe zurückzuführen. Amiet lernt sehr rasch, er ist Augenmensch durch und durch und, im Gegensatz zu Hodler, an gedanklichen Symbolen wenig interessiert. So entsteht eine Reihe von Bildern, die ganz im Rahmen der Thematik von Pont-Aven liegen und die Bretagne ihre Menschen, Frauen auf dem Feld bei der Arbeit und spielend mit ihren Kindern, zeigen. Stärker als die Maler von Pont-Aven aber

32 Franz von Stuck, Bacchanale. 1905

interessiert ihn der Ausdruckswert der Farbe. Er vereinfacht auf den Zusammenklang von wenigen Grundakkorden hin und bevorzugt dabei helle Töne: Orange und Gelb. Der Farbfleck spielt dabei eine größere Rolle als die Linie; in der Kontur bleibt Amiet eher hölzern und spröde, dafür aber ist das ganze Bild teppichhaft von leuchtenden Farbflecken durchsetzt. Dieses Verhältnis zur Farbe, ihre große Ausdruckskraft, veranlaßte 1906 die expressionistische Künstlergruppe 'Brücke' in Berlin, Amiet in ihre Gemeinschaft aufzunehmen, obwohl man Amiet schwerlich als Expressionisten wird bezeichnen können. Er sucht in der Gestaltung des Motivs immer den Ausgleich zum Bürgerlichen hin, und so spielt neben der Landschaft vor allem das Bildnis – und das Selbstporträt – eine große Rolle in seinem Werk. Maurice Denis lehrt ihn die dekorative Stilisierung des Porträts, in der Amiet eine Reihe großartiger Bildnisaufgaben löst. Ein großer Teil seines Frühwerks, vor allem die uns hier interessierenden Bilder aus Paris und Pont-Aven, gingen beim Brand des Münchner Glaspalastes 1931 verloren.

3 Ernst Kreidolf (geb. 1863)

KREIDOLF ist eine der originellsten und liebenswertesten Erscheinungen des Schweizer Jugendstils, ein echter Kleinmeister der Buchkunst. Schon frühzeitig beschränkt er sich auf die Illustration von Kinder-Bilderbüchern, und die besten sind die, zu denen Kreidolf auch den Text selber geschrieben hat.

Kreidolf begann als Handwerker: als Lithograph mit reproduzierenden Darstellungen von Pflanzen und Tieren für eine Enzyclopädie ohne künstlerische Bedeutung. Doch seine Phantasie lebte sich in diese Dinge ein, die er zeichnete, und so erfuhren sie plötzlich eine Metamorphose zum Menschlichen hin (Abb. 17), für die es Vorbilder in der englischen Graphik, vor allem bei GRANDVILLE mit seinen *Verwandlungen des Traumes*, seinen vermenschlichten Tieren und Pflanzen gab. Aber Kreidolf erlebte dies alles ohne die pathologische Belastung, die den Zeichnungen des Engländers auferlegt ist, ohne den un-

33 Carl Strahtmann, Salambo

heimlichen Zwang zur Assoziation, sondern einfach aus dem naiven Empfinden einer allgemeinen Beseelung der Natur.

Dabei zeigt Kreidolf eine unbedingte Ehrfurcht vor dem Objekt und eine Gewissenhaftigkeit gegenüber der Realität, wie sie nur langes und eingehendes Studium der Natur bewirken kann. Mit detaillierter, fast nüchterner Genauigkeit vermag er die Form eines Blütenblattes oder eines Heuschreckenbeines wiederzugeben, aber er setzt diese – ihm für jeden besonderen Fall sicher zur Verfügung stehenden – Naturformen mit äußerster Sparsamkeit ein und vereinfacht sie oft zu einer einzigen Linie oder Umrißform, die dennoch das ganze, organische Gebilde zu enthalten scheint. Seine Naturgläubigkeit führt Kreidolf in eine Welt der Assoziationen, die frei von Karikatur und Ironie, aber voller Märchenstimmung ist. Ihre seltsame Phantastik entsteht dadurch, daß das Fremdartige sich mit aller Selbstverständlichkeit anbietet und das Märchenhafte in aller Natürlichkeit auftritt. So führen die Wege der Realität unvermittelt in das Traumreich seiner Phantasie. Er personifiziert ungezwungen und glücklich, und es leuchtet ohne weiters ein, in einer Margerite (›Margaret‹) ein Kindermädchen zu sehen, in Weidenkätzchen junge weiße Kätzchen oder im Weiß- und Schwarzdorn spießbewehrte Ritter. Auch die Logik seiner Bilderzählungen überzeugt sofort durch eine verblüffende Kombinationsgabe, so etwa im ›Katzengespann‹, wenn Jan der Kutscher vor seinen Wagen drei Katzen und vor diesen drei Mäuse anspannt, die im gleichzeitigen Fliehen und Jagen den Wagen über Stock und Stein ziehen; dazu die einprägsamen Kinderverse Kreidolfs: »Jan, spann an, – drei Katzen voran – drei Mäuse vorauf, – Jan obenauf – den Blocksberg hinauf.« In der Beschränkung auf das Wenige und Typische, das erst von der anschauenden Phantasie des Kindes zur Erzählung ausgesponnen werden muß, liegt etwas suggestiv Einprägsames, das noch lange, selbst im Erwachsenen, als Erinnerung nachklingt.

4   Giovanni Segantini (1858–1899)

SEGANTINI wird hier in den Bereich des Schweizer Jugendstils einbezogen, weil er die Schweiz zu seiner Wahlheimat gemacht hat und seiner ganzen Mentalität nach in der rauhen Gebirgsluft des Engadins wurzelt, obwohl er erst die letzten fünf Jahre seines Lebens dort verbringt.

Der Geburt nach ist Giovanni Segantini Südtiroler. Im Hause seiner Stief-
mutter erlebt er eine freudlose Jugend, der er sich eines Tages durch die Flucht
entzieht. Die Erinnerung an seine früh verstorbene Mutter klingt wie ein
Sehnsuchtsmotiv durch die Jahre seiner Kindheit und er schreibt: »Ich trage
sie im Gedächtnis, meine Mutter; ich sehe sie wieder im Auge des Geistes,
diese hohe Gestalt, wie sie müde einherschritt. Sie war schön, nicht wie Morgen-
röte oder der Mittag, aber wie ein Sonnenuntergang im Frühling. Als sie starb,
war sie noch nicht neunundzwanzig Jahre alt. Sie gehörte jenem mittelalterlichen Landadel an, aus dem ehemals die kriegerischen Glücksritter hervor-
gingen, gleich wie heute die guten Ackerbauern daraus hervorgehen.« In
Metaphern verkleidet enthalten diese Worte das ganze künstlerische Programm
Segantinis: das in der Naturstimmung ausgedrückte menschliche Erlebnis,
seine Verwurzelung im Mütterlichen, die Abenteuerlichkeit des Glücksritters
und den Naturadel des Ackerbauern[66].

Als Autodidakt beginnt Segantini zu malen, und Freunde ermöglichen
es dem Jungen, der mittellos nach Mailand gekommen war, hier die Akademie
zu besuchen. Aber schon nach zwei Jahren überwirft er sich mit den Lehrern;
er vermag der Natur nicht als unbefangener 'Pleinairist' gegenüber zu treten,
denn er fühlt in ihrem Raum geheimnisvolle, rätselhafte Mächte walten, die
stärker sind als der Mensch. Über diese Zeit schreibt er später an den Kunstschriftsteller DOMENICO TUMEATI:

»Ich gab mich nicht mehr damit ab, meine bisherigen Ideen über den har-
monischen Ausdruck der Farben zu verwirklichen, sondern versuchte, Empfindungen wiederzugeben, die zumal in den Abendstunden in mir erwuchsen,
wenn nach Sonnenuntergang meine Seele sich in süße Schwermut versetzte.«
Durch Reproduktionen lernt Segantini Bilder von MILLET kennen, dessen
sentimentale Naturauffassung ihn stark berührt. Auch von den Impressionisten
erfährt er durch gedruckte Wiedergaben ihrer Werke, und ihre Methode der
Farbzerlegung regt ihn zu eigenen, fruchtbaren Experimenten an. Um die
Mitte der achtziger Jahre zeigt sein Werk eine immer stärkere Konzentration
im formalen Aufbau; aus großen, monumental geführten Linien bilden sich die
einfachen, fast abstrakten Formen der Landschaft, in denen – ähnlich wie bei
Hodler – die Horizontale das Naturhafte versinnbildlicht, während der Mensch
sich aus der Vertikalen stets zur Erde niederbeugt oder sich von ihr aufrichtet:
immer sind Mensch und Natur in ihrem gegenseitigen Verhältnis gesehen.

In diesen Jahren, in denen der italienische Sinn für das Klassische, für die reine und klare Form sich deutlich abzeichnet, zieht Segantini nach Graubünden (1886) und wenige Jahre später weiter ins hochgebirgige Engadin zum Malojapaß. Aber es ist nicht der topographische Reiz der Alpenwelt mit ihren Fernblicken, der ihn lockt, sondern das Geheimnis der Natur, das er im Medium der herben Alpenluft besonders rein empfindet. »Wer wird je einen Maler kennen, der das vermöchte: die tiefe Rätselwelt des Ätherblaus mit ihrem Lichtglanz zu enthüllen«, schreibt er in sein Tagebuch. Er erfindet eine eigene Technik, um dieses Geheimnis zu meistern: die Leinwand grundiert er dunkelrostrot, setzt darauf in kurzen, weißen Strichen die Zeichnung und füllt die Zwischenräume mit hellen, unvermischten Farbstrichen, die erst das Auge des Betrachters optisch zusammensetzen muß. Die Oberfläche seiner Bilder wirkt deshalb oft wie ein plastisch durchfurchtes Netz von Linien, porös und durchsichtig, durch das die Grundierung immer wieder hindurchschimmert. Manchmal verwendet Segantini Gold- und Silberblätter, die er als Staub zwischen die Furchen der Bildoberfläche zerreibt, um damit das unwirkliche Flimmern der aus sich selbst leuchtenden Gebirgsluft wiederzugeben. Von diesem vibrierenden Luftraum setzen sich die menschlichen Figuren als ruhige, ungegliederte Silhouetten ab.

Immer stärker wird in den neunziger Jahren ein malerischer Ausdruck für die Einbettung des Menschen in die Zusammenhänge der Natur gesucht. Segantini beginnt nicht nur seine Empfindungen, sondern auch seine Gedanken darüber im Bild wiederzugeben. Mit Nachdruck spricht er seine Gesinnung in einem Bilde aus, auf dem er eine Menschenmutter und eine Kuhmutter im Stall vereinigt zeigt, als zwei gleichartige Wesen, die durch gleiches Tun und durch gleiches Fühlen miteinander verbunden sind und, friedvoll von derselben trüben Lampe beleuchtet, ruhig nebeneinander atmen. Es ist eine Zeit in seinem Schaffen, zugleich symbolisch programmatisch und menschlich naiv; es ist eine Franziskus-Liebe, mit der er seine Arbeit, sein malerisches Tun auffaßt. So klingt auch sein eigenes Zeugnis über seine Kunst: »Als ich den Eltern eines gestorbenen Kindes den Schmerz lindern wollte, malte ich das Bild *Glaubenstrost;* um das Liebesband zweier junger Menschen zu weihen, malte ich *Die Liebe am Quell des Lebens;* um die ganze Seligkeit des Mütterlichen fühlen zu lassen, malte ich die Frucht der Liebe, den *Lebensengel;* als ich die schlechten Mütter, die hohlen und unfruchtbaren, der Lust lebenden Frauen geißeln wollte, malte ich die Geißeln in Gestalt des *Fegefeuers*, und als ich die Quelle alles Übels bezeichnen wollte, malte ich *Die Eitelkeit*. Ich will, daß die Menschen die guten Tiere lieben, jene, von denen sie Milch, Fleisch und Felle gewinnen, und ich malte *Die beiden Mütter*.« In diesem Symbolismus liegen Segantinis Größe und Gefahr eng beieinander. Eine Gefahr, da er unter den Einfluß präraffaelitischer Kunst gerät und gleichzeitig den neuen Linienstil kennenlernt: schwebende Gestalten, deren Gewänder sich mit der Luft und den Haaren vermischen, beschäftigen ihn längere Zeit; Gedankliches belastet das Malerische. Bildstoffe nach DANTE: wollüstige Frauen, die von unsichtbaren Gewalten in einer Schneelandschaft umher getrieben werden, sich mit ihren Haaren im dürren Geäst eines Baumes verfangen und einen toten Säugling an der Brust tragen: das pervertierte Bild des Mütterlichen (Abb. 18).

Das Literarisch-Symbolhafte bleibt jedoch nur eine Durchgangsphase seines Schaffens, bis es ihm gegen Ende der neunziger Jahre wieder gelingt, seine Symbole aus der reinen Naturanschauung abzuleiten, indem er die Grundbedingungen menschlichen Daseins: *Werden-Sein-Vergehen* gleichnishaft im Schatten der unveränderlichen Dauer der Bergwelt als alltägliche, unsentimental gesehene Geschehnisse wiedergibt. Sein letztes, unvollendetes Bild aus diesem Zyklus, der für die Pariser Weltausstellung von 1900 bestimmt war, das Bild *Vergehen*, wurde zur Darstellung seines eigenen Todes; während er in einer Almhütte auf dem Schafberg daran arbeitete, erkrankte er an einer Blinddarmentzündung und starb, bevor ärztliche Hilfe eintreffen konnte[67].

So entwickelt sich der Jugendstil in der Schweiz zwar im Anschluß an die von Paris ausgehende Bewegung des neuen Stils, die ihre Motive von der Anschauung ableitet und das Symbol aus der Urbildlichkeit des Geschehens oder des Gegenständlichen schöpft, jedoch nicht in Schulzusammenhängen und nicht auf breitem Boden. Hier in der Schweiz ist die Bewegung an einzelne, isoliert ihren Weg gehende Künstler gebunden, deren Einfluß stärker im Ausland als in der Schweiz selbst wirksam wird.

VI England,
die zweite Kraft des Jugendstils

Die Jugendstilmalerei geht in England von völlig anderen Voraussetzungen aus als in Frankreich. Während sich die Jugendstilmalerei in Frankreich aus der Überwindung des Impressionismus entwickelte und deshalb auch immer wieder auf das Thema Natur zurückgreifen mußte, zwar deformierend und vereinfachend, aber immer wieder direkt aus der Anschauung arbeitet, entwickelt sich der Jugendstil in England aus einer wesentlich älteren, der Natur fast feindlich gesinnten Ateliertradition, für die das Wort WHISTLERS charakteristisch sein könnte, daß die Natur ihm immer ein Greuel gewesen sei. So stehen sich zu Beginn der neunziger Jahre französischer und englischer Jugendstil als extreme Gegensätze gegenüber: wir können ihre Einflußsphären deutlich unterscheiden und erkennen, was in Europa von der französischen, was von der englischen Komponente berührt ist. Es kennzeichnet die Stilsituation, daß die beiden Komponenten sich gegenseitig nicht abstoßen, sondern sogar große Anziehungskraft aufeinander ausüben: in der französischen Malerei beim späten BERNARD, bei MAURICE DENIS, bei AMAN-JEAN, ist englischer Einfluß nach 1890 feststellbar, und in England werden etwa um die gleiche Zeit französische Stilelemente wirksam. Die übrigen Länder aber orientieren sich deutlich nach der französischen oder der englischen Linie und zwar auch hier keineswegs mit Ausschließlichkeit, vielmehr sind beide Richtungen gegenwärtig und bieten eine Grundlage für die Differenzierungen des Stils in den einzelnen Ländern. Man wird deshalb nicht nur feststellen können, daß der Jugendstil die letzte Epoche einer europäischen Stileinheit war, sondern man wird auch die Grundlage dieser Stileinheit in der – je nach der Nation verschiedenen – Synthese der romanischen und der germanischen Grundkomponente des europäischen Geistes erkennen. Erst gegen Ende der Epoche macht sich eine dritte Stilkomponente geltend, die aus dem russischen Kreis kommt und auch nicht mehr auf ganz

Europa gleichmäßig einwirkt; damit wird aber bereits die Wende vom Jugendstil zum Expressionismus eingeleitet.

1 Die Voraussetzungen

In der englischen Entwicklung wird der Zusammenhang des Jugendstils mit
der gesamten antiklassischen und antirationalistischen Kunst des neunzehnten
Jahrhunderts seit seinem Beginn besonders deutlich. Eine heimliche Bindung
an das mystische Mittelalter durchzieht die ganze nachmittelalterliche Welt
Englands, und so steht die Malerei WILLIAM BLAKES (1757–1827) durchaus
nicht so voraussetzungslos an der Wende des achtzehnten zum neunzehnten
Jahrhundert, wie man immer wieder geglaubt hat. Für die Klärung der antirationalistischen Tradition, in der alle Jugendstilkunst steht, stellt er jedoch
einen vorläufigen Fixpunkt dar, über den man nicht weiter zurück zu forschen
braucht.

Blakes künstlerischer Mystizismus wird für das durch ihn erschreckende Erlebnis vom Tode seines Bruders ausgelöst. In nächtlichen Träumen und in
Stunden der Entrücktheit fühlt er die Gegenwart des Verstorbenen, der ihm
tiefe Einblicke in die Gesetze des Alls und der Welt vermittelt. Der Bruder teilt
ihm in solchen Ekstasen sogar mit, welches technische Verfahren er anzuwenden
habe, um diese Visionen aufzuzeichnen. Blake trägt säurebeständigen Lack mit
dem Pinsel auf eine Kupfer- oder Zinnplatte auf und ätzt anschließend den
Hintergrund und die Zwischenräume ab, so daß die gesamte Zeichnung in er-
höhten, druckbreiten Stegen erhalten bleibt. Nach dem Druck wird die Zeichnung mit dünnen Aquarellfarben lasierend koloriert, wobei geschlossene Farbflächen meist mit einem einheitlichen Ton überzogen werden. Das Ergebnis ist
ähnlich, wie es der neue Stil in Frankreich achtzig Jahre später – von ganz anderen Voraussetzungen ausgehend – verwirklicht, etwa Bernard in seinen
Zinkographien: der auf die Umrißlinien beschränkten Zeichnung bleibt vor
allem der Vordergrund vorbehalten, während Mittelgrund und Hintergrund
meist völlig entfallen; so spielt das hintergründige Geschehen sich in einer
vordergründigen Bildebene ab, wodurch sich die Vision jedesmal neu und unmittelbar vor dem Betrachter ereignet.

Blakes visionäre Botschaft aber sieht den Menschen nicht körperlich, sondern transparent: seine Seele ist es, die sich im Körper Ausdruck verschafft. Und diese Seele wiederum ist eingebunden in große Zusammenhänge des Daseins, in den Strom des Lebens und des Schicksals, die ihr Sein bestimmen. Deshalb bewegen sich die Gestalten Blakes nicht selbst, sondern sie werden von außen bewegt; sie ordnen sich Kraftlinien unter, die sie in ihren Strudel ziehen, und bewegen sich nach Gesetzen, die ihnen von außen auferlegt werden. Blake gestaltet diese überirdischen Kräfte aber nicht als Chaos, sondern als sinnvolle Ordnung: deshalb fügen sich die Bewegungen parallel zum Gleichklang und symmetrisch zum Ornament. Das Ornament bedeutet hier nicht Dekoration, sondern sinnvolle Gestaltung und Ordnung.

Eine zweite Linie entwickelt sich aus der deutschen Malerei des *Nazarenertums*. 1848 schließt sich eine Gruppe junger englischer Maler zur 'Prae-Raphaelite-Brotherhood' zusammen; die Hauptanreger dieser Gruppe, der Schotte WILLIAM DYCE (1806–1864) und FORD MADOX BROWN (1821–1893) waren in Rom mit den Nazarenern befreundet und hatten deren Ideen nach England gebracht. Ihr Ziel war – ähnlich wie das Nazarenische 'Programm' vorschrieb – Kunst und Ethik zu verbinden, an Stelle der seelenlosen Routine und des konventionellen Arrangements ehrfürchtig eindringliches Naturstudium und den unmittelbaren Ausdruck tiefer Empfindung zu setzen, die aus der anschauenden Versenkung in das Naturbild resultiert. Beides, glauben sie, sei in der italienischen Malerei vor Raffael vorbildhaft verwirklicht. Aber in ihrer Wiedererweckung dieser Kunst wird daraus ein eigentümliches Nebeneinander von krassem Realismus und sentimentaler Mystik.

2 Der präraffaelitische Jugendstil

Der englische Jugendstil entwickelt sich – vor allem in London – so fugenlos aus der präraffaelitischen Kunst, daß sich kaum sagen läßt, wo eine Grenze zwischen beiden Stilen liegt. So können wir den voll entwickelten Jugendstil im Spätwerk des jüngsten Präraffaeliten, EDWARD BURNE-JONES (1833–1898), feststellen, in dem die Verwandlung des Symbolischen ins Dekorative vollzogen ist. Die Aufgaben, die Morris ihm für seine Werkstätten vom kunstgewerblichen Standpunkt aus stellt, fordern diese Entwicklung: Burne-Jones liefert Entwürfe für architekturgebundene Werke wie Glasfenster, Mosaiken, Teppiche etc. und paßt diese Arbeiten den vorgesehenen Architekturräumen an. »Die sinnbildliche Form wird zum prächtigen, kostbaren Ornament.«

Andererseits aber sind im Jugendstil – auch außerhalb Englands – bis weit nach der Jahrhundertwende Erscheinungen spürbar, die ihren Ursprung in der präraffaelitischen Malerei haben. So wird von DANTE GABRIEL ROSSETTI (1828–1882) ein Frauentyp geschaffen, den man geradezu als das Leitbild der späteren Jugendstilmalerei ansprechen könnte: »Das dem Alltag entrückte, traumverlorene Weib mit den unergründlichen Augen, das Weib als lockendes, nie zu lösendes Rätsel ... Rossetti, der Südländer, stattet seine träumerisch kühlen, abweisend fremden Frauen mit der Dämonie versteckter Leidenschaft und unersättlicher Sinnlichkeit aus. Darum wird es begreiflich, daß er in seiner puritanischen zweiten Heimat mit Baudelaire in einem Atemzug genannt und von den Moralisten mit tödlichem Haß verfolgt wird.«[68]

Die geschichtliche Bedeutung der Präraffaeliten liegt nicht zuletzt in ihrer Auswertung des für die Zeit charakteristischen Dualismus von positivistischer Naturbetrachtung und irrationaler Transzendenz. So schaffen sie Bilder, in denen die beiden scheinbar sich widersprechenden Tendenzen sich gegenseitig steigern: ein oft extremer Naturalismus wird in den Dienst des Unwirklichen, des Hintergründigen gestellt. So entsteht eine Bilderwelt, die von den Gesetzen des Märchens bestimmt wird, denn auch das Märchen schildert mit übergroßer Freude an ausführlichen, der Wirklichkeit entnommenen Details Dinge, die nur in einer Traumwelt existieren können. Damit ist eine der Grundlagen geschaffen, auf die ein großer Teil der – nichtfranzösischen – europäischen Jugendstilkunst aufbaut.

Als Beispiel dafür mag ein Holzschnitt Rossettis gelten, den er 1865 zur Illustration von ›Gobelin Market and Other Poems‹ von CHRISTINA GEORGINA ROSSETTI nach seinem Entwurf schneiden ließ (Fig. 10). Das Bild erzählt die Geschichte eines braven Mädchens, das von seiner Stiefschwester verstoßen wird und Hungers sterben müßte, wenn sich nicht allerlei Getier des Feldes und Waldes – Hamster, Mäuse, Käuze – seiner erbarmten; sie bieten dem Mädchen ihre Vorräte an und fordern als Bezahlung eine Locke ihres Goldhaares: »Buy from us with a golden curl.« Die Komposition, die ihrer Entsprechung zur Druckseite wegen ganz flächig gehalten ist und alles Geschehen übereinander türmt, damit es in einer einzigen Ebene Platz findet, zeigt bereits alle stilistischen Merkmale der Flächengliederung, Verteilung der Hell-Dunkelwerte und Linien-

Buy from us with (a) golden curl"

10 Dante Gabriel Rossetti, Illustration zu ›Gobelin Market and other Poems‹. 1865

sprache, die der Jugendstil verwendet. Die Gestalt der enteilenden Stief-schwester links oben ist bereits zur charakteristischen Flächenfigur vereinfacht, wie sie in Frankreich erst viel später möglich wird. Sehr wahrscheinlich wird sich auch ein Künstler wie Kreidolf von solchen Bildern, die in England auf den Jugendstil eine nachhaltige Wirkung ausübten, haben anregen lassen.

3   Bedeutung der Buchkunst

In dieser Tradition steht WILLIAM MORRIS (1834–1891), wenig jünger als Rossetti, der 1891 in London-Hammersmith die Kelmscott-Press gründet und damit ein Zentrum neuer Kunst schafft. Von den Künstlern, die für ihn arbeiten, gehören die meisten der Jugendstilgeneration an. Sein Experiment findet rasch Nachahmer. 1894 gründen der von Frankreich nach England eingewanderte LUCIEN PISSARRO zusammen mit seiner Frau in Epping-Essex die Eragny-Press, die 1900 ebenfalls nach London-Hammersmith verlegt wird. 1898 gründet C. R. ASHBEE in Upton bei London die Essex-House-Press und erwirbt nach Morris' Tod die Handpressen der Kelmscott-Press. Noch eine große Zahl kleinerer Unternehmungen schließen sich dieser plötzlichen Blüte der Druckkunst an, deren Werke in seltener Einheitlichkeit (bei aller individueller Verschiedenheit) einen neuen Stil begründeten. Nicht nur die Druckwerke selbst, sondern auch neugegründete Zeitschriften, wie das in ganz Europa verbreitete ›Studio‹, machen diesen Stil weit über England hinaus bekannt.

Grundlage für die neue graphische Konzeption ist Morris' Auffassung von der Buchseite: »... daß die wahre Buchseite das ist, was das aufgeschlagene Buch zeigt – nämlich die Doppelseite. Er faßt sie praktisch als zwei Schriftkolumnen auf, die zwar durch die Konstruktion des Buches getrennt sind, jedoch, wenn es geöffnet ist, vereint eine Schriftseite bilden, die durch den schmalen Rückensteg geteilt ist. Somit erhalten wir die rechte und die linke Seite oder Kolumne, je nachdem sie rechts oder links von der Mittellinie des Buches liegt. Die schmalsten Ränder liegen natürlich innen und oben, die breiteren außen und unten. Letzterer sollte stets der breiteste sein; man könnte ihn die Handhabe des Buches nennen, und es ist Sinn in diesem breiten Rand, abgesehen davon, daß es dem Auge wohltut, wenn die Hand das Buch halten kann, ohne etwas von dem Text zu verdecken.«[69]

Nach dieser Auffassung der neuen Druckkunst, die der Theoretiker des englischen Jugendstils WALTER CRANE (1845–1915) erläutert hat, erfolgt die Anordnung des Bildes auf der Buchseite nach konstruktiven Gesetzen: Das Bild hält in der Gegenüberstellung dem Text das optische und geistige Gleichgewicht; beide werden von einem linearen Ornamentband gerahmt, in dem die für die englische Kunst besonders charakteristische Begabung für die Liniensprache zum Ausdruck kommt (Fig. 11). Man greift dabei auf historisches Formengut zurück: auf die Gotik und noch weiter, auf das in diesen Jahrzehnten wiederentdeckte keltische und germanische, vielfach verschlungene Bandornament. Sowohl Textspiegel wie Bildseite aber sind vom Ornament nicht nur umrahmt, sondern stehen zu ihm in enger Beziehung: sie folgen der gleichen dekorativen Gesetzlichkeit im Verzicht auf Tiefenillusion, naturhafter Behandlung und Körperlichkeit, sie bannen das Geschehen in die gleiche vorderste Ebene, in der auch der gedruckte Text steht. Unter Verzicht auf nebensächliche Erzählungen konzentrieren sie die illustrative Darstellung so weit, bis diese selbst fast zum Symbolzeichen wird und ebenso dem sich einfühlenden Blick erfaßbar und verständlich erscheint, wie der Buchstabe des Initials. Das illustrative Bild wird zu einer Art Bildzeichen vereinfacht. Dieses Stilisierungsprinzip wirkt sich selbstverständlich auch auf solche Graphik aus, die nicht unmittelbar oder nicht so streng in den konstruktiven Zusammenhang des Buches eingebunden ist.

Die ungeheure Wirkung, die der englische Stil auf ganz Europa ausübt, ist nicht zuletzt dem Mentor der englischen Künstlerjugend, Sir Walter Crane, zu verdanken. Er ist wesentlich älter als die Jugendstilkünstler und dadurch für die Rolle des Protektors prädestiniert. Seine theoretischen Schriften fassen Prinzip und System des neuen Stils in pädagogischer Anschaulichkeit zusammen und werden in fast alle Sprachen übersetzt; sie bieten vielen tastenden Versuchen das brauchbare Rezept. Freilich erfährt der englische Standpunkt in seinen Schriften eine starke Überbetonung, und so regt sich schon nach wenigen Jahren auch überall die Kritik gegenüber Crane. Zumal der deutsche Kunstkritiker RICHARD MUTHER sagt von ihm, er sei Popularisierer fremder Ideen und mache, was die Großen geschaffen haben, der Menge mundgerecht; womit er das Wirken Cranes – wenn auch mit negativen Vorzeichen, die wir heute nur bedingt akzeptieren – gut charakterisiert. Neue Impulse kommen von Crane nicht, aber er bereichert die neue Kunst durch seine Einsichten in die Geschichte. Konservativ am Programm der Präraffaeliten festhaltend, zeigt er die Quellen des neuen Stils in der Graphik des fünfzehnten und sechzehnten Jahrhunderts auf und vermittelt fruchtbare Begegnungen vor allem mit dem spätmittelalterlichen Blockbuch, mit den Holzschnitten DÜRERS und HOLBEINS; dessen *Totentanz* und Bibelillustrationen erweisen sich dabei als besonders anregend.

4 Charles Ricketts (1866–1931) und Charles Shannon (1865–1937)

RICKETTS ist einer der bedeutendsten Künstler des Morris-Kreises, dessen große Mitarbeiterschar hier aus Raummangel unerwähnt bleiben muß. In Genf ge-

11   William Morris, Illustration aus ›Percevelles of Gales‹. Holzschnitt 1895

boren, in Frankreich aufgewachsen, wurde ihm eine umfassende Ausbildung zuteil, und so betätigt auch er sich in typischer Universalität als Dichter, Kunstschriftsteller, Maler, Bildhauer, Graphiker und Kunstgewerbler, schafft Buchillustrationen, entwirft eigene Schriftsätze, Bühnenbilder, Schmuck und Kleinbronzen. 1889–1897 gibt er zusammen mit CHARLES SHANNON die Zeitschrift ›The Dial‹ heraus, in der viele seiner Holzschnitte veröffentlicht werden und damit die bereits erwähnte Wirkung seines Stils auf ganz Europa ausüben. Crane schreibt über die beiden Herausgeber der Zeitschrift: »Beide Künstler sind nicht völlig frei von einem Hauch des Seltsamen, Fremdartigen, sogar des Unheimlichen.« An den Illustrationen zu ›Daphnis und Chloe‹ und ›Hero und Leander‹ arbeiten beide Künstler in engster Gemeinschaft, so daß später keiner von beiden mehr im Stande war, seinen oder des anderen Anteil an der Arbeit zu unterscheiden, wie Rickett selbst mitteilte.

Ricketts Stil und die Art seiner Illustrationen ist kaum mit einem Beispiel zu belegen, da der Künstler eine Fülle von Anregungen aufgreift und oft experimentell miteinander verbindet (Fig. 12). Über seine Illustrationen zu OSCAR WILDES ›Sphinx‹ schreibt er selbst: »In den Bildern bestrebte ich mich, bewußt oder unbewußt, die linearen Zeichenstile zu verschmelzen, die, miteinander verwandt, in allen Zeitaltern verstreut sich finden. Hier wie auch anderswo versuchte ich, das zu entwickeln, was man sich als möglich für einen bestimmten Augenblick und Erdenfleck vorstellen könnte.«[70] Charakteristisch für Ricketts' Zeichenstil sind langgezogene Proportionen, anorganische und unsinnliche Linien, mit denen er auch einen weiblichen Akt zum Ornament vergeistigt. Eine sehr strenge, fast als klassizistisch anzusprechende Komposition füllt dabei die eng um die Darstellung gelegte Rahmenform aus. Die Verwandtschaft von MAILLOLS späteren Illustrationen der gleichen Texte mit diesen Arbeiten ist offensichtlich.

5   Aubrey Beardsley (1872–1898)

Mit BEARDSLEY erreicht der englische Jugendstil den Höhepunkt, obwohl zwischen seinen ersten Arbeiten und seinem frühen Tod nur knapp sechs Jahre liegen. Als zwanzigjähriger Versicherungsagent, der in seiner Freizeit und zu seinem Vergnügen zeichnet, kommt er durch Zufall in einer Buchhandlung

12 Charles Ricketts/Charles Shannon. Illustration zu Miltons ›Early Poems‹. Holzschnitt 1894

mit dem Verleger J. M. DENT ins Gespräch, der vergeblich nach einem Illustrator für die von ihm geplante Neuausgabe von THOMAS MALORYS ›Mort
d'Arthur‹ sucht. Beardsley, dessen Zeichnungen kurz vorher von Morris abgelehnt worden waren, wagt einen neuen Versuch und bietet Probezeichnungen

für das Buch an. Diese fallen zufriedenstellend aus, und Beardsley erhält den Auftrag, der aber bald für ihn zur Fron wird: er muß für das Buch zwanzig ein- und zweiseitige Illustrationen, sowie etwa fünfhundertundfünfzig Bordüren, Ornamente, Zierleisten und so weiter schaffen. Noch bevor das Werk erscheint, wird auch der Redakteur C. LEWIS HIND, der gerade die erste Nummer der bereits kurze Zeit später in ganz Europa bekannten Zeitschrift ›The Studio‹ vorbereitet, auf Beardsley aufmerksam und veröffentlicht sechs Zeichnungen von ihm. Die Einführung im ›Studio‹ und das kurze Zeit später erscheinende Buch Malory's machen Beardsley mit einem Schlag berühmt.

Während der Arbeit am ›Morte d'Arthur‹ entwickelte Beardsley in kürzester Zeit einen reifen Stil. Dieses Werk spiegelt alle Phasen der raschen Entwicklung wieder, angefangen von den präraffaelitischen Einflüssen, von denen er sich aber rasch befreit, indem er selbständig die Verbindung zu den alten Meistern des Holzschnittes sucht. Er knüpft aber nur an solche Traditionen an, die ein hohes Maß an naturfremder Stilisierung zeigen, und er selbst versucht niemals eine direkte Auseinandersetzung mit der Natur. Neben dem mittelalterlichen Holzschnitt, auf den ihn die Präraffaeliten hinweisen, und dem japanischen Holzschnitt, dessen Wertschätzung mit der Bewegung aus Frankreich nach England kommt, entdeckt er die Stecher des französischen Rokoko, die gerade in der Stilmode des Historismus wieder aufleben und deren manirierter Künstlichkeit er ein hohes Maß sensibler Geistigkeit abgewinnt. Groß ist ferner der Einfluß, den die Graphik BRESDINS auf ihn ausübt, jenes französischen Symbolisten des neunzehnten Jahrhunderts, der Zeitgenosse von GUSTAVE DORÉ und Lehrer ODILON REDONS war und dessen phantastische Stiche von den Symbolisten Frankreichs bewundert wurden: Wie Eisblumen überziehen feinste Striche die Fläche in dichtem Gefüge und vermeiden ebenso Zwischentöne wie ausgesparte helle oder dunkle Flecken.

Charakteristisch ist für Beardsley, daß er sich zwar eng an Traditionen anlehnt, aber gleichzeitig unabhängiger zwischen den Traditionen steht, als alle Zeitgenossen: er setzt die Stilformen, deren er sich bedient, dort ein, wo er

34 Leo Putz, Bajadere
35 Hans Schmithals, Komposition. Pastell-Mischtechnik mit Gold

einen bestimmten Ausdruck erreichen will und setzt damit voraus, daß ein be-
stimmter Stil auch im Betrachter eigentümliche Assoziationen erweckt (Fig. 13
und 14). Die neue Bewegung aus Frankreich aber wirkt klärend auf seine ganze
Bildauffassung ein und hilft zur formalen Distanz gegenüber den Präraffaeliten:
konsequente Flächenhaftigkeit und konsequentes Schwarzweiß, parallele Form-
wiederholungen als Mittel suggestiver Darstellung, Vereinfachung der Figuren
auf den aussagekräftigen Umriß, horizontale und vertikale Bildordnungen, die
den wirkungsvollen Spannungsraum für die arabeskenhaft schwingenden
Linienkurven bilden. Und Beardsley versteht es, seine Aussage aus der Kombi-
nation aller zur Verfügung stehenden Mittel aufzubauen, spröde männliche
gegen fließend weibliche Umrisse auszuspielen, der großen leeren Fläche plötzlich detaillierte Füllungen gegenüberzustellen, auf ein naturalistisch gezeichnetes
Detail mit einer abstrakten Arabeske zu antworten. Es gibt in seinen Graphiken
die reine Schwarzplatte, in der nur wenige Weißakzente die Darstellung sichtbar machen und umgekehrt; aber es gibt auch Blätter, dicht mit gegeneinander
laufenden Linien gefüllt, so daß optisch eine Grauwirkung entsteht, aus der man
Figuren und Gegenstände erst langsam herauslesen muß. Eine derartige Fülle
der Möglichkeiten zwischen Schwarz und Weiß in so souveräner Beherrschung
ist in der ganzen Jugendstilkunst nicht wieder erreicht worden; selbst mit einer
großzügigeren Bildauswahl könnte man deshalb nur ein unvollständiges Bild
seiner Kunst vermitteln.

Die formalen Mittel stehen bei Beardsley im Dienst einer Aussage, die ähnlich
wie bei den Symbolisten von der zartesten Lyrik bis zur nüchternen und des-
illusionierenden Pornographie reicht; beides gestaltet er aus einer fast neur-
asthenischen Zwiespältigkeit seines Geistes. »Beardsley unternahm es, die wo-
genden Abgründe aus dem grandiosen Chaos, dessen die menschliche Sexualität
fähig ist, gleichsam im topographischen Aufriß, zu bieten. Er widmete ihnen
eine schönheitliche Linienmathematik, eine in diesem Falle nur pedantisch zu
nennende Sauberkeit und Akkuratesse der Zeichnung, die in einem heulenden
Gegensatz zu der derben Unflätigkeit des Sujets steht... Er hat die erotischen
Tollheiten, die sein Stift feiert und einer Veredelung unterzieht... niemals aus
spontanem, elementarisch übermächtigem Taumel des Geschlechts heraus

36 Ludwig Dill, Landschaft im Dachauer Moor. Um 1895

Chap. xix.

13 Aubrey Beardsley, Illustration zu Thomas Malorys ›The Birth, Life and Acts of King Arthur‹. Holzschnitt 1893–94

erlebt, sondern ihnen lediglich einen kalten, hirn-zermarternden Phantasie-
kultus gewidmet.«[71]

Es ist die gleiche Geistigkeit, die der mit Beardsley befreundete OSCAR
WILDE in seinem ›Bildnis des Dorian Gray‹ ausdrückt: »Das Leben wird nicht
durch Willen oder Absicht regiert. Das Leben ist eine Angelegenheit der
Nerven und Muskeln und der langsam aufgemauerten Zellen, in denen die
Gedanken hausen und die Leidenschaft ihren Träumen nachhängt . . . Kunst
hat keinen Einfluß auf die Tat. Sie vernichtet den Trieb zum Handeln. Sie ist
auf eine herrliche Art zeugungsunfähig. Die Bücher, die die Welt unmoralisch
nennt, sind Bücher, die der Welt ihre eigene Schande vorhalten.« So kreisen
auch Beardsleys Figurationen immer um zwei Gestalten, die durch ihn geradezu
Gesellschaftssymbole der Jahrhundertwende werden: den Pierrot, der sein
wahres Fühlen und Denken hinter der stilisierten weißen Maske verbirgt und
'Empfinden' spielt, und das 'Sünde' personifizierende Weib (Salome, Messalina,
Kleopatra etc.), das die erotische Erlebnissphäre der Zeit beinhaltet. Beide sind
seit Beardsley Leitbilder der Jugendstilkunst.

1895 begründete Beardsley zusammen mit ARTHUR SIMMONS, einem seiner
wenigen Freunde, die Vierteljahresschrift ›The Yellow Book‹, von der insgesamt dreizehn Hefte erschienen sind, und 1896 arbeitete er als Mitbegründer
für die Vierteljahresschrift ›The Savoy‹. Beide Publikationen boten ihm unum-
schränkte Illustrationsmöglichkeiten, begründeten aber gleichzeitig seinen zwie-
spältigen Ruf, denn Beardsley ließ hier seiner Phantasie freien Lauf und küm-
merte sich wenig um die Moralvorstellungen des Publikums. Um beide Zeitschriften sammelte sich rasch eine Schar junger und begabter Autoren und
Graphiker und machten diese Publikationen zu einem zwar kurzlebigen, aber
wirkungsvollen Zentrum der englischen Avantgarde, an deren Spitze nach
Beardsley vor allem WILLIAM T. HORTON (Fig. 16), FRED HYLAND (Fig. 15)
und WILL ROTHENSTEIN stehen. Jeder von ihnen vertritt seinen ausgeprägten
eigenen Stil, der auf reiner Liniengraphik und konsequenten Schwarzweiß-
Kontrasten aufbaut.

In den Jahren der Arbeit am ›Savoy‹ verfallen Beardsleys Kräfte zusehends,
und in einer Zeit gesundheitlichen Tiefstands tritt er zum römisch-katholischen
Glauben über, veranlaßt die Vernichtung eines großen Teils seines noch un-
publizierten graphischen Werks und zeichnet süßliche Madonnen- und Heiligen-
bilder. Eine vorübergehende Besserung seines Zustandes erlaubt ihm eine erste

14   Aubrey Beardsley, Illustration zu Oscar Wildes ›Salome‹. 1894

Reise nach Paris und St. Germain-en-Laye (Begegnung mit Maurice Denis?), aber nach wiederholten schweren Rückfällen stirbt er 1898 – ähnlich wie Toulouse-Lautrec, mit dem ihn manches verbindet – in den Armen seiner Mutter. Die englische Presse, die ihn noch kurz zuvor wegen seiner Amoralität verdammt hatte, erkennt seine Größe und widmet ihm ehrenvolle Nachrufe.

Im englischen Sprachgebiet entwickelt sich eine reiche Nachfolge von Beardsley's graphischer Kunst naturgemäß viel ausgeprägter als in den übrigen europäischen Ländern, in denen Beardsleys Stil immer rasch in die nationale Eigenart umgesetzt wird. Fast als Fortsetzer der Kunst Beardsleys, jedoch mit Zurückdämmung ihrer Eigenwilligkeiten und vor allem einem Übergewicht des Dekorativen über die geistige Aussage, könnte man WILLIAM H. BRADLEY (geb. 1868) bezeichnen, durch den der neue Stil auch in Amerika Fuß faßt. 1895 eröffnet Bradley in Springfield (Mass.) eine Druckerei, die trotz Anerkennung ihrer künstlerischen Leistung bald eingeht und von der University Press Cambridge (Mass.) übernommen wird, wo Bradley dann auch als Lehrer wirkt. Seine Leistung bei aller Überbetonung des Dekorativen, liegt in einem bedeutenden Schritt zur Entgegenständlichung des Bildes. Die Serpentinentänzerin Loie Fuller, die mit ihren schwingenden Schleiern zum Lieblingsmotiv der Jugendstilkünstler ganz Europas geworden ist und selbst die tänzerische Auflösung der menschlichen Figur in schwingende Bewegung veranschaulicht, wird von Bradley in einem Holzschnitt dargestellt, auf dem nur große, fischblasenähnliche Formen die Fläche füllen, während im untersten rechten Eck zwei Füße dieses Abstraktum gegenständlich motivieren[72].

6 Verbindungen zwischen England und Frankreich

Frankreich hat englische Stilelemente nur sehr zögernd übernommen; eher ist ein Einfluß in der Darstellungshaltung, nämlich von der präraffaelitischen Sentimentalität her, zu spüren, so vor allem bei den Nabis, die als 'Atelierkünstler' ähnliche Voraussetzungen zeigen, wie die Engländer. Im Spannungsraum Frankreich-Schottland entfaltet sich vor allem ein Künstler, den man als Wahlpariser hätte bezeichnen können, obwohl er aus Deutschland kam: ALASTAIR. Er arbeitete als Illustrator für französische, englische und amerikanische Ver-

15 Fred Hyland, Holzschnitt
aus ›The Savoy‹. 1896

16 William T. Horton,
Holzschnitt aus ›The Savoy‹
1896

lage und knüpft in seinen Zeichnungen zu Oscar Wilde, Prosper Mérimée, Barbey d'Aurevilly, Abbé Prévost und viele andere, sowohl an Beardsley wie an Margaret Macdonald an. In seinen Originalzeichnungen, die im Druck immer nur ungenügend wiedergegeben werden können, spielt er mit den Tonwerten des Papiers und erzielt selbst in den tiefsten Schwärzen seiner Tusch- und Aquarellzeichnungen noch eine kostbare Oberflächenwirkung durch den reichen und tiefen Auftrag der Farbe (Fig. 17).

Stärkeren Einfluß üben die Franzosen auf die englischen Künstler aus, besonders auf die Kreise Londons und selbst auf Beardsley, in dessen Zeichnungen man die französische Komponente deutlich sieht: in den einfach strengen Kompositionen, die auf präraffaelitische und rokokohafte Elemente verzichten und die Fläche nur mit wenigen Details füllen, wie den Kopfleisten oder den

Kapitelanfängen zum ›Mort d'Arthur‹ oder den Illustrationen zu ›Madame Réjane‹.

Zu den bedeutendsten englischen Jugendstilgraphikern gehört der mit Beardsley gleichaltrige WILLIAM NICHOLSON (geb. 1872), der in Paris die Académie Julian besuchte und dort den künstlerisch gleichgesinnten FÉLIX VALLOTTON kennenlernte. Nicholson entwickelt in der Auseinandersetzung mit dem Naturvorbild seinen unverwechselbaren Holzschnittstil, indem er die für eine Figur charakteristische Bewegung oder Haltung zur frappierenden Silhouette vereinfacht und diese in eine eng um die Darstellung gelegte, meist quadratische Rahmenform verspannt; in ihr wird diese einzige Figur, in dem durch wenige Linien charakterisierten Aktionsraum zu einem Bedeutungsbild

von unmittelbarer Verständlichkeit (Fig. 18). Seine besten Arbeiten sind Holz-
schnitte bekannter Persönlichkeiten: Sarah Bernhard, Königin Victoria, Fürst
Bismarck, sowie sein mit leichter Ironie entworfenes Bilderalphabet, in dem
er jeden Buchstaben durch eine menschliche Figur vorstellt: »F is for Flower-
Girl ... M is for Milkmaid« usw. Die Konsequenz des Plakates, die in diesem
Holzschnittstil liegt, hat Nicholson selbst gezogen, indem er zusammen mit
JAMES PRYDE unter dem Pseudonym 'The Beggarstaff Brothers' 1895 in
England einen neuen Plakatstil einführte, bei dem ebenfalls in konsequenter
Zusammenfassung von Licht und Schatten und bei völligem Verzicht auf
Zwischentöne meist eine Silhouettenfigur wiedergegeben wird, die so sug-
gestiv natürlich wirkt, daß man die starke Abstraktion darüber fast völlig ver-
gißt. Nicholson bedient sich dabei eines Effekts, den in Frankreich VALLOTTON
(Fig. 7) und vor allem JOSSOT (Fig. 9) gerne anwendeten: wie durch Blitz-

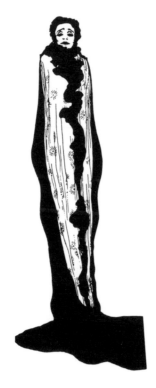

17 Alastair, Die Duse. Tuschzeichnung. Um 1905

licht beleuchtet werden einige Details in voller Schärfe wiedergegeben, während die übrigen Teile der Figur völlig im Dunkeln bleiben, das heißt überhaupt nicht gezeichnet sind. Das Auge des Betrachters wird dabei angeregt, sich aus den Fragmenten das Fehlende zu ergänzen.

Ein anderer Künstler, der seine Ausbildung in Frankreich erhält und den neuen französischen Stil nach England bringt, ist FRANK BRANGWYN (geb. 1876). Er kam in Brügge zur Welt, 1877 siedelte die Familie nach London über, dort besuchte er die Southkensington Art School und lernte drei Jahre bei WILLIAM MORRIS. Von 1891–1895 lebte er in Paris und nahm am Unterricht in der Académie Julian teil, wo die Bekanntschaft mit den Nabis und vor allem mit MAURICE DENIS für ihn bedeutsam wurde. Brangwyn verstand es, die Vorliebe des Engländers für die sensibel gezeichnete Linie mit dem Flächenstil und der klassisch tektonischen Komposition der Franzosen zu

18
William Nicholson,
Bogenschießen.
Um 1898

verbinden (Fig. 19). In Bildern, Zeichnungen und Lithographien gestaltete er in diesen Jahren arkadische Landschaften mit flötenblasenden Faunen und tanzenden Nymphen, die mit dem sie umgebenden Baum- und Blattwerk eine organische Einheit bilden. Seine empfindsamen, stets locker und ohne feste Kontur gezeichneten Umrißlinien umschreiben ein vibrierendes Mosaik locker verteilter, stets in einer vordersten Ebene liegenden Flächen aus Blättern, Stämmen, Figuren und Elementen der Landschaft. Diese wirken in der Graphik durch die fein abgestimmte, rhythmische Verteilung großer gegen kleine Formen, spröder gegen fließende Umrisse und die dichte Komposition in den eng die Zeichnung umgrenzenden Rahmen. Seine Gemälde leben dagegen von den harten und leuchtenden Farbflecken, die das ganze Bild dicht füllen; Leben und Handlung werden von einem starken farbigen Rhythmus getragen.

Im England der Jahre um 1900 gerät Brangwyn in den Aufgabenkreis der sozial-polemischen Kunst und wird einer der führenden Künstler in den Augen des großen Publikums. Er radiert Darstellungen von Kohlenbergwerken, von der Arbeit der Bauern auf dem Feld, von der Hafenarbeit und vom sozialen Elend, wobei das Genrehafte immer mehr die Oberhand gewinnt und das bürgerliche Pathos aus dem Künstler den soliden, handwerklichen Illustrator hervorgehen läßt, als welchem ihm auch alle Ehrungen der Akademie zuteil werden.

7 Jugendstil in Schottland

Die Entwicklung des Jugendstils in Schottland ist schon darin charakteristisch, daß hier der Einfluß der präraffaelitischen Kunst weit geringer ist als in England. Glasgow entwickelt sich zum Zentrum einer kunstgewerblichen Stilbewegung, die man als 'Schule von Glasgow' bezeichnet hat und die 1896 auf der Londoner Kunstgewerbe-Ausstellung zum erstenmal vor die Öffentlichkeit trat. Ihre Stilprinzipien sind so unabhängig von aller geläufigen Tradition und so eigenwillig, daß selbst der fortschrittliche Morris-Kreis diese 'tollkühnen Schotten' ablehnt. Auf Europa und vor allem auf den deutschen und österreichischen Jugendstil aber übt diese Gruppe einen nachhaltigen Einfluß aus, weil sie wesentlich unkonventioneller als der stark im Regionalen verwurzelte Londoner Jugendstil auftritt, der im Grunde immer noch die präraffaelitische Kunst weiterführt. Führer dieser an Mitarbeitern nicht sehr um-

19 Frank Brangwyn, Der Kürbis. Um 1893

fangreichen Gruppe sind CHARLES RENNIE MACKINTOSH (1868–1928) und seine Frau MARGARET MACDONALD (1865–1933).

Das Ziel dieser Bewegung ist die Gestaltung eines Gesamtkunstwerks, an dessen Konzeption die Künstler mit einer bisher nicht gewohnten Entschiedenheit herantreten: von der Architektur bis zum letzten Einrichtungsgegenstand, sei es ein Schrank, ein Stuhl, ein Sitzkissen oder ein Eßbesteck, vom Tapetenfries bis zur Türfüllung wird alles dem gleichen Formprinzip unterworfen. Jede Selbständigkeit der Dinge im Raum geht in der Einheitlichkeit des Ganzen auf, jedes einzelne ist nur noch bloßes Detail und bleibt außerhalb des Zusammenhanges völlig unverständlich. Die Linie, besonders die gestreckte Senkrechte, Kreis und Oval sind zum Prinzip erhoben, dem alles untergeordnet wird. Aus der monumentalen Wandmalerei dieses Stils spricht eine strenge, fast bedrückend wirkende Tektonik. Nicht nur in England, auch auf dem Kontinent wird schon früh daran Kritik geübt; SCHEFFLER warnte: Dieser neue Stil »steigert das Logische zum Paradoxen. Wie jede Logik, wenn man ihr blind folgt, zur Mystik führt, so wachsen hier ursprünglich gesunde Ideen ins Gespensterhafte«[73].

In freieren Arbeiten, die keinen tektonischen Zusammenhängen dienen müssen, entfaltet Margaret Macdonald einen Stil der Zeichnung und des Aquarells von reiner, bezaubernder Lyrik, in der auch etwas vom Märchengefühl der Präraffaeliten mitschwingt (Abb. 19). Hier werden die Linien zu melodischen Bögen gespannt und die abgerundete Flächenform, von dünn nebeneinander laufenden Linien umschrieben, herrscht vor. Die Verbindung der Figuren untereinander und mit ihrer Umgebung wird vermöge der alles umschließenden Kreisform zur intimen, märchenhaft-stimmungsvollen Beziehung. In den verschiedensten Techniken und Materialien ausgeführt, erinnern die Bilder fast an Zellenschmelzarbeiten, denn zwischen den Linien, von denen die Komposition getragen wird, zerfließt die lasierend gemalte Aquarellfarbe mit emailhaftem Glanz und der Raum, der die Figuren umgibt, ist von Farbpartikelchen erfüllt, die kostbar wie Schmuck und Edelsteine wirken. Tatsächlich hat die Künstlerin solche Bilder auch als Treibarbeiten in Gold und Silber, als Intarsien in Holz, als Gessos und als Cloisonnés ausgeführt. Hier ist zum erstenmal im Jugendstil Bild und Schmuckstück zur Einheit verschmolzen; eine Leistung, die vor allem im Münchner und im Wiener Jugendstil ihre Früchte tragen wird.

8 Das englische Märchenbuch

In die Nähe der märchenhaften Aquarelle von Margaret Macdonald lassen sich eine Reihe bedeutender englischer Illustratoren gruppieren, die sich besonders der Bebilderung von Märchenbüchern gewidmet haben und gerade durch die Technik des lasierenden Aquarells einen Stimmungszauber hervorrufen, der sich der kindlichen Erinnerung unverlierbar einprägt. Am bekanntesten von ihnen wurden in Europa ARTHUR RACKHAM und EDMUND DULAC. Bei beiden spielen Linie und Farbe nebeneinander ihre selbständige bedeutsame Rolle, die sich in der Phantasie des Betrachters zu gemeinsamer Wirkung ergänzen. Die Linie, besonders im sehr dünnen und sehr empfindsamen Duktus der Federzeichnung trägt die eigentliche Erzählung vor und schmückt sie mit wenigen aber sprechenden Details aus; in ihrem knorpeligen, etwas skurrilen Verlauf wird sie selbst zum Element dieser Erzählung. Die Farbe hat daneben eine ganz andere Aufgabe: sie berichtet nicht in bunten Lokalfarben, wie es sonst bei Kinderbüchern üblich war, wo die Wiese grün, das Dach rot, das Wasser blau gemalt wurde, sondern sie tauchen die Zeichnung in das Nuancenspiel einer monochromen Farbigkeit, die alle zeichnerischen Details in einer Gesamtstimmung zusammenfaßt. Bei Rackham sind es hauptsächlich braun-rot-goldene Töne, bei Dulac sind es häufig die nächtliche Blaustimmung oder allgemein die gebrochenen zwielichtigen Dämmerungsfarben. Diese Farbigkeit ruft noch mehr als der gemeinsame Duktus der Linie das Gefühl für die heimliche Verwandtschaft aller Dinge hervor, die dem Märchen eigen ist.

Arthur Rackham, Autodidakt und wie Beardsley Kontorist in einer Londoner Versicherungsgesellschaft, gibt mit 25 Jahren seinen bürgerlichen Beruf auf und zeichnet Karikaturen für englische Blätter, bis er die ersten Illustrationsaufgaben erhält; dann aber entstehen in rascher Folge seine Bilder zu den klassischen Märchenbüchern der europäischen Literatur: zu Grimms Märchen, Gullivers Reisen, dem Rip van Winkle, Peter Pan, Alice im Wunderland und dem Sommernachtstraum (Fig. 20); viele seiner Bücher sind in Deutschland verlegt worden. Auch ohne die Aquarellfarben sprechen seine unglaublichen und phantastischen Erfindungen stets durch seine große Naturtreue zum Betrachter und drücken mit ihrer optischen Wahrscheinlichkeit zugleich eine allgemeine Wirklichkeit der Freude, des Schmerzes, des Glücks, der Trauer

20 Arthur Rackham, Illustration zum ›Sommernachtstraum‹. Federzeichnung 1908

und Sehnsucht aus: das macht seine Kunst wahr und ernst, auch über alles Kindliche hinaus.

Edmund Dulac, Engländer trotz seines französischen Namens, ist noch weniger als Rackham ein ausgesprochen 'kindlicher' Märchenerzähler, was schon aus den Stoffen, die er illustriert, deutlich wird (Abb. 20). Seine besten Arbeiten sind Bilder zu den Kunstmärchen ANDERSENS, vor allem der ›Nachtigall‹, zu ›Beauty and the Beast‹ und schließlich zum Höhepunkt seines Schaffens, den Märchen aus Tausendundeiner Nacht. Dulac nimmt stets ganz konkrete Textstellen zum Vorwurf und fängt in diesen Augenblicksbildern, durch sein hervorragendes Tongefühl, durch seine Vorliebe für gebrochene Farben, die ganze Stimmung der Erzählung ein, in den Lichtbrechungen auf zerknitterten Seidenstoffen und den zarten, durchsichtigen Mädchengestalten. Und zuletzt ist es nicht die erzählte Geschichte, die aus seinen Bildern spricht – denn ihr Bereich ist ja der Text –, sondern wiederum das Geisterhafte, das Drohende, der Zauberschrecken, das orientalische Parfum und der tödliche Reiz der prächtigen Schönheiten.

9 Erfüllung englischer Tradition im Jugendstil

Viel stärker als im Jugendstil aller übrigen europäischen Länder kann man feststellen, daß sich im englischen Jugendstil die Tradition der eigenen Vergangenheit auf besondere Weise erfüllt und hier ihre (bis heute letzte?) Zusammenfassung in der Geschichte der Kunst erfährt. Der Arbeit DAGOBERT FREYS über das englische Wesen in der bildenden Kunst verdanken wir darüber die tiefsten Aufschlüsse[74]. Wir finden in der englischen Jugendstilmalerei und -graphik beinahe potenziert, was die englische Kunst seit ihrer keltischen Frühzeit charakterisiert: das starke Empfinden für die Ausdruckskraft der Linien, neben der die Farbe nur eine begleitende, kolorierende Rolle spielt und als Tonträger wirkt. Immer ist es das Erlebnis der Linie, nie das der Farbe, aus dem die Komposition angeregt und aufgebaut wird. Damit hängt die Unkörperlichkeit und Schwerelosigkeit der Figuren zusammen, und der Verzicht auf naturnahe Raumdarstellung und natürliche Beleuchtung: alles Geschehen vollzieht sich in einem Erlebnisraum, der nicht mit stereometrischen Dimensionen erfaßt werden soll; die flächige, meist vertikal gegliederte Bildstruktur, in die die Figuren eingegliedert sind, ist wichtiger als die Bindung an einen wirklichen Boden, auf dem die Gestalten stehen oder gehen könnten.

Englische Kunst lebt von einer »hoch entwickelten Sensibilität der Linienführung, Ton- und Farbwerte. Die Differenzierung der Farb- und Tonstufen, der Reichtum der Valeurs, das feine Empfinden für den konsonierenden oder leicht dissonierenden Zusammenklang der Farben, für das Schwebende der Farbharmonie, für zarteste Brechungen und Abtönungen, für das Morbide der Farbe.«[75]

Die englische Komponente des Jugendstils wird sich in der gesamten europäischen Kunst immer erkennen lassen, auch wenn im übrigen Europa der neue Stil aus Frankreich ebenso stark wirksam ist und die einzelnen Länder Elemente aus ihrer eigenen nationalen Tradition hinzufügen. Was sich in der Jugendstilkunst an graphischen Elementen und an Vorliebe für kolorierende Valeurs findet, wird immer mehr von England, was sich an malerischen Elementen und an Vorliebe für Kontrastkompositionen findet, immer mehr von Frankreich inspiriert sein. Und Künstler, die aus einer naturhaften und pleinairistischen Schule stammen, werden sich immer stärker an Frankreich orientieren, während die naturfremde Ateliertradition immer mehr den Anschluß an die englische Kunst sucht. Dies wird sich im folgenden beobachten lassen.

37 Otto Modersohn, Winterabend am Weyerberg. Um 1899

VII Jugendstil in Holland und Belgien

Das Kräftespiel zwischen dem französischen und dem englischen Stil, von dem oben die Rede war, wird in dem geographisch eng umgrenzten Raum Hollands und Belgiens bereits überdeutlich. Von beiden Seiten dringen Einflüsse ein und begegnen sich in Brüssel, das als Kunstzentrum gerade für den Kontakt dieser beiden Stilkomponenten eine hervorragende Rolle spielt. Hier wurde bereits 1883 die freie, unprogrammatische Künstlervereinigung 'Les Vingt' aus dem Zusammenschluß von zwanzig unabhängigen Künstlern gebildet, deren Mitgliederzahl erst nach dem Ausscheiden eines Mitglieds wieder ergänzt wurde. Um Mitglied werden zu können, bedurfte es der mehrheitlichen Zustimmung der ganzen Gruppe. Ziel der Gemeinschaft war es, durch Einladung hervorragender Künstler des Auslands zu den jährlichen Ausstellungen einen Austausch internationaler Kräfte herbeizuführen.

Auch auf literarischem Gebiet entfalteten die Niederlande europäische Bedeutung, die von Persönlichkeiten wie dem Lyriker VERHAEREN und vor allem durch den auf Frankreich ebenso stark wie auf Deutschland wirkenden lyrischen Epiker MAURICE MAETERLINCK getragen wurde. Maeterlinck schrieb Spiele für Marionetten, aber nicht für ein Kindertheater, sondern köstlich-süße, weltfremde Träumereien, in denen Symbole menschlicher Gefühle und Empfindungen Gestalt annehmen. Im Nebeneinander von realistischem Detail und symbolhafter Bedeutung erinnern diese Spiele an die Vorstellungswelt der englischen Präraffaeliten. Bei Verhaeren dagegen sind die

38 Heinrich Vogeler, An den Frühling. Radierung. 1899

Beziehungen zu den französischen Symbolisten, zu BAUDELAIRE, RIMBAUD, MALLARMÉ deutlich; so spiegeln auch die literarischen Kreise dieses nach zwei Seiten orientierte Einzugsgebiet des modernen Geistes wider.

1 Henry van de Velde (1863–1957)

Er ist der erste, dem die vollkommene Synthese französischer und englischer Kunst zu etwas Neuem gelingt. Durch seine Umsetzung der aus dem Geiste der Malerei geschaffenen Stilmittel in die Bereiche des Kunstgewerbes und dem pädagogischen Anspruch, mit dem er für den neuen Stil eintritt, wird er zu einem der einflußreichsten Künstler der Jahrhundertwende und schafft mit seiner Vorstellung vom Gesamtkunstwerk zugleich die Grundlage für jede spätere Weiterentwicklung über diesen Stil hinaus. Vielfach geht unsere Vorstellung vom Wesen des Jugendstils auf seine Schöpfungen und auf seine Formulierungen zurück, wie sie etwa seine bekannte Erklärung ausdrückt: »Die Kunst ist der wundersame Schmuck des Lebens. Sie kann nichts anderes sein, weil das Wesen aller Künste darin besteht: zu schmücken. Musik und Poesie sind der Schmuck der Sprache, der Tanz ist der Schmuck des Ganges, Malerei und Bildhauerei hinwieder der Schmuck der Gedanken – auf leere Wände übertragen.«[76]

VAN DE VELDE beginnt als Maler im engen Anschluß an die Bewegung in Paris, zuerst von den Pointillisten beeinflußt und dann von dem damals sogenannten 'Cloisonisme', wie ihn die Gruppe von Pont-Aven ausgebildet hat (Abb. 21). Er nimmt die Einflüsse der Bewegung jedoch zu einem Zeitpunkt am Beginn der neunziger Jahre auf, wo die Flächen nicht mehr ausschließlich 'à plat' mit Farbe gefüllt, sondern von einem dichten linearen Leben dynamisch bewegt werden, wie etwa in den Graphiken SÉGUINS oder in der Malerei VUILLARDS, wofür letztlich die Malerei VAN GOGHS als Vorbild diente. Van de Velde strebte jedoch rasch – und darin ergeben sich viele Beziehungen vor allem zu MAURICE DENIS – zu einem dekorativen Ausgleich zwischen den Konturlinien und den Binnenlinien, die er im parallelen Gleichklang einander zuordnete und dabei auch für die weitgehende Parallelisierung der übrigen Bildteile Sorge trug. Das Bild als Ganzes – sei es Gemälde oder Entwurf für einen Wandbehang – wurde durch die dekorative Ordnung bei ihm stärker zum Ornament, zum schmückenden Gegenstand, als es in der französischen Malerei sonst je der Fall war.

Darin drückt sich eine gewisse Entwertung der Selbständigkeit des Bildes aus, die mit van de Veldes Bemühungen um das Gesamtkunstwerk zusammengeht und Impulse aus England, dort vor allem aber aus Glasgow verarbeitet. Wie Mackintosh will auch van de Velde einen Raum aus einer einzigen, alle Dinge formenden Stilvorstellung aufbauen: »Wir können in der Kunst keine Scheidung zulassen, die darauf ausgeht, einseitig *einer* ihrer vielen Erscheinungsformen und Ausdrucksmöglichkeiten einen höheren Rang vor den übrigen zuzuweisen; eine Scheidung der bildenden Kunst in hohe Kunst und in eine zweitklassige niedere ... ist durchaus willkürlich und wurde völlig unberechtigt und parteiisch von den schönen Künsten aufgestellt, die vor ihrem Untergang diese Ausflucht brauchten, um ihr Dasein etwas zu verlängern.«[77] Trotzdem behält in van de Veldes Innenräumen das Tafelbild noch mehr Selbständigkeit als in den Räumen der Glasgower Schule; es ist nicht einfach bloßes Detail, sondern ein den Raum akzentuierendes Schmuckstück. Für seine Innenräume zieht er gerne Maurice Denis, der diese Aufgabe einfühlend erfüllt, auch in Deutschland zur Mitarbeit heran.

Van de Velde bemächtigt sich aller Zweige der Kunst und des Kunsthandwerks. Seine bildkünstlerischen Bemühungen aber gipfeln in einer neuen Auffassung des Ornamentes und der freien Liniensprache, die durch ihn in den Rang des Kunstwerks erhoben wird und eine bestimmte Vorstellung von Jugendstilkunst schafft, an der lange einseitig festgehalten wurde. Er sagt, daß seine Ornamente entstanden seien, »als die der Logik eigene Schönheit sich enthüllte, und es war der Gedanke, daß die Linien untereinander dieselben logischen und konsequenten Beziehungen haben wie die Zahlen und wie in der Musik die Töne, der mich dazu brachte, nach einer rein abstrakten Ornamentik zu forschen, welche ihre Schönheit aus sich selbst und aus der Harmonie der Konstruktionen und der Regelmäßigkeit und dem Gleichgewicht der Formen, die ein Ornament zusammensetzen, schöpft ... Ich hatte die Eindringlichkeit der starken Gefühlstöne empfunden, welche man mit Hilfe von Ornamenten hervorrufen kann, deren Struktur auf beabsichtigten und ausdrucksvollen Äußerungen von Freude, Schlaffheit, Heiterkeit, Schutz, Wiegen, Schlummer beruht.«[78]

Damit schlägt van de Velde die Brücke vom Ornament zum Kunstwerk zurück; denn das Linienspiel ornamentaler Muster faßt er nicht als unpersönliche Begleitmusik des geschmückten Gegenstandes auf, sondern er sieht es in direktem Zusammenhang mit seinem Schöpfer, dessen künstlerische Kraft es rein ausdrückt: »Natürliche Kräfte schufen jene kapriziösen, vergänglichen Arabesken im bewegten Wasser. Die Kraft ist das Geheimnis des Ursprungs aller Kreaturen und aller Schöpfungen. Aber nur wenige Schöpfungen stehen in so direktem, nahem Zusammenhang mit ihrem Schöpfer, wie die Linie. Die Linie ist eine Kraft, die ihre Natur nicht verleugnen, ihrem Schicksal nicht entgehen wird. Linien – übertragene Gebärden – das ist das Wunder!«[79] So begegnen wir auch hier bei van de Velde – wie schon früher bei Armand Séguin – einer ganz neuen Auffassung des Kunstwerks, bei der die inhaltliche Aussage, die eigentliche Botschaft des Bildes, von der abstrakten Form beinhaltet wird. Diese Ideen setzen sich während des Jugendstils allgemein durch, und so liegt es nur in der Konsequenz der Entwicklung, daß die gleiche Generation auch den Sprung zur ungegenständlichen Bildkomposition wagt und damit der Kunst eine damals kaum geahnte Zukunft öffnet.

Van de Velde ist weniger für seine Heimat als für den Jugendstil im deutschsprachigen Raum bedeutsam geworden. Nachdem 1897 zum erstenmal in Dresden auf der Kunstgewerbeausstellung seine Arbeiten gezeigt wurden, erhält er 1900 den Auftrag, das Folkwang-Museum in Hagen zu bauen; 1901 wird er als künstlerischer Berater des Großherzogs nach Weimar berufen und lehrt ab 1906 an der neugegründeten Kunstgewerbeschule in Weimar, aus der später das *Bauhaus* – das fruchtbarste Institut moderner Kunst, das je bestand – hervorging und seinen Erkenntnissen eine Wirksamkeit bis in unsere Tage sicherte.

2 *Literarischer Symbolismus im holländischen und belgischen Jugendstil*

Mit starken Impulsen aus England und hauptsächlichen Anregungen durch die präraffaelitischen Kreise arbeiten in Holland und Belgien eine Reihe von Künstlern, die eine surrealistische Verrätselung der Wirklichkeit durch Aufstellung mystischer Symbole gestalten. Wir werden sie ausführlicher in anderem Zusammenhang behandeln[80], müssen jedoch hier bereits auf sie eingehen, weil sie neben realistischen Mitteln gleicherweise Stiltendenzen des Jugendstils aufnehmen und auch auf die Jugendstilkunst Deutschlands und Österreichs einen starken Einfluß ausüben. Ihre ungeheure Wirkung ist möglich in einer Zeit des Umbruchs und der Umwertung: »Die Menschen erkennen in der Unverstehbarkeit, die ihnen oktroyiert wird, eine allgemeine Wahrheit wieder« (Gehlen). FERNAND KHNOPFF (1858–1921) ist als erster aus dieser Gruppe zu nennen. Seine Kunst ist so komplex wie seine Ahnenreihe, die – deutsch-österreichischen Ursprungs – nach Belgien übersiedelte und durch Heirat sowohl französisches wie englisches Blut in die Familie aufnahm. Merkwürdigerweise wirkt seine Kunst auch am stärksten auf das Ursprungsland zurück: auf den österreichischen Jugendstil KLIMTS. Mit zwanzig Jahren widmet sich Khnopff, der mit dem Jurastudium begonnen hatte, ausschließlich der Malerei, lernt in Paris bei LEFEBVRE und studiert auf der Weltausstellung von 1878 dort eindringlich die Präraffaeliten, WHISTLER und den Symbolisten G. F. WATTS. RICHARD MUTHER charakterisiert ihn auf der Ausstellung der Wiener Sezession von 1899 eindringlich als »der bleiche Sproß einer uralten, mürben Kultur, auf dessen schmalen Schultern die ganze Müdigkeit langer Jahrhunderte lastet; der überfeinerte Ästhet, der nur durch das Medium alter Kunst das Leben empfindet.«

Aber er ist nicht nur ein Maler kalter und grausamer, mythologischer Symbole des Weiblichen, sondern ein Maler der stillen und resignierenden Erinnerung, als der er seinen Platz in der Jugendstilkunst einnimmt. Das Malen aus der Erinnerung erhält bei ihm andere Akzente als im neuen Stil der französischen Kunst; der Gegenstand wird bei Khnopff durch die Erinnerung nicht auf seine Urbildlichkeit zurückgeführt, sondern mit subjektivem Weltgefühl angereichert, dessen Grundton Resignation und Flucht in die Einsamkeit ist. So wie Khnopff sich selbst in einem Haus aus weißem Marmor vor der Welt verschließt und das Tageslicht nur durch das silbrig-blaue Glas der TIFFANY-Scheiben eindringen läßt, so sind auch seine Landschaften, seine Architekturbilder aus Brügge, seine Frauenbildnisse wie in ein Vakuum gestellt, aus dem kein Laut an das Ohr des Außenstehenden dringt.

Wenn Khnopff Landschaften malt, dann sieht er sie als weite Flächen ohne Begrenzung, durch die ein müder Weg in nicht enden wollende Fernen führt. Die Farben der Wiese und des Himmels sind beide vorsichtig nach Grau abgetönt, so daß die Natur nur ein Nuancenspiel, aber keine wirklichen Farben bietet. Ähnlich sind seine Bilder, die er *Erinnerung an Brügge* nennt, und die ein versteinertes Bild seiner Häuser und Kanäle wiedergeben. Khnopff malt die Winkel der alten Stadt mit dem Gefühl für das Ausgestorbensein des Lebens in diesen Palästen, für die Leere hinter prächtigen gotischen Fenstern, so wie er selbst schilderte: »Ich bin dort gewesen und bin durch die Schönheit der schlafenden Stadt gewandelt und dann habe ich mich gefürchtet, jemals dorthin wieder zurückzukehren.«[81]

Am stärksten aber treffen seine weiblichen Bildnisse das Erlebnis der Zeit: »Jeder denkt, wenn Khnopffs Name genannt wird, an stille Mädchen mit träumendem Lächeln, an Sphinxköpfe, die kalt und seelenlos ins Unendliche starren oder von unerhörten Genüssen träumen, an Augen, die in tiefem, unergründlichen Glanz schimmern und bleiche Lippen, die sich bäumen um Blut zu trinken ... Zugleich sind seine Wesen, wie die Maeterlincks und Hofmannsthals in ein seltsames Dämmerlicht getaucht, als seien sie aus einer unbekannten Welt herüber geschwebt: Traumgestalten, die körperlos vor dem Blick des Träumers stehen und wieder in Nebel zerrinnen.«[82] Der Bildausschnitt ist so eng wie möglich um das Antlitz gelegt, die Stirne wird meist vom oberen Bildrand überschnitten und nur Augen, Nase und Mund werden durch leichte Modellierung oder in der Graphik durch festere Umreißung hervorgehoben; alles andere wird überstrahlt von der weißen oder vibrierend gefärbten Fläche des Blattes (Abb. 22). Mit MAETERLINCK, VAN LERBERGHE und VERHAEREN ist Khnopff befreundet und in seinen Illustrationen zu ihren Werken zeigt sich die Gemeinschaft ihres Geistes.

Der Holländer JAN TOOROP (1858–1929) gehört in ähnliche Zusammenhänge wie der gleichaltrige Belgier Khnopff. Aus der exotischen Kunstwelt auf Java, wo er geboren wurde, bringt der in Internaten aufgewachsene, übersensible Knabe merkwürdige Kindheitserinnerungen mit nach Europa. Seit 1869 lebt er in Holland, 1880 beginnt er seine Ausbildung als Maler an der Akademie in Amsterdam, später in Brüssel. 1885 hält er sich einige Zeit in England auf und verheiratet sich dort; nach Holland zurückgekehrt, gibt die Freundschaft mit Maeterlinck und Verhaeren den Anstoß zu seiner symbolistischen Malerei, die in ihrer eklektischen Verbindung heterogener religiöser Symbole – teils dem Christentum, teils dem Heidentum entlehnt – charakteristischer Ausdruck eines Menschen ist, der aus der atheistischen Verzweiflung herausstrebt und eine Bindung an religiöse Traditionen sucht. Folgerichtig konvertiert Toorop, wie viele seiner Zeitgenossen, 1905 zum Katholizismus, womit die eigentlichen Impulse seines Künstlertums jedoch versiegen.

Toorop assimiliert mit ungeheurer Virtuosität und in kurzer Zeit die Kunstentwicklung der letzten vierzig Jahre. Die zeitgenössische Kritik macht ihm gerne zum Vorwurf, was ein Charakteristikum seiner Kunst ist: »Er hat genau gemalt wie Courbet und dann wie Manet; er hat den Monet und Pissarro übertroffen und dann Renoir und Degas. Es gibt von ihm Köpfe im Umriß, die an die wunderbarsten Handzeichnungen der Museen erinnern. Daneben ist er ein Plakatfarben-Symboliker und Linienrätsel-Aufgeber der fanatischsten Art, als welcher er nun auch Helleu, Khnopff und Verwandte übertrifft: Wo ist 'er nun er'? Überall oder nirgends? Er spielt siebenundzwanzig Instrumente mit gleicher Virtuosität, er spricht mit Leichtigkeit so viele Sprachen, daß man unmöglich sagen kann, welche davon nun seine Muttersprache ist. Sein Werk ist das Paradigma der Kunstgeschichte seit vierzig Jahren.« (Benno Ruettenauer).

Diesem für die Jahrhundertwende charakteristischen Eklektizismus entsprechend ist es nahezu unmöglich, Toorop in dem hier zur Verfügung stehenden Raum vorzustellen. Wir greifen hier nur die Seite seines Werkes heraus, die seinen Beitrag zum Jugendstil am deutlichsten zeigt, wie etwa in seiner Lithographie vom *Schwanenmädchen* (Abb. 23): mit madonnenhafter Haltung und Gebärde sitzt ein Mädchen, in üppige Gewänder gekleidet, am Ufer eines Sees, auf dem sich ihr zwei Schwäne nähern. Das Gegenständliche wird eingesponnen von einem dichten Gewoge paralleler Linien; ihr Haar verselbständigt sich zum strömenden Ornament und bildet ähnliche Arabesken wie die Falten des Gewandes und die Wellen des Wassers. Der gefühlsselig nach innen gekehrte Gesichtsausdruck, die significanten, weihevollen Gebärden der Hände und das literarische Keuschheitssymbol der Schwäne geben dem dekorativen Ornament der Komposition die Stimmung des Numinosen, Rätselhaften. Das Bild lebt von dieser Traumstimmung, die Rätsel hervorbringt, deren Deutung weder möglich noch notwendig ist, denn durch die Deutung würde ja auch der Traum für immer zerstört werden.

Gleichzeitig führt Toorop den Jugendstil mit solchen Kompositionen an die Grenzen des Möglichen: Von diesen maniert dekorativen Formenspielen ist eine Weiterentwicklung nicht mehr möglich, und sie bezeichnen jenen Endpunkt des Jugendstils, gegen den sich die ganze Polemik der späteren Überwinder des Stils richtet. Toorop stellt diese Formsymbolik sogar selbst in Frage, etwa wenn er auf einem Werbeplakat für Delfter Salatöl Damen mit wallendem Haar und weiten Gewändern, mit weihevollen Gebärden Salat zubereiten läßt. Die Form verliert dabei den notwendigen Zusammenhang mit dem Gegenstand ihrer Darstellung und gibt vor, Dinge über ihn zu wissen, die er gar nicht beinhalten kann.

Dem gleichen symbolistischen Klima entstammt der Holländer JAN THORN-PRIKKER (1868–1932), dessen Kunst zunächst eng an Toorop anknüpft, der jedoch von der Richtung des französischen Neukatholizismus, besonders von Maurice Denis, eine starke Orientierung auf das katholische Andachtsbild hin erfährt. Im Gegensatz zu Toorop vermeidet er die Festlegung auf den linearen Manierismus und bemüht sich früh um einen konstruktiven Flächenstil und um die sichere Beheimatung des Bildes im Gesamtkunstwerk (Abb. 24). In seinen großformatigen Darstellungen herrscht die Form umspannende, gebärdenhaft, bedeutungsvolle Linie, während in seinen Zeichnungen ein sensibler, nervöser Strich schon früh zum Expressionismus drängt. Seit 1904 in Deutschland, gibt Thorn-Prikker dem rheinischen Neukatholizismus, der eine ähnliche Neuorientierung des liturgischen Lebens erstrebt wie die gleichgerichtete Bewegung in Frankreich, mit seinen symbolistischen Stilmitteln neue religiöse Ausdrucksmöglichkeiten.

Auch der Plastiker GEORG MINNE (geb. 1866) gehört besonders mit seinen buchgraphischen Arbeiten zum Umkreis dieser Bewegung. Sein Holzschnittstil, wie ihn das hier wiedergegebene Blatt der *Jordantaufe* (Fig. 21) aus ›Germinal‹ vertritt, verbindet die linearen Anregungen der englischen, besonders präraffaelitischen Buchgraphik mit einer flächigen Liniendynamik, wie wir sie bei MAILLOL, bei SÉGUIN und in größere Zusammenhänge geordnet, bei VAN DE VELDE kennengelernt haben. Im Ausdruck wie in den formalen Mitteln nehmen sie manches von den späteren Holzschnitten BARLACHS vorweg.

Im Umkreis dieser symbolistischen Kunst, teils von Frankreich, teils von England her beeinflußt, doch ohne den starken Impuls für die Weiterentwicklung zum zwanzigsten Jahrhundert hin zu besitzen, arbeiten in den Niederlanden Künstler, wie DER KINDEREN, HENDRIKUS JANSEN, ROLAND HOLST, THEO VAN HOYTEMA u. a. Besonders auf Hoytema (1863–1916) soll hier noch hingewiesen werden, weil er einer der einfühlsamsten Märchen- und Kinderbuchillustratoren dieses Kreises gewesen ist. In seinen Arbeiten

21 Georg Minne,
   Jordantaufe.
   Holzschnitt. 1899

werden Anregungen Beardsleys fruchtbar, aber er setzt diese in eine ihm eigentümliche Stimmung um, die in der Natur – ohne symbolistische Verrätselung
und Hintergedanken – rein zum Ausdruck kommt (Abb. 25). Im Schwarz-
Weiß gestaltet er den verständlichen Kontrast von Schnee und Himmel in der
Winternacht und rückt auf einen Baumast die frierenden Eulen eng zusammen,
so daß man förmlich spürt, wie sie sich gegenseitig erwärmen. Alle Stilelemente
tragen ihre gegenständliche Begründung in sich: die hängenden Girlanden der
Schneedecke mit ihrem vertikalen Rhythmus, die Liniengespinste der Baum-
rinde und das kurvige Geknäuel, das die Tiere, ihr Gesicht, ihren Körper, ihre
ganze Gruppe umfaßt und gegen die eisigen Senkrechten abschirmt. Hier liegt
das Symbolhafte in der Erscheinung selbst und tritt nicht wie im Symbolismus
von außen, das heißt aus einer ganz anderen Sphäre hinzu.

VIII Jugendstil
in den skandinavischen Ländern

1 *Der Norweger Edvard Munch (1863–1944)*

Seine Kunst überzeugt auch die Gegner des Jugendstils, weil in jedem Bild eine
menschliche Erfahrung gestaltet ist und weil diese Erfahrung unmittelbar nach-
empfunden werden kann, auch wenn sie noch so subjektiv erlebt wurde
(Abb. 26). MUNCHs ganzes Schaffen gründet auf seinen Erlebnissen, die jedoch
nicht als Ereignisse in ihm haften bleiben, sondern als seelische Erregung und
Stimmung, die jedesmal neu in ihm auflebt, sobald sich der äußere Anlaß
wiederholt. Und es sind wenige Grundsituationen, die in seiner Erlebniswelt
immer wiederkehren. Erlebnisse von Krankheit, Tod und seelischem Zerfall in
der eigenen Familie – wie IBSEN sie in seinen Gespenstern schildert, für die
Munch Bühnendekorationen entwirft –, die auf den Knaben frühzeitig eindringen, versetzen ihn in eine Weltangst, die ihn hinter allem Gefahr ahnen
läßt. Die harmloseste, alltäglichste Situation erfüllt ihn plötzlich mit Furcht
und wirft ihn in die unbedingte Einsamkeit seines Ich zurück, in die keine
menschliche Wärme von außen erlösend eindringen kann. Wie er seine Figuren
malt, allein vor einer großen, leeren Fläche oder von einer starken Umrißlinie
gegen die Umgebung abgeschirmt, so erlebt er das Menschsein, ähnlich dem
persönlichen Wahlspruch des ebenso empfindenden Fernand Khnopff: »Man
hat nur sich selbst!«

Der Versuch, die Kontaktlosigkeit und Einsamkeit zu durchbrechen, der
immer wieder scheitern muß, ist das zweite, immer wiederkehrende Erlebnis
Munchs. In der Verbindung von Mann und Frau, in der die Einsamkeit überwunden werden könnte und zu der ihn eine starke Sehnsucht immer wieder
treibt, findet Munch stets Enttäuschung. In seinen Jünglingsjahren löst
ein Erlebnis mit einer Frau einen dauernden Schock bei ihm aus: weil sie ihm

vorspielt, sie glaube nicht an seine Liebe und sich mit einem Revolver zu er-
schießen droht, legte Munch abwehrend seine Hand auf die Waffe und der
ausgelöste Schuß verletzt den Mittelfinger seiner linken Hand. Munch trug
Handschuhe um die Wunde zu verbergen und einen großen Ring über der
Narbe. Von nun an begegnete er jedem weiblichen Wesen nur noch mit gro-
ßem Mißtrauen und war doch gleichzeitig immer wieder hingerissen vom
Erlebnis ihrer Selbstentäußerung im Augenblick der Hingabe an den Mann.
Immer wieder suchte er dieses Erlebnis in der Hoffnung auf Erlösung aus dem
Bannkreis seines Ich und immer wieder endete das Erlebnis mit der tiefen Ent-
täuschung, wenn das Weib danach wieder zum banalen Weibchen wurde.
Dieses 'Danach', in verzweifelter Enttäuschung *(Asche)* hat ihn immer wieder
beschäftigt. Der mit ihm befreundete ROLF STENERSEN berichtet: »Munch
hatte im Laufe der Jahre etliche Verhältnisse mit Frauen, aber alle dauerten nur
kurz. An keines dachte er je mit Dankbarkeit oder Freude zurück. Je zärtlicher
die Frauen zu ihm waren, um so mehr müssen sie ihn wohl abgeschreckt haben.
Er glaubte, jede Frau sei ewig auf der Jagd nach einem Liebhaber oder Ehe-
mann. Sie lebten von Männern, wären eine Art Blutegel und hätten 'Nuß-
knackermuskeln' in den Schenkeln. Er zeichnete sie als merkwürdige und
fremdartige Wesen, Frauen mit Flügeln, die ihren hilflosen Opfern das Blut
aussaugen.«[83]
Damit ist die seelische Grunddisposition Munchs für bestimmte Themen-
kreise kurz angedeutet: sie bestand von Anfang an und ist nicht erst unter dem
Einfluß des Symbolismus so geworden; vielmehr beruhte Munchs große
Wirkung schon zu seiner Zeit darauf, daß diese Grunddisposition mit den allgemeinen Tendenzen des Symbolismus übereinstimmte. Als er 1889 durch ein
staatliches Stipendium die Möglichkeit erhielt, vier Monate in Paris zu verbringen, schloß er sich hier rasch den Bestrebungen an, die an einer Überwindung des Impressionismus durch eine neue, hintergründige Dingauffassung
arbeiteten. Er selbst schrieb damals in sein Tagebuch: »Es sollen nicht mehr
Interieurs mit lesenden Männern und strickenden Frauen gemalt werden. Es
müssen lebende Menschen sein, die atmen, fühlen, leiden und lieben. Ich werde
eine Reihe solcher Bilder malen: man soll das Heilige dabei verstehen.«
Man darf Munchs Kenntnis der modernen Kunst in Paris jedoch nicht über-
schätzen. Was er 1889 kennenlernt und was ihn beeindruckt, sind WHISTLER,
seine klare, die leere Fläche betonende Komposition und vor allen Dingen seine

figurale Auffassung: wie er einen Menschen in voller Größe in den fast leeren
Raum stellt, im Raum jedoch die Resonanz dieses Menschen spürbar macht;
dann MANETS Clemenceau-Bildnis und im übrigen alle Bestrebungen, die aus
dem Impressionismus in die neue Formverfestigung und dekorative Komposi-
tionsauffassung führen. Eine Begegnung mit Bildern des neuen Stils oder
ihren Schöpfern aber ist aus Munchs Werken dieser Zeit und der nachfolgenden
Jahre nicht abzulesen; fraglich, ob er überhaupt viel davon gesehen hat, denn
zwischen BONNATS Malschule, in der er arbeitet, und der Académie Julian
bestehen kaum Verbindungen. Außerdem ist 1889 der neue Stil noch eine
Angelegenheit von wenigen Eingeweihten.

Die Gärung der symbolistischen Weltauffassung, die sich über ganz Europa
ausbreitet, erfaßt Munch jedoch in Norwegen, wo sich in Christiania eine
Symbolistenbohème gebildet hatte. STRINDBERG und IBSEN sind die literarischen Begleiter, und Munch entwickelt aus diesem Gedankenkreis seine ersten
symbolischen Konfigurationen: *Pubertät, Das Weib und der Tod* (vielleicht von
HOLBEIN inspiriert, der in diesen Jahren plötzlich wiederentdeckt wird und
zur Auseinandersetzung zwingt), *Der Kuß*. Noch spielen Körpermodellierung
und Raum eine Rolle, aber sie sind aufs Konzentrierteste abgekürzt und vereinfacht; in Bildern nach 1892 machen sich in der geschlossenen Silhouettierung
seiner Porträtfiguren vor fast raumlosem Grund die Reflexe der neuen Ideen
aus Paris bemerkbar. 1892 stellt Munch in Oslo und Berlin aus. Die Berliner
Ausstellung wird zu einem Skandal und muß nach wenigen Tagen geschlossen
werden. Und doch waren damals die aussagekräftigsten Werke, unter denen
wir ihn heute kennen, noch nicht geschaffen. Sie entstehen erst ab 1895, nach
seinem dritten Aufenthalt in Paris.

Dieser dritte Aufenthalt Munchs in Paris ist für ihn entscheidend. Seine
eigene Entwicklung und die Reflexe des neuen Stils in Zeitschriften und anderen Publikationen haben ihn vorbereitet, in Paris nun das zu suchen, was
für seine Weiterentwicklung wichtig ist: Jetzt erst lernt er den neuen Stil
wirklich kennen, und zwar in seiner ganzen Breite. Persönliche Kontakte mit
den führenden Künstlern lassen sich aus Munchs Mitarbeit an den Programmen
des ›Théatre de l'Œuvre‹ erschließen, ebenso aus seiner Teilnahme an den
'Dienstagen' Mallarmés. Nicht nur GAUGUIN, VAN GOGH und TOULOUSE-
LAUTREC, sondern ebenso BERNARD, SÉGUIN, DENIS, SÉRUSIER hinterlassen deutliche Spuren in seinen Werken. Aber bei aller Übernahme von

Motiven und Stileigentümlichkeiten wird sofort die Transponierung in eine andere Geistigkeit spürbar.

So übernimmt Munch beispielsweise die gliederlosen, unmodellierten Silhouettenfiguren, die Bernard seit 1890 entwickelt hat. Und doch drückt sich bei Munch in dieser Form etwas anderes aus: Die Kontur wird den Figuren zum Gefängnis, in dem sie befangen bleiben. Zwei Menschen am Strand stehen durch ihre betonte Silhouettenhaftigkeit isoliert und unverbunden nebeneinander; sie sind sich fremd. Die Verschmelzung zweier Menschen im Kuß zu einer Silhouette wird beiden wiederum zur Fessel. Auch zwischen Mensch und Natur trennt der Umriß; bei Bernard schwingen Mädchenfigur und Baum zusammen; es ist wie ein Echo des Menschlichen in der Natur. Munchs Mädchen in der Sommernacht steht als gerundete Silhouette fremd zwischen den starren Senkrechten des Waldes. Das Echo ihres Rufes klingt nicht als freundliche Bestätigung zurück, sondern tönt kalt und fremd.

Auch Bernards überschnittene Randfiguren, die dem Beschauer frontal entgegenblicken, finden sich bei Munch, aber in ganz anderer Bezogenheit zum Inhalt. Waren sie bei Bernard Stützpunkt der Komposition, Verbindung zum Betrachter, so wird bei Munch ihr Herausblicken aus dem Bild visionär: sie sehen vor dem inneren Auge, was hinter ihrem Rücken vorgeht. Der Eifersüchtige sieht immer seine Frau mit dem Liebhaber vor sich (Fig. 22), das einsame Mädchen auf der Dorfstraße immer die Freundinnen, die hinter ihm die Köpfe zusammenstecken.

Auch Graphik von Séguin hat Munch beeindruckt: der Stil der sich knäuelartig verfilzenden Linien, die ein dynamisches Strömen auf der Bildfläche bewirken. Munch übernimmt das in der Graphik und ebenso in der Pinselschrift seiner Gemälde. Aber noch stärker als bei Séguin werden bei ihm daraus Kraftlinien, die zwischen den Dingen und Menschen gefährliche Beziehungen knüpfen: wie Polypenarme umspannen die Haare eines Mädchens den Kopf eines Mannes, der ihr verfallen ist.

Die Ideen des 'Petit Boulevard'-Kreises von 1887 erhalten um 1900 eine neue Bedeutung (PICASSOS 'blaue Periode'): Munch malt 1900 seine *Winternacht am Nordstrand*[84] in Abstufungen von Blau. Die Grenzenlosigkeit der Landschaft, das absolute Schweigen, das gespensterhafte Dastehen der Bäume im Schnee: das ist Stimmung, aber nicht einfach Stimmung des Menschen vor

22 Edvard Munch, Eifersucht. Lithographie. 1896

der Natur, sondern nur noch Stimmung des Menschen, die Stimmung der Träume und dunklen Gedanken, der Angst und Einsamkeit.

Was Munch von den Symbolisten unterscheidet, ist die Tatsache, daß nicht das Gedankliche die Grundlage seiner Malerei bildet, sondern das Geschaute. Einmal sagt er: »Ich male, was ich gesehen habe.« Immer ist es die naturhafte Erscheinung, die transparent wird, vor dem inneren Blick das Individuelle abstreift und dabei zum Typus seiner Erscheinung wird. Selbst symbolistische Konfigurationen, wie sein Lebensfries von der *Dreigestalt der Frau* – Jungfrau, Dirne, Mutter – die Werdende, die Brennende, die Ausgebrannte, haben Erfahrungscharakter und gehen auf bestimmte Erlebnisse zurück. Über die Entstehung des Bildes *Eifersucht*, das ihn immer wieder beschäftigte, berichtet er selbst. Mit Strindberg verkehrte er im Haus eines polnischen Dichters, dessen norwegische Frau Munch schon als Kind gekannt hatte. Beide lieben diese Frau. »Ich verstehe nicht, daß meine Nerven standhielten. Ich saß da am Tisch und konnte kein Wort reden. Strindberg redete. Ich dachte die ganze Zeit: Merkt denn ihr Gatte rein gar nichts? Zuerst wird er wahrscheinlich grün werden und nachher wütend.« Das Erlebte verdichtete sich vor seinen Augen unmittelbar zum Bild: er malt den Gatten grün und im Hintergrund die nackte Frau, von einem brennend roten Mantel enthüllt.

In solchen Farbkontrasten steigert Munch die Spannung über die anfängliche Stimmung hinaus ins Quälende, bis an den Rand des Erträglichen. Manche seiner Bilder und Holzschnitte wurden so zu Vorboten des Expressionismus. Es sind die Jahre um 1900, in denen Tendenzen des neuen Stils aus seiner ersten Phase, dem 'Frühexpressionismus' der achtziger Jahre, zum zweitenmal auf-flammen. Hier wird zugleich der Rhythmus der Entwicklung deutlich, dessen dritte Stufe um 1905/06 dann endgültig in den Expressionismus umschlägt, während die Jahre dazwischen die expressionistische Komponente zugunsten dekorativer Stimmungshaftigkeit unterdrückt hatten. Munch führt in dieser Phase den Expressionismus, der sich in deutlicher Kontinuität aus dem Jugend-stil entwickelt, mit herauf, ohne aber selbst Anteil an seiner vollen Entfaltung zu haben. Die eigentlichen, ekstatischen Jahre in der Mitte des ersten Jahrzehnts spiegeln sich im Werk des Künstlers – der nach totalem, nervlichem Zusammen-bruch langsam wieder genesen war – nur als Reflexe.

2   *Der Finne Axeli Gallén-Kallela (1865–1931)*

AXELI GALLÉN ist neben Munch der bedeutendste Jugendstilmaler der skan-dinavischen Länder, doch sein Werk ist außerhalb Finnlands kaum bekannt. Seine künstlerische Ausbildung erhielt er seit 1881 in Helsingfors an der Kunst-schule des finnischen Kunstvereins, wo er sich in akademischen Figurenkompo-sitionen und naturalistischer Landschaftsmalerei übte. Zur Fortsetzung dieser Studien ging er 1884 nach Paris und besuchte dort sowohl die Académie Julian wie das Atelier Cormon; seine Lehrer waren dort BOUGUEREAU und ROBERT-FLEURY, sowie BASTIEN-LEPAGE, die Fortsetzer der akademischen Tra-dition. Erst zu Beginn der neunziger Jahre kehrt Gallén nach Finnland zurück;

er erlebt also in Paris noch die Gärung des neuen Stils und wird sofort von ihr ergriffen. Doch verleugnet er als Jugendstilmaler genauso wenig wie der sicherlich gut mit ihm bekannte Maurice Denis in Paris, die akademische Ausbildung: der symbolische Gedanke drückt sich bei ihm stets in der Personifizierung durch eine naturalistisch wiedergegebene, natürlich modellierte und beleuchtete menschliche Figur aus, der er eine – fast von schauspielerischem Pathos getragene – Ausdruckshaltung auferlegt. Wenn er auch im Laufe seiner Entwicklung die Figur einer immer stärkeren Stilisierung und Verflächung unterwirft, so baut er doch die Wirkung des Bildes auf dem Kontrast zwischen der reich gegliederten Figurengruppe und einem fast leeren, höchstens mit symbolhaft stilisierten Emblemen geschmückten, flächigen Raum auf.

Schon 1889 entstehen in Paris die ersten Studien zu seinem Hauptwerk, der Illustration des finnischen Nationalepos Kalewala, das seine Vollendung in den – leider nur in Originalentwürfen enthaltenen – Kuppelfresken des Finnischen Pavillons auf der Pariser Weltausstellung von 1900 und in einem großen Wandbild des Studentenhauses in Helsingfors findet. In diesen Bildern lebt etwas von der rohen Kraft der finnischen Urzeit; in den menschlichen Leidenschaften der Helden verkörpern sich eigentümliche Naturkräfte des Landes. In monumentaler Einfachheit und Strenge malt Gallén Leminkainens trauernde Mutter (Abb. 27), die den zerstückelten Leichnam ihres Sohnes zusammenträgt und zum Ganzen fügt und auf seine Wiederbelebung wartet, die sich im Bild durch das Einbrechen eines göttlichen Gnadenstrahls andeutet, der die leblose Gestalt aber noch nicht erreicht hat – eine Verbildlichung des Schmerzes aus dem Gedanken der christlichen Pietà.

Es ist die frühe italienische und byzantinische Kunst, die um 1900 in Deutschland und Österreich den Jugendstil mitzuformen beginnt, und die auch auf Galléns Komposition ihre starke Wirkung ausübt: von einer auf die Totalwirkung abgestimmten Farbigkeit bis zur emblematischen Füllung der Fläche mit Gegenständen, die Symbolcharakter tragen: Gebeine, Blumen, Kerzen, das kalte Mosaik der Kieselsteine und die Goldlinien des göttlichen Lichts. Ein späteres Bild aus dem Kalewala, das den Riesen Kullerwo zu Pferde durch die schneebedeckte, nächtliche Ebene reitend zeigt, geht unverkennbar auf

39 Paula Becker-Modersohn, Blasendes Mädchen im Birkenwald. 1905

SIMONE MARTINIS Reiterbildnis des Guidericcio dei Fogliani in Siena zurück, eine Epoche der sienesischen Kunst, die man vom Standpunkt des positivistischen Jahrhunderts als 'primitiv' bezeichnet hatte, deren Wiederentdeckung aber zugleich mit dem neuen Stil beginnt.

Die Ausdruckskraft Munchs und Galléns haben andere skandinavische Künstler kaum erreicht, obwohl der Jugendstil in diesen Ländern blüht und fast eine Art von Heimatkunst entwickelt; er besitzt eine besondere Affinität für die Darstellung des Zwielichts, der weiten Ebenen und der nuancierenden Abstufungen des Weiß in den Schneelandschaften und den spiegelglatten nordischen Seen. Zu diesen Künstlern gehört vor allem GUSTAVE ADOLPHE FJOR-STAD (geb. 1868) und ERNST JOSEPHSON (1851–1906), von denen der letztere das Visionäre noch durch Staffagefiguren *(Mädchen am Strand)* betont. Wie der Däne JANS FERDINAND WILLUMSEN (1863–1958) lernte er im Kreis der Freunde Gauguins die Bretagne kennen und lehnt sich eng an den Stil der Naturvereinfachung der Gruppe von Pont-Aven an, läßt jedoch bald in sein Werk die typisch nordländische Natursentimentalität einfließen, in der sich Sehnsucht und Meditation verbinden.

40 Gustav Klimt, Der Kuß. 1911

IX Jugendstilmalerei in Deutschland

1 Kaiserzeit und Gründertum

Vom Jugendstil in den bisher behandelten Ländern unterscheidet sich die deutsche Kunst dieser Jahre vor allem schon durch ihre völlig anders gelagerten Voraussetzungen und sodann durch einen ihr eigentümlichen Rhythmus der Entwicklung. Es gibt in Deutschland keinen Impressionismus, aus dessen Überwindung der Jugendstil hätte entstehen können und kaum einen Symbolismus, an den der neue Stil hätte anknüpfen können. Die Anregungen der beiden einzeln stehenden Idealisten MAX KLINGER (1857–1920) und ARNOLD BÖCKLIN (1827–1901) wirkten erst dann innerhalb Deutschlands weiter, nachdem der entsprechende Anstoß von außen erfolgt war. Auch die Anknüpfung an die deutschen Maler der Romantik, wie MORITZ VON SCHWIND und PHILIPP OTTO RUNGE, zu denen eine echte Traditionsbindung möglich war, erfolgte erst dann, als die Bewegung bereits auf ihrem Höhepunkt stand.

In Deutschland herrschte, wie in den übrigen europäischen Ländern auch, die positivistisch-akademische Natur- und Genremalerei, nur daß es in Deutschland keine inoffizielle Kunst gab, die dagegen revoltierte. Dieses Aufbegehren erfolgt hier erst in den neunziger Jahren, also zu einem Zeitpunkt, da das Neue sich im Ausland – besonders in Paris und London – bereits durchgesetzt hatte. Und in Deutschland setzt die Kunst – mit wenigen Ausnahmen – auch nicht mit dem radikal Neuen ein, sondern sie verbindet den neuen Stil mit der hierzulande verbreiteten Kunst und Kultur der Gründerzeit, was ihr – bei nur anfänglichen Schwierigkeiten – rasch eine gewisse Popularität sichert und sie zur Modeströmung werden läßt, in der auch ihr rasches Ende beschlossen liegt.

Im Gegensatz zu England, Frankreich und Belgien geht die Entwicklung in Deutschland nicht von der Hauptstadt aus; obwohl auch Berlin rasch in den

Strudel der Auseinandersetzungen einbezogen wird, bleibt doch München die
Metropole der neuen Kunst, während Berlin erst später, im Expressionismus
und in den zwanziger Jahren, seine eigentliche Rolle als Kunstmetropole spielen
wird. Der Grund dafür liegt in der Kunstpolitik des deutschen Kaisers und
seinen vielseitigen 'Talenten': er malt, komponiert, entwirft und kritisiert
Denkmäler, Bauprojekte und Uniformen und leitet daraus seine Zuständigkeit
in allen Fragen des kulturellen Lebens ab. In seiner Ansprache anläßlich der
Vollendung der Berliner Siegeshalle 1902 formuliert er sein kompromißloses
ästhetisches Programm, für dessen Durchführung der Berliner Akademie-
direktor ANTON VON WERNER – ein typischer Vertreter gründerzeitlicher
Genremalerei – zu sorgen hat: »Eine Kunst, die sich über die von mir bezeichneten Gesetze und Schranken hinwegsetzt, ist keine Kunst mehr, sie ist Fabrik-
arbeit und Gewerbe. Wer sich von dem Gesetz der Schönheit, dem Gefühl
für Ästhetik und Harmonie, die jedes Menschen Brust erfüllt, loslöst und in
dem Gedanken an eine besondere Richtung und bestimmte Lösung der mehr
technischem Aufgabe die Hauptsache erblickt, der versündigt sich an den Ur-
quellen der Kunst.«[85]
   Die Gründerzeit verstand die Kunst als »eine Macht der Illusion, der bewußten Selbsttäuschung ... als 'Pflege der Ideale' (jener Ideale, deren Wesen
– wie in den Schulen gelehrt wurde – darin bestand, daß sie unerreichbar zu
bleiben hatten).«[86] Aber daran knüpfte auch der Jugendstil in Deutschland an
und überhörte ebenso geflissentlich »das dumpfe Grollen der untersten Schich-
ten«, das in den Arbeiten MENZELS und LIEBERMANNS bereits leise anklang,
dem dann aber erst die Kunst nach 1900 Ausdruck gab. So stellte sich der
Jugendstil gegen die hierzulande geforderte Kunstauffassung, die er trotzdem
auf seine besondere Weise gleichzeitig erfüllte. Nur MUNCH sprengte mit
seiner Berliner Ausstellung den Rahmen, indem er Fragen aufwarf, die das
Illusionen liebende Bürgertum lieber unterdrückte und Anton von Werner
ordnete nach der Besichtigung der Berliner Munch-Ausstellung von 1892 an,
daß diese »Schweinerei« sofort abgehängt werden müsse. Wenn der sich daraus entwickelnde Skandal auch dem Neuen in Berlin zum Durchbruch verhalf, so blieb die hier aufgeworfene Problematik vorläufig doch ohne wirk-
same Nachfolge. Der Jugendstil ging zunächst andere Wege.
   Neben dem vom Ausland einströmenden, dämonischen Symbolismus, der
arkadischen Verbildlichung eines Goldenen Zeitalters, der Anknüpfung an das

'zweite Rokoko' des Historismus, entwickelt sich im deutschen Jugendstil ein Motivkreis, der ebenfalls gründerzeitlicher Ideologie entstammt und die kulturelle Entwicklung Deutschlands bis hin zum Zweiten Weltkrieg weitgehendst bestimmt: das Neugermanentum. Auch darin drückt sich eine Art romantischer Traditionsbesinnung aus, die wir zu dieser Zeit in allen nordischen Ländern Europas finden: in den Darstellungen der Artus- und Parsifalsagen in England bei Morris, Crane u. a. und im ›Kallewala‹ Galléns. Im gründerzeitlichen Kaiserreich Deutschlands aber wird diese romantische Beziehung auf die Vergangenheit zur politischen Ideologie: es gibt die 'Nordlandfahrten als propagandistische Demonstration' und Neugermanenbünde zur Pflege dieser Ideen. Sie beherrschten vor allem das Werk von FRITZ ERLER, FIDUS und einer Reihe von Künstlern, denen wir jedoch vorzügliche Illustrationen zu den deutschen Sagenbüchern verdanken. (Hier entwickelt sich so etwas wie eine deutsche Mythologie.) Die Kunst des Jugendstils aber gestaltet diese Ideologie ähnlich, wie das Goldene Zeitalter: in einer Stimmung von Ursprünglichkeit und gelebter Einfachheit, mit märchenhaften Zügen und ohne Ahnung der politischen Konsequenzen, die daraus erwachsen werden.

Im künstlerischen Leben dieser Zeit spiegeln sich bereits die Auseinandersetzungen, die später auf der politischen Bühne ausgetragen werden. Die Kunst der deutschen Gründerzeit ist ängstlich darauf bedacht, keine Anregungen aus dem Ausland eindringen zu lassen. Die politischen Anfangserfolge des Kaiserreiches regen eine 'nationale Selbstbesinnung' an, die Deutschland auf kulturellem Gebiet nach außen völlig abriegelt. Die Sezessionsgründungen der neunziger Jahre in Berlin und München sprengen diese Schranken und treten für einen europäischen Austausch ein; ausländische Künstler werden eingeladen, in Deutschland ihre Bilder auszustellen, und von Deutschland aus setzt förmlich eine Wallfahrt nach Paris ein, wo die Anregungen aus allen europäischen Ländern auf engstem Raum zusammenströmen. Es gibt wenige deutsche Künstler dieser Jahre, die nicht an der Académie Julian oder im Atelier Cormon lernten, oder die nicht zum mindesten die Ausstellungen der ›Revue Blanche‹ oder bei Vollard besucht hatten. Dem kaiserlichen Regime aber waren diese künstlerischen Beziehungen zum Ausland äußerst suspekt, und es ist in konservativen Kreisen mit nationalem Pathos immer wieder versucht worden, die Einladungen fremder Künstler zu unterbinden und die im Ausland studierenden Deutschen der Entfremdung ihres kulturellen Erbes zu bezichtigen. Und auch die Zurückweisung dieser Angriffe erfolgt mit einem Pathos, aus dem deutlich wird, daß es bald nicht mehr nur um Kunst geht: »Wenn wir Vertrauen zu der sieghaften Kraft germanischer Kunstbegabung haben und neue Möglichkeiten tiefster künstlerischer Beseeligung durch unsere Rasse erhoffen, dann müssen wir aus allen Gründen der Vergangenheit für die Gegenwart der deutschen Kunst eine Auseinandersetzung mit dem französischen Schaffen suchen, das ein integrierender Bestandteil europäischen Kunstwillens ist, damit die nationale Kunst, nach der wir uns sehnen, groß und frei und weit werde«, schreibt 1911 der Kunstkritiker Dr. Reiche-Barmen[87].

2 *Berliner Jugendstilmalerei*

Während sich in Frankreich und in England ein neuer Stil in der Malerei gleich programmatisch der Öffentlichkeit stellt, etwa in der ersten Ausstellung der 'Indépendants', oder der 'Symbolisten' im Café Volpini, wächst ein neuer Stil in Deutschland erst allmählich heran, zwar in einer von fortschrittlicher Gesinnung getragenen Gemeinschaft, jedoch in Verbindung mit völlig anders gearteten konventionellen Bestrebungen. Mit diesen ist der Jugendstil so eng verknüpft, daß es im Grunde genommen eine Verfälschung der Situation und ihrer Atmosphäre bedeutet, wenn man ihn aus diesem Zusammenhang herausdestilliert.

Der erste tiefere Einschnitt in der Geschichte der modernen Kunst in Berlin, einer Stadt, die in einem knappen Jahrzehnt ihre Einwohnerzahl fast verdoppelt und sich zur Millionenstadt entwickelt hat, ist am 5. Februar 1892 der Zusammenschluß von elf Künstlern zur Gruppe der 'Elf' ('XI'), nach dem Vorbild der 'Vingt' in Brüssel. Das Protokoll der Gründungssitzung unterschrieben als erste MAX KLINGER und MAX LIEBERMANN, dann folgen HANS HERRMANN, JAKOB ALBERTS, WALTER LEISTIKOW, FRIEDRICH STABEL, GEORGE MASSON, FRANZ SKARBINA, LUDWIG VON HOFMANN, H. SCHMARS-ALQUIST, HUGO VOGEL und K. A. MÜLLER-KURZWELLY. Ihr Zusammenschluß ist eine vorerst noch inoffizielle Protestkundgebung gegen den 'Verein Berliner Künstler', dessen Präsident ANTON VON WERNER, zugleich Direktor der Berliner Kunstakademie, dem Geschmack des Kaisers huldigt und diesen in den jährlichen Kunstausstellungen im Landesausstellungsgebäude am Lehrter Bahnhof dokumentiert. Im gleichen Jahr folgen zwei Ausstellungen der Gruppe im Kunstsalon von EDUARD SCHULTE, Unter den Linden, die den ersten Zündstoff liefern und von der Presse und der öffentlichen Meinung auf das heftigste attackiert werden. Man spricht vom »extrem wüsten Naturalismus« Liebermanns und den »Halluzinationen eines Herrn L. v. Hofmann«, und der Kaiser selbst prangert diese Kunst schließlich an, als eine Malerei, »die weiter nichts tut, als das Elend noch scheußlicher hinzustellen, wie es schon ist ...« Der künstlerische Rahmen der 'Elf' ist somit weit gesteckt: er umfaßt impressionistische, sozialkritisch-naturalistische, symbolistische Kunst und lyrischen Jugendstil in engem Nebeneinander.

Den zweiten Zündstoff liefert die Ausstellung von Bildern EDVARD MUNCHS im 'Verein bildender Künstler', die veranstaltet worden war, um dem dauernden Drängen einer Anzahl von Mitgliedern nach Einladung ausländischer Künstler nachzugeben. Am 5. November 1892 wird die Ausstellung eröffnet, am 12. November tagt eine außerordentliche Generalversammlung, die mit 120 gegen 105 Stimmen die sofortige Schließung der Ausstellung verfügt. »In den Munch'schen Bildern handelt es sich nämlich um Exzesse des Naturalismus, wie sie in Berlin noch niemals zur Ausstellung gelangt sind. Was der Norweger in bezug auf Formlosigkeit, Brutalität der Malerei, Roheit und Gemeinheit der Empfindung geleistet hat, stellt alle Sünden der französischen und schottischen Impressionisten wie der Münchner Naturalisten tief in den Schatten. Es sind ... (Bilder) die in der liederlichsten Art hingeschmiert sind ...« berichtet Adolf Rosenberg in der ›Kunstchronik‹ vom 17. November. Wenige Tage später eröffnet Eduard Schulte in seinem Düsseldorfer Kunstsalon eine Munch-Ausstellung mit 55 Werken, und nach Schluß dieser Ausstellung werden – noch im Dezember 1892 – im Equitable-Palast in Berlin die Bilder Munchs zum zweitenmal, ohne vorzeitige Schließung, gezeigt. Unter dem Pseudonym 'Walter Selber' schreibt Walter Leistikow eine zustimmende Kritik in der ›Freien Bühne‹, und weitere Zustimmungen erfolgen im ›Berliner Tageblatt‹ und in Bruckmanns ›Kunst für Alle‹ in München.

Damit ist der Stein ins Rollen gebracht. Munch siedelt sich für einige Jahre in Berlin an, wo sich neben den bildenden Künstlern gleichzeitig auch eine literarische Avantgarde zusammenfindet. In LEISTIKOWS Atelier treffen sich regelmäßig LIEBERMANN, MUNCH, CORINTH, TSCHUDI, HAUPTMANN, HALBE, HARTLEBEN, HILLE, der Regisseur BRAHM und der Verleger S. FISCHER.

STRINDBERG entdeckt in der Neuen Wilhelmstraße das 'Schwarze Ferkel', wo regelmäßig BIERBAUM, DEHMEL, HARTLEBEN, HALBE, HOLZ, WEDEKIND, DRACHMANN u. a. zusammentreffen. 1893 entsteht in Berlin eine 'Freie Künstlervereinigung', aus der sich schließlich 1898 die Berliner Sezession entwickelt und in der Öffentlichkeit durchsetzt. 1895 erscheint die bibliophile Zeitschrift ›Pan‹, in der die neuen literarischen und bildkünstlerischen Bestrebungen sich vereinen. Die Zeitschrift bringt Erstveröffentlichungen der jungen Dichter und Originalgraphiken der Künstler. Sie enthält erste Beiträge von PETER BEHRENS, FIDUS, OTTO ECKMANN, AUGUST ENDELL, LUDWIG VON HOFMANN, WALTER LEISTIKOW, JOSEPH SATTLER u. a. Trotzdem darf man nicht übersehen, wie sehr auch das Neue mit konservativem Geist durchsetzt war – darin liegt ein Charakteristikum der Entwicklung in Deutschland: als eine Originallithographie TOULOUSE-LAUTRECS im ›Pan‹ erschien, wurde dies so sehr als Entgleisung gewertet, daß die Redaktion zurücktreten mußte.

Im Oktober 1899 erscheint in Berlin und Leipzig im Verlag von Schuster und Löffler zum erstenmal die ›Insel‹ mit dem bekannten Insel-Schiff-Signet. Herausgeber sind OTTO JULIUS BIERBAUM, ALFRED WALTER HEYMEL und RUDOLF ALEXANDER SCHRÖDER, die im Vorwort zum ersten Heft ihr 'Programm' bekanntgaben: »Einen Sammelpunkt für die künstlerisch wertvollsten Produktionen moderner einheimischer und zum Teil auch ausländischer Literatur zu bilden, durch die Druckanordnung, durch die Verwendung eines sorgfältig ausgewählten und möglichst modernen Buchzierats, sowie durch Anwendung eines vorzüglichen und dauerhaften Papiers einmal das seit einigen Jahren auch in Deutschland rege gewordene Interesse für eine ästhetisch genügende Art des Buchdruckes zu unterstützen und zu befriedigen, und andererseits den zur Veröffentlichung gelangenden Schriftwerken eine würdige Art des Erscheinens zu sichern.« Zum erstenmal wurde damit bei einer Zeitschrift die gleiche, das gesamte Druckwerk umfassende Gestaltung erstrebt, wie bei Büchern; Kunstbeilagen wurden ausgeschaltet und nur reine Buchkunst zugelassen.

3 Max Klinger (1853–1920)

Am stärksten konzentrieren sich die Widersprüche des ausgehenden neunzehnten Jahrhunderts in Berlin im Werk von MAX KLINGER, der einer der größten Eklektiker deutscher Kunst, gleichzeitig aber eine der stärksten und einflußreichsten Künstlerpersönlichkeiten der Jahrhundertwende gewesen ist. Alle Hochleistungen vergangener Kunst standen ihm als Repertoire zur Verfügung und dennoch hat er diese Mittel nur benutzt, um eigenwillig seine eigenen Wege zu gehen. »Ein philosophischer, grübelnder Geist, erfüllt von stark ethischem Pathos, das ihn zwingt, stets an die letzten und tiefsten Menschheits- und Weltanschauungsfragen zu rühren ... Immer wird das Problem geistig und formal richtig erfaßt. Und immer scheitert die gleichwertige Durchbildung an dem Naturalismus, dem er rettungslos verfallen bleibt ... Nur die Radierungen erzählen, daß eine der höchstbegabten, erfindungsreichsten und mit am weitesten von Oberflächenkunst entfernte Persönlichkeit unserer Zeit zugleich ihre tragischste Erscheinung war« charakterisiert ihn HANS HILDEBRANDT[88].

Bei aller Vielseitigkeit im Werke Klingers spielt der Jugendstil bei ihm doch eine bedeutsame Rolle, und man wird ihn als einen der wirksamsten Anreger im deutschen Raum ansprechen müssen. Ähnlich wie in Frankreich PUVIS DE CHAVANNES hat er lange vor Beginn des neuen Stils eine Vereinfachung der künstlerischen Mittel erreicht, die Prinzipien des Jugendstils vorwegnimmt. Schon in seinem *Gang zur Bergpredigt* und der *Rückkehr von der Bergpredigt*, die 1877 entstanden sind, ist die ganze Komposition auf die Anordnung von Silhouettenfiguren innerhalb der bis zum oberen Bildrand emporgezogenen Fläche abgestellt. Dabei erfolgt diese Verteilung nicht nach dekorativen, sondern nach geistig-inhaltlichen Gesetzen: die ungeordnete, regellose Füllung der Fläche mit lauten, schwatzenden, rufenden Menschen, die zum Berg eilen, wie zu einem Vergnügen - und die Rückkehr in betretenem Schweigen: in einzelnen Grüppchen vor der großen leeren Fläche, mit harten Schlagschatten, die jede Figur nochmals isolieren. Wie jeder denkt und schweigt, wird optisch spürbar.

1880 entstehen die Radierungen zu ›Amor und Psyche‹; fast jedes Blatt zeigt andere Möglichkeiten der graphischen Behandlung, und die Skala reicht vom Klassizismus über die Romantik bis zum Jugendstil, ohne jedoch einen dieser Stile wirklich eindeutig zu formulieren. In dem hier wiedergegebenen

Blatt (Abb. 28) sind die Beziehungen zum Jugendstil deutlich: man spürt die Anregungen, die daraus abgeleitet werden. Die Komposition mit der langen, leicht nach links absinkenden Horizontalen und der vertikal Sitzenden ist mit äußerster Bewußtheit auf die beabsichtigte, schwermütige Stimmung von Mensch und Landschaft zugespitzt. Obwohl jede Perspektive vermieden ist, konzentriert sich direkt über der Horizontlinie – die durch überragende Gräser und auffliegende Vögel beunruhigt wird – eine zwingende Tiefenwirkung. Ihr steht das Liniengespinst der vordersten Ebene entgegen, das nicht impressionistisch und auch nicht dekorativ gemeint ist, sondern, ähnlich wie auf dem Holzschnitt SÉGUINS (Abb. 7), oder MINNES (Fig. 21), den Blick des Betrachters zwingt, den grübelnden Linien der Fläche zu folgen und in die Gedanken der sitzenden Frau einzustimmen. Überall, wo die Malerei eine Verbindung zwischen Mensch und Landschaft sucht, beide zum Ausdruck einer gemeinsamen Stimmung erhebt, oder schließlich die Landschaft allein menschliche Stimmung spiegeln läßt, wie bei Ludwig von Hofmann, bei Walter Leistikow, bei Segantini, bei den Worpswedern, wurden diese Anregungen Klingers fruchtbar. Auch Munch wird seiner Kunst viel Verständnis entgegen gebracht haben.

Es gibt Gemälde Klingers, wie seine *Blaue Stunde*, wo alle Gegenstände und Figuren in das verdämmernde Stimmungslicht des Abends getaucht werden, wo nicht mehr die Figur im Licht gemalt ist, sondern die Reflexe des Lichtes auf der menschlichen Gestalt Reflexen aus ihrem Innern gleichkommen; die drei weiblichen Akte drücken in stummer Beschaulichkeit verschiedene seelische Haltung aus. Hier verbindet sich die akademische Malerei mit der Stimmung des Jugendstils.

In seinen radierten Skizzen, graphischen Capriccen und Intermezzi kommt Klinger dem rein dekorativen Jugendstil gelegentlich noch näher, sogar bis zur Festlegung und zum Abschluß, aus dem eine Weiterentwicklung nicht mehr möglich ist. Doch auch das bewußte oder unbewußte Vordringen zu solchen Endpunkten ist für Klingers Schaffen charakteristisch und gilt nicht nur für seine Beziehungen zum Jugendstil.

4 Walter Leistikow (1865–1908)

LEISTIKOW ist Jugendstilmaler, ohne den neuen Stil programmatisch zu betonen; er bietet sich ihm vielmehr als selbstverständliches, seiner Naturauffassung gemäßes Stilmittel an. 1883 wird er von der Berliner Akademie nach halbjähriger Probezeit als talentlos entlassen und bildet sich darauf in den Ateliers von ESCHKE (1883–1885) und GUDE (1885–1887) aus. Von 1890–1893 lehrt er selbst an der Berliner Kunstschule, 1892 ist er Mitbegründer der 'Elf', 1899 Mitbegründer der Sezession, 1904 Mitbegründer des Deutschen Künstlerbundes. 1893 besucht er Paris, nachdem er jedoch schon vorher mit allen neuen Strömungen in Berührung gekommen war. Seine Beziehungen zur Literatur sind besonders eng; er wird von MAETERLINCK tief beeindruckt und widmet ihm in der 'Freien Bühne' eine ausführliche Besprechung, nachdem er in Paris ›Pelléas und Mélisande‹ gesehen hatte: »Ich wüßte niemand, der besser malte als dieser Dichter. Seine Werke sind gesprochene Malerei. Und diese Aufführung ist eines der größten malerischen Kunstwerke, die die Neuzeit hervorgebracht hat.« Leistikow dichtet selbst und schreibt einen Roman ›Auf der Schwelle‹, dessen Bildhaftigkeit sich mit seinen malerischen Motiven berührt.

Er ist von Anfang an Landschaftsmaler und sucht in der Landschaft den Spiegel seiner Seele. Er malt den schweigenden, beruhigenden Wald und vereinigt ihn gerne mit der spiegelglatten Fläche eines Sees, der die ruhige Stimmung reflektiert. So verbindet er den malerischen Realismus der Achenbachschule mit einem sanften, melancholischen Ausdruck, und schafft abendliche Landschaften von märkischen und dänischen Wäldern, die zum selbstvergessenen Träumen anregen.

Die Berührung mit dem Symbolismus in Paris, mit Maeterlinck und dem Einfluß des befreundeten Ludwig von Hofmann leiten eine Zeit glühend erwachter Schwärmerei und ein Gefühl für melancholisches Erschauern vor den geheimnisvollen Naturrätseln ein. Plötzlich genügt die Natur allein nicht mehr und Leistikow fügt symbolhafte Staffage in seine Bilder ein: aus dem abenddunklen Wasser taucht das Haupt einer Nixe auf oder tieffliegende, wandermüde Vögel streifen über das stille Meer. Doch schon in der Mitte des Jahrzehnts entfällt diese symbolistische Belastung und Leistikow gelangt zu einer

23 Walter Leistikow,
Vignette aus ›Pan‹. 1896

monumentalen, dekorativen Landschaftsauffassung, die den Höhepunkt seines
Schaffens darstellt, dem nur eine kurze Zeit gegeben war.

Es entstehen jetzt die Serien der Grunewaldbilder mit ihrer stimmungshaften
Vereinfachung der Tonfläche, ohne starke Farben und ohne Details, die aus
dieser Stimmung ablenken könnten (Abb. 29). Und Leistikow entdeckt jetzt
den malerischen Wert der Linie, der er sinnliches Leben verleiht. Die Baum-
wipfel schließen sich zu flächigen Gruppen zusammen, bilden mit den Durch-
blicken auf den klaren Himmel einen sanften Rhythmus von Hell und Dunkel;
die Baumstämme und die Uferschwingung des Sees greifen gliedernd in die
Fläche ein, indem sie Horizontale und Vertikale ornamentierend betonen.
Hier hat Leistikow eine Grundlage gefunden, die verschiedene Grade der Stilisierung – bis zur äußersten Plakathaftigkeit – erlaubt. In den Radierungen
faßt er die Hell-Dunkel-Massen noch stärker zusammen und bildet mit den
Linien die fast kalligraphisch durchgebildeten, parallelen Ornamente der Baum-
kronen, Wolken oder Wellenspiele. In den Holzschnitten (Fig. 23) oder den
kunstgewerblichen Entwürfen für Tapeten begegnen die gleichen Motive dann
auf einer letzten Stufe, bis zum äußersten getriebener, flächig-linearer Stilisierung. Anregungen aus Frankreich, aus dem Kreis um BERNARD und
SÉGUIN, werden hier im einzelnen nachweisbar. In der Stilisierung des Stein-
drucks löst Leistikow sich auch von der Bindung an eine naturalistische Farbgebung. Er zeichnet Lithographien mit blaugrünen Wäldern und hellgelbem
Himmel, dessen Farbe auch das Wasser des Sees widerspiegelt; auf einer im

›Pan‹ veröffentlichten Lithographie läßt er weiße Schwäne über einen grünen Himmel ziehen, der von backsteinroten, ungegliederten Streifen durchzogen ist, die Wolken bedeuten sollen. Solche Stilisierungen aber macht sich Leistikow nicht zum Prinzip, sondern er wendet sie dort an, wo Technik und Zweck es besonders erlauben: vor allem im Kunstgewerbe, für den Buchschmuck, für Tapeten, Wandteppiche, Möbelbezüge, Vorhänge, Teppiche und Glasfenster – all dieses entsteht unter seiner Hand.[89]

Um 1900 und in den Jahren danach vertieft sich – vielleicht unter dem Eindruck LIEBERMANNS – die Beziehung zur direkt geschauten Landschaft, die das literarische und stimmungshafte Medium entbehrt. Eine Annäherung an den Impressionismus, eine Durchleuchtung der Natur kennzeichnet die letzten Schaffensjahre, die den Jugendstil als abgeschlossene Epoche zurücklassen.

5 Ludwig von Hofmann (1861–1945)

Neben Liebermann und Leistikow steht LUDWIG VON HOFMANN in Berlin an der Spitze der jungen Generation. In Darmstadt geboren, geht er zunächst nach Dresden an die Akademie und wird Schüler von HÄHNEL und SCHILLING zwei ausgesprochenen Nazarenern, dann wird er in Karlsruhe Schüler von ALBERT VON KELLER, verweilt kurze Zeit in München und schließlich in Paris, wo er an der Académie Julian lernt. Seit 1890 lebt er in Berlin. Der Gang seiner künstlerischen Ausbildung bleibt in seiner ganzen späteren Kunst spürbar: als Akademiker hat er ein besonderes Verhältnis zur Figurenkomposition, die von der Einzelfigur her konzipiert ist und der er einen fast berechneten Platz innerhalb einer überlegen durchgearbeiteten Landschaft zuweist.

In Paris müssen ihn die gleichen Anregungen PUVIS DE CHAVANNES getroffen haben wie MAURICE DENIS. Wie er – jedoch mit wesentlich naturalistischeren Mitteln – gestaltet er die arkadische Landschaft mit nackten Jünglingen und Mädchen, den Zustand einer Welt vor dem Sündenfall (Abb. 30). »Die moderne Sehnsucht nach dem verlorenen Paradies, das Sichzurückträumen in verlorene Schönheitswelten, hat in ihm wohl den reinsten Ausdruck gefunden«, schreibt RICHARD MUTHER 1899 über seine Bilder. »Kinder sind seine Menschen, die vom Bösen nichts ahnen, Kinder, die über die Sonnenstrahlen, über das Rieseln der Quelle staunen, denen die ganze Natur, ihr eigenes Sein ein Wunder bedeutet ... Epheben und Mädchen, nackt und keusch, ruhen wunsch- und leidenschaftslos auf grüner Au oder bieten sich die Hand zum Reigen.«

Trotz der naturalistischen Mittel, wie anatomische Körpermodellierung und Luftperspektive, sind Hofmanns Bilder stilisierend vereinfacht und als Flächenornamente aufgefaßt. In immer wiederkehrenden Motiven des Badens, des Tanzens oder Ruhens sind seine Gestalten angeordnet; die Linien der Menschenkörper sind den Linien der Natur, des Wassers, des Baumes verwandt und dienen dem Ausdruck des Gemeinsamen. Gleiches drücken die Farben aus, die die Landschaft in einen silbernen, frühlingshaften Schimmer tauchen; wie glitzernde Edelsteine sind Blumen in den grünsamtenen Teppich der Wiesen eingestreut. In dieser lichten Malerei löste Hofmann auch große dekorative Aufgaben der Wandmalerei und entfaltete, im Gegensatz zu HODLER, einen lyrischen Kontrast zur Tektonik des Raumes.

Der Jugendstil im Werk Hofmanns erfüllt sich am meisten in den Bildern tanzender Mädchen, deren arabeskenhaft bewegte Körper von fliegenden Schleiern begleitet sind. 1906 bringt der Inselverlag eine lithographische Folge von *Tänzern* heraus, die mit dem Prolog von HUGO VON HOFMANNSTHAL zum bibliophilen Gesamtkunstwerk geworden sind:

»Diese Blätter sind lieblich zusammen wie ein Heft Mozartscher Sonaten. Ihre Einheit liegt in dem rhythmischen Glück, das sie hergeben und das die Seele so willig ist durchs Auge wie durchs Ohr in sich zu saugen. Diese Gestalten erzählen nichts als ihre Nacktheit: sie erfüllen rhythmisch den Raum, und die Einbildungskraft kann sie durchspielen, Blatt für Blatt, und wiegt sich auf ihnen, wie dort auf jenen Folgen beseligter Töne. Ein ganz weich zurückgebogener Nacken, ein weiblicher Arm so steil emporgereckt, daß die Höhlung unter der Achsel flach wird; ein faunisches Reiten nackter schlanker Glieder auf nackten Schultern; ein Hocken an dem Boden, triebhaft die Hand bei der Ferse; Weiberkörper an einen Stierleib gedrängt; ein Reigen von Mädchen, nackt bis an den Gürtel: aber von der Wollust aller dieser Dinge ist die Üppigkeit weggeschnitten, und frühlingshaft sind sie aus einer Welt mit den jungen Bäumen, die sich auf Frühlingshügeln gegen reinen Himmel heben und mit den Konturen der Inseln, die aus leierförmigen südlichen Buchten auftauchen im Duft des Morgens.«[90]

6 Illustrativer Jugendstil in Berlin

Das literarische Leben Berlins an der Jahrhundertwende ließ hier eine hervorragende Buchkunst entstehen. Vor allem im Kreis um STEFAN GEORGE wirkte MELCHIOR LECHTER (1865–1936), der von den Zeitgenossen als kongenialer Illustrator der Dichtungen des Meisters empfunden wurde, indem er ihre individuelle Stimmung in eine hieratisch strenge, fast byzantinische Stilform umsetzte. Wenn Stefan George in den – nur einem kleinen Kreis zugänglich gemachten – ›Blättern für die Kunst‹ zu seinen ›Trilogien‹ schreibt: »Sie enthalten die spiegelungen einer seele, die vorübergehend in andere zeiten und örtlichkeiten geflohen ist und sich dort gewiegt hat«, so gibt Lechter diesem Zustand der Seele durch eine archaisierende Rückbindung an den mittelalterlichen Ideenrealismus wieder. Der Ursprung seiner Kunst liegt in der historischen Neugotik der letzten Jahrzehnte und ist eine Renaissance des Nazarenertums in Verbindung mit den neuen Stilmitteln. Auch in der Auffassung des Künstlerberufes als Priesteramt steht seine Kunst in Übereinstimmung mit dem George-Kreis: »So ist der Künstler mit dem heiligen Amt eines Priesters begnadet im Tempel der Schönheit, aus dessen Grundvesten der mythische Quell emporströmt und aus dessen Sternenwölbung die mystische Rose herniederleuchtet. Der mystischen Kunst aber haftet keineswegs, wie aus der kunstfeindlichen, großen Menge hie und da verlautet, irgend etwas Verschrobenes, Erklügeltes oder Absonderliches an, sie ist vielmehr reine und höchste Idealkunst, Seelenkunst, welche wie die Religion und wohl auch die Philosophie das Unfaßbare und Göttliche dem Gefühl anzunähern trachtet ... Seit den Uranfängen der Menschheit sind die Wahrheit, die Schönheit, die Liebe die unverrückbaren Leitsterne alles Gestaltens. Nur die Form erneuert sich von Geschlecht zu Geschlecht, Form aber ist Inbegriff, die schöne Form die Seele des Alls, die Form die Inkarnation des Traums, die Form ist Gott, ein Gott an sich ist undenkbar und unmöglich, also ist der Kosmos Gott«, schreibt M. RAPSILBER in seiner Einführung über Melchior Lechter 1904[91].

Lechter assimiliert in seiner mystischen Kunst alles an zeitgenössischen Anregungen, was ähnlichen symbolischen Tendenzen folgt: in der Graphik Einflüsse der englischen Präraffaeliten und vor allem der Symbolisten KHNOPFF und TOOROP mit ihrem konsequenten Hang zum Verrätseln der Dinge (Fig. 24). In den Gemälden verarbeitet Lechter neben der neugotisch-

24 Melchior Lechter,
Ex Libris für Konsul Auerbach.
1896

nazarenischen Tradition, der er folgt, ebenfalls den Einfluß der Präraffaeliten,
vor allem CRANES, dann aber auch viele Anregungen von BÖCKLIN und
KLINGER, doch im Ganzen betont er – ähnlich wie George – das 'Deutsche'
in seiner Kunst. Ein Hauptwerk seiner Malerei entstand 1899 als dreiteiliges
Tafelgemälde für den Pallenberg-Saal in Köln: *Die Weihe am mystischen Quell.*
Das Bild zeigt in traumhaft-unwirklichen Farben auf blaugrüner Wiese – vor
einer roten Landschaft als Hintergrund – einen goldenen, edelsteinbesetzten
Renaissancetempel, aus dem eine gekrönte Gestalt mit einem Heiligenschein
herausgetreten ist und dem anbetend vor ihr knienden Stefan George aus
einer Schale einen Trank spendet, den dieser wie ein Abendmahl empfängt.
Engel begleiten die Szene mit Harfenspiel und mit schwingenden Weihrauch-
fässern. Neben den Werken Stefan Georges, deren Ausschmückung der Dichter
dem Künstler ausschließlich überläßt entsteht vor allem die Illustration zu

MAURICE MAETERLINCKS ›Schatz der Armen‹ (1898), das von den Zeitgenossen als eines der schönsten Bücher des Berliner Jugendstils geschätzt
wurde.

In dieses, ihm gemäße symbolistische Klima kommt von München HUGO
HÖPPENER (geb. 1868). 1889 war er Schüler des romantischen Sonderlings
DIEFENBACH, der ihm den Namen FIDUS – der Getreue – verlieh, unter dem
Höppener in ganz Deutschland als einer der populärsten Graphiker des Jugend-
stils bekannt wurde (Fig. 25). Zusammen mit Diefenbach hatte er unter An-
knüpfung an die deutsche Romantik RUNGES und SCHWINDS Naturgeister
und Sonnenelflein zu neuem Leben erweckt. Seine Scherenschnitte in reinem
Schwarz der naturalistisch-bewegten Silhouetten gegen den weißen Grund
haben in Deutschland die Silhouettenkunst des Scherenschnitts für mehrere
Jahrzehnte populär gemacht. Die Munterkeit seiner Kinderfriese hat Fidus in
Berlin leider aufgegeben und sich fast ausschließlich einer symbolistischen
Gedankenkunst gewidmet, die stark von TOOROP angeregt war und dem
George-Kreis nahekam, so in seinen Illustrationen zum ›Tempeltanz der Seele‹,
zur ›Übersinnlichen Welt‹, zu DEHMELS ›Aber die Liebe‹, zu den ›Hohen
Liedern‹ von FRANZ EVERS, zu ED. STUCKENS ›Balladen‹, theosophischen
Märchen und anderem. Ihn beherrscht der »Traum von einer zukünftigen
Menschenschönheit und edlen Menschlichkeit« (Rentsch). Da er seine Kunst
in den Dienst zeitgebundener Reformbewegungen wie Nacktkultur, Neuger-
manentum und so weiter stellte, gewann er zwar an Breitenwirkung, verlor
aber immer mehr die ihn anfangs zweifellos auszeichnende Originalität.

Eine reiche Buchgraphik entfaltete sich im Bereich der Zeitschriften ›Pan‹
und ›Insel‹; neben Künstlern aus ganz Deutschland und zur Mitarbeit eingeladenen Ausländern kamen hier besonders Berliner Künstler zum Wort.
Andererseits haben die Kreise, die sich um solche Veröffentlichungen gruppieren, eine starke Anziehungskraft und veranlassen viele Künstler, sogar von
München nach Berlin zu ziehen.

Neben den am ›Pan‹ mitarbeitenden Künstlern wie van de Velde, Leistikow
und Ludwig von Hofmann bestimmt vor allem OTTO ECKMANN (1865–1902)

41 Egon Schiele, Weiblicher Akt. Zeichnung. 1917
42 Rudolf Jettmar, Aufgehender Mond. Radierung

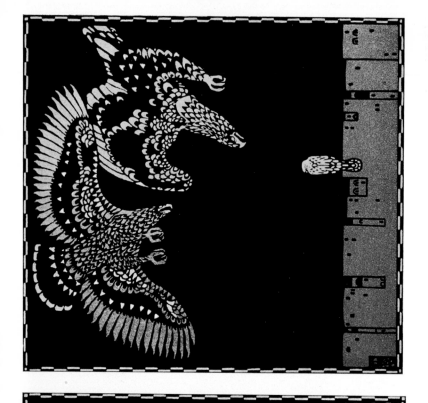

stark das Bild dieser Zeitschrift. 1894 geht er von der Malerei zum Kunstgewerbe über und wird 1897 Lehrer an der Berliner Kunstgewerbeschule. Wegen seiner Ornamentik, die er aus stilisierten Blüten und Pflanzen ableitet, hat man seine Kunst als 'floralen' Jugendstil bezeichnet. Es liegt meist eine Art von Wehmut in diesen Blättern, die in frischen Linien aus der Wurzel aufsteigen und im letzten Drittel müde wieder nach unten knicken und ziellos zur Erde zurücksuchen, wie in der Titelblatt-Zeichnung zu dem Gedicht von Elsa Zimmermann ›Der Tag hat sich geneigt‹ (Fig. 26). Im Duktus der Umrisse, im Rhythmus der Schwarz-Weiß-Verteilung drückt sich wie in den Linien einer Handschrift graphologisch zu deutende Seelenstimmung aus.

Im ›Pan‹ erschienen auch die Arbeiten des Münchner Architekten und Kunstgewerblers PETER BEHRENS (1868–1940), der wie Eckmann von der Malerei ausging und – allerdings erst später – nach Berlin übersiedelte. Sein Farbholzschnitt *Der Kuß* (Fig. 27), im ›Pan‹ zuerst veröffentlicht, ist zum Inbegriff deutscher Jugendstilkunst geworden: um die fast klassizistisch-strengen Profile der Liebenden spinnt sich das dichte Geschlinge ihres Haares zum dekorativen Ornament, das die ganze Fläche mit wogendem Rhythmus erfüllt und nur in der Mitte eine spannungsvolle Ruhe entstehen läßt.

Für die ›Insel‹ arbeiten in Berlin vor allem der Belgier GEORG LEMMEN (1865–1961), der um seine Holzschnitte ähnliche Rahmenformen schlingt wie Peter Behrens; das zentrale Mittelbild aber kehrt sich von diesem Rahmenstil meist deutlich ab und folgt präraffelitischen Anregungen im Sinne einer idyllisch-intimen Gartenlaube-Stimmung (Fig. 28). E. L. WEISS, von dem das berühmt gewordene Inselsignet stammt und der ebenfalls zu den Hauptillustratoren der ›Insel‹ gehört, besuchte nach Ausbildung an den Kunstakademien in Karlsruhe und Stuttgart die Académie Julian in Paris. Von 1907–1933 wirkt er in Berlin als Lehrer an der Unterrichtsanstalt des Kunstgewerbemuseums und an den Vereinigten Staatsschulen für freie und angewandte Kunst. Die Begegnung mit dem neuen Stil in Paris, vor allem die Bekanntschaft mit VALLOTTON, hat seinem Stil die entscheidende Richtung gegeben. In seinen Illustrationen, die in ihrer Gegenständlichkeit dem Inhalt des Textes genau folgen, verbindet er den konsequenten Schwarz-Weiß-Holzschnitt mit natu-

43 C. O. Czeschka, Krimhildens Traum. Farbholzschnitt aus ›Die Nibelungen‹

25 Hugo Höppener, genannt Fidus, Tanzreigen. Linolschnitt 1909

ralistischen Körperformen, ohne die Umrisse vereinfachend zu arabeskenhaften Körperformen zu stilisieren, im Gegensatz zu Vallotton oder Beardsley; dadurch aber erreicht er eine große Genauigkeit im Erzählerischen. – Außerdem arbeiten für die › Insel ‹ HEINRICH VOGELER (Worpswede), THOMAS THEODOR HEINE, MARCUS BEHMER und andere, von denen später die Rede sein wird.

Ein weiteres Zentrum graphischer Kunst bildet in Berlin der 'Jungbrunnenverlag' von Fischer und Franke mit seinen zwanglos erscheinenden Heften des ›Jungbrunnen‹. Hier wird besonders das nationale Sagen- und Märchengut in Neudrucken altdeutscher Überlieferung gepflegt, und die Verleger wollen damit zeigen, »daß die deutsche Kunst unserer Zeit mehr denn jede andere berufen ist, eine Erzieherin des Volkes zu werden, sein ästhetisches Gefühl zu bilden und es zu entwöhnen von der faden Wassersuppe der sogenannten Familienblätter, Prachtwerke und Bilderbücher, auf daß es wieder Geschmack finde an einer kräftigeren und edleren Kost.«

Die illustrativen Arbeiten, welche die Texte begleiten, sind von unterschiedlicher Qualität und keineswegs nur von Jugendstilkünstlern ausgeführt; auch die historisierende Neugotik hat an den Illustrationen, die teilweise mit etwas zu viel Absichtlichkeit deutsche Tradition pflegen wollen, großen Anteil.

Daneben aber entsteht eine Märchenillustration, die dem kindlichen Gefühl für das fremdartige und seltsame Geschehen wunderbar gerecht wird, so vor allem die Arbeiten von ARPAD SCHMIDHAMMER (Fig. 29), FRANZ STASSEN und MAXIMILIAN DASIO. Der Einfluß englischer und schottischer Illustrationen ist bei ihnen vorherrschend; vor allem arbeiten sie fast ohne kompakte Schwarzfläche und geben im Gegenteil der Weißfläche zwischen den Umrißlinien sehr viel Raum, so daß Kinder förmlich angeregt werden, die Flächen 'auszumalen'. Diesen verlegerischen Pioniertaten in Berlin sind in Leipzig die Verlage von Eugen Diederichs und Hermann Seeman anzuschließen, die in der Qualität der Illustrationen jedoch hinter den Berliner Verlagen zurückstehen.

26 Otto Eckmann, Vignette zu Elsa Zimmermann
›Der Tag hat sich geneigt‹. Um 1898

7 Die Münchner Jugendstilmalerei

München ist als Metropole des Jugendstils viel stärker zum Begriff geworden als Berlin, wo die Freiheit der Kunst ständig vom Kaiserhaus beschattet war und auch andere Tendenzen, wie der deutsche Impressionismus oder die aus polemischen Anlässen geborene sozialkritische Kunst (BALUSCHEK, KOLLWITZ) ebenso vordringlich um ihre Durchsetzung kämpften. In Berlin waren auch die literarischen Akzente gewichtiger als in München, wo sich ein viel unbeschwerteres Bohémien-Leben entfalten konnte – mit allen Vorzügen und Nachteilen. Auch in München entwickelte sich der neue Stil aus der akademischen Tradition und aus der einheimischen Pleinairmalerei heraus und wurde im Endeffekt – stärker als je in Berlin – zu einer stadtbürgerlichen Gesellschaftskunst; die Ablösung vom Bürgerlichen, die der Jugendstil von Anfang an beabsichtigt hatte, wird erst im Expressionismus vollzogen. Noch stärker als in Berlin halten sich hier konservative Kunst und neuer Stil der Jugend in enger aber anregend spannungsvoller Nachbarschaft, und so konnte CORINTH feststellen: »In keiner Stadt Deutschlands stieß Altes und Neues in so heftiger Form aufeinander wie in München.«

Der Aufbruch zum Neuen erfolgte in München bereits 1892 durch die Gründung der Sezession, der frühesten Sezessionsgründung im deutschen Sprachbereich; dennoch hatte man das Gefühl, weit zurück zu sein. So schrieb RICHARD MUTHER in seiner Besprechung der Frühjahrsausstellung von 1900: »Vor 15 Jahren, als ich nach München kam, befand sich die Münchner Kunst in einem Stadium kraftlosen Siechtums. Man malte viel und rechtschaffen, aber man malte ohne innere Überzeugung in dem Stile weiter, den man auf der Schule gelernt hatte: gutgemeinte Genrebilder und brave Historien. Neue Anregungen fehlten, denn die Kunst des Auslands war wenig bekannt. In einer Zeit, als anderweitig die Kunst ganz neuen Zielen zustrebte, ging man in München noch selbstzufrieden im abgetragenen Samtkostüm Pilotys einher.«

Die Sezession ist jedoch keineswegs des künstlerischen Fortschrittes wegen gegründet worden, sondern war zunächst eine reine Zweckgemeinschaft, die sich gegen die vom 'Malerfürsten' LENBACH geschmacklich dekretierte, konservative 'Künstlergenossenschaft' zusammenschloß. Man wollte bessere Ausstellungsbedingungen durchsetzen und forderte dazu eine strengere, auf Qualität und nicht auf Publikumswirksamkeit gerichtete Bildauswahl, ein

27 Peter Behrens, Der Kuß. Farbholzschnitt 1900

sogenanntes 'Dreibildersystem', das jedem Künstler die gleiche Chance gab; außerdem schloß man Kontakte mit dem Ausland durch Einladung junger und fortschrittlicher Künstler zu den Jahresausstellungen. Während die beiden ersten Forderungen vorbildlich erfüllt werden konnten, machte sich bei der Forderung nach Auslandskontakten die Unsicherheit des Urteils hindernd bemerkbar, das aus der teils konservativen, teils fortschrittlichen Zusammensetzung des Kreises resultieren mußte. Die eingeladenen Ausländer waren meist zweite und dritte Garnitur des Pariser Salons, Impressionisten fehlten völlig. Wenige Jahre später spaltete sich dann aus der Sezession die 'Freie Vereinigung Münchner Künstler' ab, die unmittelbar den Anschluß an die moderne europäische Kunst suchte.

Das künstlerische Leben Münchens ist vielleicht am besten mit zwei widersprechenden Urteilen zu charakterisieren. So schreibt der Kunstkritiker und Dichter MAX HALBE: »In dieser Republik des Geistes war kein Rangunterschied als der des Könnens, des Talents. Auch der Ärmste konnte sich hier schließlich durchsetzen, mochte es auch Kampf genug kosten, der ja aber auch dem Begüterten nicht erspart blieb. Denn die Auslese der Besten, der Fähigsten, in diesem unerhörten Wettbewerb von so viel Jugend und Könnern war streng wie nie, vollzog sich nach den ureigensten Gesetzen des künstlerischen Schaffens. Wer nicht rastlos an sich arbeitete, nicht unermüdlich vorwärts strebte, unentdecktem Land entgegen, der blieb bald zurück, wurde mitleidlos abgetan. Es wehte eine scharfe Luft in den Ateliers, in den Arbeitsstuben der damals Malenden, Schreibenden und Dichtenden.«[93]

Dagegen schreibt WILHELM MICHEL in seiner Monographie über LEO PUTZ: »München ... hat eine gefährliche Neigung, kaum erst entwickelte Begabungen durch eine wahllose Anerkennung frühzeitig festzulegen und zu hemmen. Es hegt zu seinen Talenten eine wahre Affenliebe und verfährt mit seinen begabten Kindern so wie manche liebevolle Mutter aus dem Tierreich: es frißt sie auf. Nirgends findet man mehr jungen künstlerischen Nachwuchs als in München und nirgends hält der Nachwuchs seine Versprechungen weniger als hier. Ganz natürlich: Hat die 'persönliche Note' einmal uneingeschränkten Erfolg gehabt, so erscheint sie dem glücklichen Inhaber als ein absoluter Wert, und er beginnt von nun an die eigene Handschrift zu kopieren. Er verliert den malerischen Problemen gegenüber seine Naivität und hat sich im Handumdrehen in seiner Manier verloren.«[94]

28 Georg Lemmen, Illustration
zu Otto Julius Bierbaum
›Die vernarrte Prinzeß‹.
Holzschnitt aus der ›Insel‹. 1898

8 Hugo Freiherr von Habermann (1849–1929)

HABERMANN ist das typische Beispiel eines konservativen Akademikers, den der Impuls des neuen Stils auf der Höhe seines Schaffens trifft; so bleibt sein Jugendstil immer mit der akademischen Malweise, vor allem mit dem akademischen Sujet verbunden: dem Porträt und dem Figurenbild, zumal dem weiblichen Akt. Als Meisterschüler PILOTYS besitzt er eine unfehlbare Sicherheit in der zeichnerischen Erfassung des Modells; aber im Gegensatz zu seinem Lehrer interessiert ihn nicht das große Pathos der Historie, sondern – auch in den Anfängen seiner Entwicklung, wo er szenische Bilder malt – der intime, zufällige Augenblick in der Garderobe des Modells, oder mit leicht sozialkritischem Einschlag, die Szene in der Sprechstunde des Arztes *(Das Sorgen-kind)*. Seit der Spaltung der Münchner Künstlerschaft ist Habermann – Mit-begründer der Sezession und ab 1904 ihr erster Präsident – der verständnisvolle Mentor der jungen Kunst.

In seinen Porträts und Aktbildern drängt Habermann die Realitätsgrade in der Umgebung des Modells stark zurück, so daß Hintergrund und Umgebung etwas fließend Vibrierendes erhalten (Abb. 31). Das Modell selbst ist ganz dem Spiel des Pinsels unterworfen, der auf der Fläche ondulierend den Formen entlang gleitet und dem zuliebe sogar die Körperformen deformiert werden können; zumal die Hände erscheinen bisweilen verrenkt. Auch das Gesicht wird in der Stimmung eines vorüberhuschenden Augenblicks oft unschön und verzerrt wiedergegeben. Der weibliche Akt ist diesem Künstler Inbegriff der wunderbaren Beweglichkeit des menschlichen Leibes, und er folgt im ge-dämpften Streiflicht allen Modellierungen der Oberfläche in ihrem auf- und abwogenden Spiel. So ist die Jugendstilarabeske bei ihm unmittelbar an die geschaute Naturform gebunden. Gern malt er Damenbildnisse mit Schmuck, wobei das Halsband schmiegsam über die Erhöhungen des Körpers schleicht und sich in die Senkungen wohlig einbettet und das goldene Gleißen die opalisierende Haut belebt. Dem weichen Fließen der Formen entspricht somit eine delikate, nuancierende Farbharmonie.

Habermanns Wirkung beruht nicht zuletzt auf dem von ihm interpretierten Typ des geistreichen, pikanten Weibes, in dem er eine Lieblingsvorstellung des Fin-de-Siècle zusammenfaßt: »Es sind Geschöpfe voller Launen, oberfläch-lich, sinnlich, leidenschaftlich, nervös und überreizt, kurz, das Weib, das sich von den Fesseln der Moral seiner eigenen Gesellschaft befreien möchte und im Kampf gegen die Gesetze der Gesellschaft seine Kräfte vorzeitig verbraucht. Ein geistreicher Psychologe, hat Habermann die Nerven jener Weltdamen bloßgelegt, die an der Grenze stehen, auf der sich die Hautevolée und die Demimonde berühren. Diese Köpfe sind Vertreter einer Rasse, und der äußeren, dekorativen Auflösung der Erscheinung im Bilde ist die Loslösung ihres Innern, die Entfesselung des Weibes von eingewurzelten Sittengesetzen, ihr schwankender Charakter verwandt. Zwischen dem Wie und dem Was des Bildes lebt eine innere Beziehung. Und gewiß sind diese Bildnisse kultur-geschichtliche Dokumente für eine kommende Generation.« So urteilt bereits der Zeitgenosse über Habermanns Werk[95].

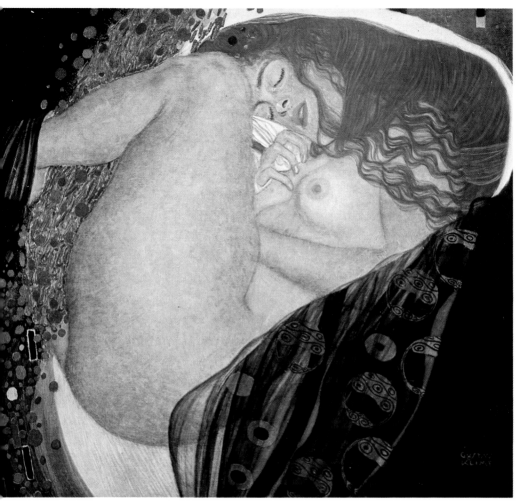

Gustav Klimt, Danae. Um 1907/08. Öl auf Leinwand, 77 x 83 cm. Privatbesitz, Graz

◁ 2   Gustav Klimt, Wasserschlangen (Freundinnen) I. Um 1904/07. Mischtechnik auf Pergament,
      50 x 20 cm. Österreichische Galerie, Wien

◁◁ 1   Alphonse Mucha, Die Musik. 1898. Poster, 56 x 34 cm

4   Edvard Munch, Angstgefühl. 1894. Öl auf Leinwand, 94 x 74 cm. Munch Museet, Oslo

5   Franz von Stuck, Die Sünde. 1893. Öl auf Leinwand, 95 x 59,7 cm. Bayerische Staatsgemäldesammlungen
     München ▷

6 Aristide Maillol, Die Woge (Das Meer). Um 1895. Öl auf Leinwand, 95 x 89 cm. Musée du Petit Palais Paris

7 Ferdinand Hodler, Aufgehen im All. 1892. Öl und Tempera auf Leinwand, 159 x 97 cm. Kunstmuseum Basel ▷

8 Henri de Toulouse-Lautrec, Schleiertanz der Loïe Fuller. 1893. Terpentinmalerei auf Karton, 65 x 47 cm. Musée d'Albi ▷▷

9   Franz von Stuck (1863–1928)

FRANZ VON STUCK verkörpert mit seinem Aufstieg vom armen Müller-burschen aus Tettweiß zum geadelten 'Malerfürsten', Akademieprofessor und stellvertretenden Präsidenten der Sezession sichtbar die Möglichkeiten, die das München der Jahrhundertwende zu bieten hatte. Dem Jugendstil kommt von dem in vielen Farben schillernden Werk dieses Künstlers ein großer Anteil zu.

Der junge Künstler läßt sich in München offiziell in der Kunstgewerbeschule und in der Akademie einschreiben, aber er besucht diese Institutionen nur selten, da er – völlig mittellos – sich vor allem sein Geld mit graphischen Arbeiten verdienen muß. Für Klischeefabriken zeichnet er heraldisch exakte Familien-wappen mit historischen Emblemen, und die Münchner Redaktionen der ›Allotria‹ und der ›Fliegenden Blätter‹ veröffentlichen seine humoristischen Bildergeschichten, die er mit urwüchsigem Bauernwitz entwirft. Diese un-bändige, koboldhafte Lustigkeit macht ihn auch später, da er nur noch im Frack hinter der Staffelei arbeitet, zu einer anziehenden und beliebten Persön-lichkeit. Seine künstlerische Ausbildung erwirbt er sich größtenteils als Auto-didakt im unmittelbaren Studium der selbst gewählten Vorbilder DIETZ, BÖCKLIN, LENBACH, HOLBEIN. Schon sehr früh wendet er sich dem Motiv-kreis der Symbolisten zu und empfängt starke Anregungen vor allem von FERNAND KHNOPFF, dessen hintergründige Auslegung weiblicher Bildnisse Stuck durch eine theatralische Dämonie ergänzt. Jedes Bild, das er auf den Jahresausstellungen der Sezession vorführt, wirkt als Sensation. »Stuck, aus einer Gegend gebürtig, wo einst römische Kolonien waren, ähnelt als Mensch einem römischen Gladiator: ein Athlet, ein Kraftmensch, der wie ein wilder Kentaur in die müde, weiche Gegenwart hereinplatzt«, charakterisiert ihn Richard Muther 1899. Dabei hat sich Stuck jeden Zweig der bildenden Kunst erarbeitet; als Bildhauer, Maler, Karikaturist, Kunstgewerbler, Graphiker und Architekt erreichte er eine erstaunliche Einheitlichkeit im gesamten Lebens-werk.

Fast alle Bilderfindungen Stucks umkreisen das Thema der Erotik, auch, wenn er im Frühwerk ein Bild der *Innocentia* malt: im flutenden Licht einer goldenen Gloriole den Kopf eines Mädchens, dessen Augen und Mund mit unverkennbarer Sinnlichkeit dem Betrachter entgegen blühen. Wenig später entsteht *Die Sünde*, eine Bildkonzeption, die Stuck in mehreren Fassungen immer wieder gemalt, gezeichnet und radiert hat und mit der er ein verbindliches, immer wieder zitiertes Gesellschaftssymbol der Jahrhundertwende schuf. Auch hier erkennt man in dem eng um die Gestalt oder das Antlitz gelegten Bildausschnitt, im Aufleuchten realistischer Einzelheiten aus verdämmerndem Grund den Einfluß Khnopffs. Eine Variation dieses Themas, das Haupt der *Medusa*, zeigt die enge Verknüpfung von Symbolismus und Jugendstil in Stucks Werk: Im quadratisch-tektonischen Format einer Metope das starrfrontale Antlitz mit den edelstein-kalten Augen und den Schlangenhaaren, die das unmenschlich-harte Gesicht in gefährlichen Arabesken umrahmen. Unterstützt von den unwirklich opalisierenden Farben scheinen die Vipern – im Gegensatz zu der Unbeweglichkeit des Gesichtes – sich schlängelnd zu regen, aus dem Dunkeln hervorzukriechen und dort wieder unterzutauchen.

Stucks Landschaften sind stimmungsmäßig auf die Figurengruppen bezogen, die sich in ihnen bewegen und Symbole menschlicher Leidenschaften enthalten, »eine Erotik, die, frei von allen Schranken, nur genießen will« (Koeppen). Auch in solchen Bildern verbindet Stuck den Jugendstil meist mit dem Symbolismus. Im Tanz der *Orgie* (Abb. 32) gleitet die Bewegung von einer Gestalt auf die andere über, sind die Figuren eingebunden in einen Taumel der Linien, Formen und Farben, die magisch beleuchtet gegen einen düsteren Hintergrund stehen. »Die sinnliche Glut des Tanzes, das Suchen und Finden der Tänzer, das Ineinanderfließen der heißen Empfindung, die völlige, gegenseitige Hingabe ist in dieser einfachen Formensprache wirklich einzig in unserer Kunst«, empfinden die Zeitgenossen. Die rauschhaftesten Kompositionen aber sind stets formal gebändigt durch einen strengen, flächenhaft-dekorativen Bildrhythmus, durch die ruhige Wucht der Tektonik, mit der die Bildbewegung meist zum Rahmen hin gebändigt wird und durch einfachste, aperspektivische Raumgliederung und flächige Ausbreitung der Körperbewegungen, die jedoch auf exaktem Modellstudium beruhen.

Man muß Stuck von der Diskrepanz des Realen und Irrealen her verstehen, wenn man seinem Werk heute wieder gerecht werden soll. Seine Kunst ist Ausdruck der zwischen Positivismus und Idealismus schwankenden Zeit und ihrer Gesellschaft und bietet aus dieser offenen und fruchtbaren Situation heraus Ansätze zur modernen Entwicklung, die Stuck nur angebahnt, aber selbst nicht weitergeführt hat. Doch brachte er seine begabtesten Schüler auf diesen Weg, an deren Namen man sich erinnern muß, wenn man die Bedeutung

29 Arpad Schmidhammer,
Illustration zum
›Jungbrunnen‹.
Um 1900

Stucks bewerten will: KANDINSKY, KLEE, WEISGERBER, PURRMANN, LEVY.
Sie führen unmittelbar in die Moderne hinein.

10 Carl Strahtmann (1866–1949)

Auch STRAHTMANN gehört in die Reihe der akademisch geschulten Eklektiker, doch bindet er seine künstlerischen Mittel stärker an den Jugendstil als
die zeitgenössischen, im wesentlichen gleichgesinnten Künstler. Unter den
Bajuwaren ist er der witzsprudelnde Rheinländer, der in München seine Wahlheimat gefunden hat. Von der Düsseldorfer Akademie war er als untalentiert
entlassen worden, aber KALKREUTH hatte in Weimar seine besonderen Fähig-

keiten erkannt und gefördert. Doch erst in München entfaltete er sein ganzes wahres Wesen. Eine Karikaturenmappe unter dem Titel 'Fin de Siècle', die Hanfstaengl herausgab und die eine Fülle breughelhafter Komik, auf Typen der Jahrhundertwende übertragen, zum besten gab, machte den Künstler sofort beliebt, während er mit seinen Gemäldekompositionen auch in München nach wie vor Anstoß erregte und sich nur langsam durchsetzen konnte.

Strahtmanns Vorliebe galt einer kleinteiligen, mosaizierenden Malweise, die er mit der großen akademischen Figurenkomposition zu verbinden suchte – ein Kontrast in der Auffassung und in den Mitteln, der den Zeitgenossen schwer verständlich schien (Abb. 33). Doch Strahtmann schulte sich am byzantinischen Mosaik, wo die Verbindung von großer Form und kleinteiliger Behandlung vorbildhaft gelöst war, und an den Winterbildern der niederländischen Landschaftsmalerei um 1600, die eine weite und einheitlich gesehene Landschaft mit dem dichten Mosaik der in der Luft gleichsam stehengebliebenen weißen Schneeflocken überzog; beiden Quellen seiner Kunst nähert er sich in einigen Bildern fast kopierend.

In seinen Gemäldekompositionen war Strahtmann – genau wie Stuck – vom akademischen Symbolismus angeregt; wie der 'Malerfürst' verbildlichte er die klassisch-erotischen Themen von Salambo, Judith, Salome, Kleopatra, Magdalena, Schlangenbraut und ähnliche. Er fing dabei meist mit einer völlig nüchtern aufgefaßten, posierenden akademischen Aktstudie an, die er allmählich wie mit einem dichten Gewebe eines malerischen Gefüges umspann. Über die Entstehung seiner *Salambo* berichtet CORINTH: »Das Weib sollte in vollständiger Nacktheit auf dem Ruhebett träumen, zu Häupten die Harfe. Aber allmählich deckte er die Nacktheit immer mehr mit Teppichen und mit phantastischen Gewändern seiner Erfindung zu, und zwar so, daß am Schluß nur ein mystisches Profil und die Finger einer Hand unter den ornamentverzierten Stoffen hervorsahen.«[96] Strahtmann überzieht seine Bildflächen mit einem teppichhaften, ornamentalen Muster von äußerster Kleinteiligkeit und unglaublichem Motivreichtum; in die kleinsten Details werden immer noch neue Details hineinkomponiert, so daß die ganze Bildfläche – über die kostbaren Gewänder der dargestellten Figuren hinaus – davon erfüllt ist. »Überall auf dem Bild *(Salambo)* blitzen wirkliche farbige Steine hervor, namentlich die Harfe glitzert von falschen Edelsteinen, die er mit bewunderungswürdigem Raffinement auf die Leinwand zu kleben oder aufzunähen verstand« (Corinth). In anderen

Bildern, zum Beispiel den *Kranichen des Ibykus* werden die Kraniche mit Blattgold überzogen.

Auch als Landschafter vermag Strahtmann zu bezaubern; eine Waldwiese überzieht er mit dem leuchtenden Mosaik der Blumen, einen Weg mit phosphoreszierenden Kieselsteinen, die er bisweilen hart gegen die in weichen Tönen gemalte Umgebung setzt; in diesen Landschaften scheint sich stets Märchenhaftes zu ereignen.

Dieses Eindringen des Kunstgewerblichen in die Malerei, die das Bild nicht als Wiedergabe einer Szene auffaßt, sondern es zum selbständigen, schmückenden Objekt erhebt, wird für viele Schöpfungen des Münchner und Wiener Jugendstils charakteristisch – für Strahtmann bedeutet es zunächst eine entschiedene Ablehnung, sogar durch die Sezession, weil seine Werke der herkömmlichen Auffassung eines Bildes zu wenig entsprachen.

11 Die Scholle

Als Ende der neunziger Jahre die Ausstellungsbedingungen für die Jahresausstellungen der Münchner Künstlervereinigung dahingehend geändert wurden, daß Künstlergruppen einen eigenen Saal erhalten sollten, schlossen sich zwölf Schüler der Akademie aus dem Atelier HÖCKERS zu einer Gruppe zusammen und führten – als reiner Zweckverband – unter der Bezeichnung Gruppe 'G' zum erstenmal 1899 im Glaspalast ihre Bilder vor. Der Erfolg, den diese Gruppe bei der Kritik fand, ermunterte die Künstler, sich ernsthaft zu konstituieren und Satzungen aufzustellen; man einigte sich auf den Namen 'Die Scholle', mit dem programmatisch eine Gemeinsamkeit ausgedrückt war, die sich im Werke aller ihrer Künstler fand, auch wenn die Unterschiede im Stil und in der künstlerischen Absicht bei allen sehr eigene Wege ging. Gemeinsam war ihnen allen ein vereinfachter, stimmungsvoller Naturalismus, eine Bindung an große und einheitlich gesehene Naturformen, die nicht als Motivstudien, sondern aus einem urtümlichen Erlebnis heraus gestaltet wurden. Nur wenige abstrahierten dieses Naturerlebnis und -gefühl bis zu den flächigen Formen des Jugendstils, so vor allem FRITZ ERLER, LEO PUTZ, gelegentlich REINHOLD MAX EICHLER, ERICH ERLER-SAMADEN, ADOLF MÜNZER und MAX FELDBAUER.

Im Winter 1899 wurde die Gruppe bereits von der Galerie Gurlitt nach Berlin eingeladen und zeigt dort die gleichen Bilder wie auf der Münchner Ausstellung; seit 1900, wo die Gruppe im Glaspalast schon einen stattlichen Saal füllte, ist sie ein wichtiges Element im Münchner Kunstleben geworden und wird gastweise nach Wien, Berlin, Karlsruhe und Düsseldorf eingeladen. Fast alle ihre Mitglieder veröffentlichen ständig Arbeiten in der ›Jugend‹, die aber bekanntlich nicht nur reine Jugendstilkunst enthält, sondern alles in ihre Blätter aufnimmt, was einen frischen Zug in die deutsche Kunst bringt.

Am stärksten prägt der Jugendstil das Werk des Schlesiers FRITZ ERLER (1868–1940). Nach Besuch der Breslauer Kunstschule und einem mehrmonatigen Aufenthalt in München arbeitet er 1892–1894 in der Académie Julian in Paris, wo er mit den Nabis, und vor allem mit TOULOUSE-LAUTREC in Berührung kommt, von den Fresken PUVIS DE CHAVANNES stark beeindruckt wird und sogar die in der Bretagne zurückgebliebenen Freunde GAUGUINS aufsucht. 1895 kehrt er nach München zurück und zeigt in seinen Werken starke Reflexe der französischen Kunst, die er mit der akademischen Figurenkomposition zu verbinden sucht. Ähnlich wie Stuck und Strathmann verdichtet er gedankliche Symbole zu menschlichen Gestalten, die er jedoch nicht unheimlich und dämonisch, sondern kraftstrotzend und monumental in die vorderste Bildebene – meist vom unteren Bildrand überschnitten – einkomponiert und sie im Hintergrund mit einer flächigen, tektonische Bezüge betonenden Landschaft begleitet, ähnlich wie es Puvis de Chavannes getan hat. So füllt Erler in seinem ersten Hauptwerk, den Wandgemälden im Musiksalon der Villa Neisser in Breslau von 1898/99 breitformatige und quadratische Wandfelder mit mächtigen, meist nackten Figuren, die musikalische Tempi vorstellen sollen und diese durch Attribute veranschaulichen: das Scherzo durch einen muskulösen Bärenführer, der mit seinem Tier tanzt, das Furioso durch die Gestalt eines nackten Kriegers, hinter dem eine Stadt in Flammen aufgeht, den Tanz durch die Figur der Salome. Später entstehen ähnlich aufgebaute allegorische Darstellungen, wie das Triptychon von der Pest, die Allegorien der Tageszeiten, der Elemente usw. Erler schwelgt dabei in glühenden Farben mit heftigen, warm-kalten

30 Fritz Erler, Titelblatt zu Max Schillings ›Ingwelde‹. Lithographie 1899

Kontrasten, während er in seinen Porträts meist fein abgestufte, kühle Farb-
nuancen vorträgt.

Seit dem Frühwerk läßt sich bei Erler eine betonte Vorliebe für Stoffe aus
dem nordischen Sagenkreis beobachten, Szenen aus der Edda, dem Nibelungen-
lied und romantische Phantasien aus dem Leben einer von ihm erdachten,
germanischen Urbevölkerung (Fig. 30); sie verdanken ihre Entstehung einer
ähnlichen Mentalität wie die Sagenbilder AXELI GALLÉNS. Immer wieder kehrt
in Erlers Bildern der Typus eines germanischen Weibes, »ein kraftvoll mäch-
tiges Geschöpf mit großen, vollen Formen, mit kalten Augen und üppig geschwungenen, sinnlichen Lippen, mit den Bewegungen einer Göttin. Eine
Überwinderin, ein Weib, das in der Phantasie des schwächlichen Mannes zur
Herrin wird, von dem er sich mit Füßen treten und mißhandeln läßt. Die
schwere, melancholisch-schwüle Gestalt dieses Weibes mit seinen großen
ruhigen Bewegungen ist von »grausam sinnlichen Klängen von Grau, Gelb
und Violett umtönt« – so empfindet ein Zeitgenosse wie Hans Rosenhagen
in einer Kritik der 'Scholle' von 1905 Erlers Kunst, die bereits Leitbilder der
deutschen Kunst der dreißiger Jahre vorwegnimmt[97].

LEO PUTZ (1869–1940), ein heiter-ironischer Südtiroler, zeigt daneben ein
völlig anderes Temperament. Auch er ist durch die Schule der Académie Julian
in Paris gegangen, aber ihn haben dort weniger die Stilisten beeindruckt, als
die Lichtprobleme der Impressionisten, die er vorzugsweise bei jenen Meistern
studierte, die den Gegenstand nicht in Farbpartikeln zerlegten, sondern die
Großformigkeit bewahrten: bei RENOIR und beim frühen MANET. Das
symbolistische Klima Münchens erfaßt auch ihn, und frühe Bilder verraten
deutlich den Einfluß Stuckscher Dämonie: ein Pantherweibchen mit mensch-
lichem Kopf, das eine düstere Treppe herunterschleicht, oder sein Vanitasbild,
in dem nackte Gestalten aus nebelhaft-unbestimmbarer Tiefe auftauchen und
sich zu knorpelhaften Ornamenten verschlingen. Doch Putz gibt das Dämoni-
sieren, das ihm ohnehin nicht liegt, bald auf zugunsten märchenhaft-heiterer,
unbefangen-sinnlicher Symbole des Weiblichen, malt anthropomorphe
Schneckenjungfrauen, die mit ihren Schneckenkindern spielen oder sich mit
Schneckenjünglingen paaren, malt ein *Bacchanal* mit einer fröhlichen Katz-

balgerei von hübschen, nackten Mädchen und zottigen, aber im Grunde gut-
mütigen Eisbären und Leoparden; er malt die *Bajadere* aus Tausendundeiner
Nacht (Abb. 34), wollüstig auf ihr Juwelenbett geschmiegt vor dem Hintergrund einer Orgie, die von Bären und Mädchen gefeiert wird; stets ironisiert
Putz die Symbole, in denen sich die Gesellschaft des Fin-de-Siècle so gerne
spiegelt.

Der Hauptanteil des Werkes von Putz gehört der Aktkomposition, für die
er meist das gedämpfte Reflexlicht im Schatten eines heißen, sonnigen Tages
bevorzugt. Er belauscht seine Modelle in der intimen Stimmung des Ruhens
und Nichtstuns; darum zeigen seine Bilder eine unbefangene, fast kindliche
Freude am nackten weiblichen Körper, frei von jeder Dumpfheit und Schwüle.
»Es liegt tief darin die Anschauung, daß das Weib eine feine, zarte, unbegreif-
liche Blume ist, der man danken muß, weil sie existiert und duftet«, schreibt
sein Biograph WILHELM MICHEL. Ähnlich wie bei Habermann gleitet der
Pinsel arabeskenhaft modellierend über die Formen und betont die dekorative
Oberfläche des Bildes, unterstützt von den klangvollen Zusammenstellungen
reiner Farben in einer überlegenen, dekorativen Disposition. Der Münchner
Kunstkritiker KARL SCHLOSS lobte Putz mit der Feststellung, er male uns
gleichsam die Vokale der Farbensprache.

Mit Erler und Putz sind zwei Grenzfälle im Anteil des Jugendstils der
'Scholle' abgesteckt. Die Mehrzahl der übrigen vertritt eine Kunst stimmungs-
hafter Erzählung, voller Einfälle, Witze und kindlicher Freude an den märchenhaften Stimmungsbildern der Jahres- und Tageszeiten, der menschlichen
Wunschträume und heimlichen Gelüste. Sie tragen einen wahren Hausschatz
der Jahrhundertwende-Kunst zusammen, ohne das große Wagnis des revolu-
tionären Stils einzugehen und stets mit der Betonung des bürgerlichen ästhe-
tischen Prinzips 'Kunst für Alle'. Ihre Nachfolge wurde bis zu Ende der vier-
ziger Jahre in Deutschland gepflegt und füllte die Säle im 'Haus der deutschen
Kunst' – sie stellen heute vielleicht noch keine kunstgeschichtlichen, wohl aber
soziologische und kulturgeschichtliche Probleme, deren Aufschlüsselung –
ähnlich wie die der Kunst des Historismus und bürgerlichen Salons – für die
Analyse des Zeitalters eines Tages notwendig werden wird.

45   Wassily Kandinsky, Russische Schöne in Landschaft. 1905

12 *Historismus im Münchner Jugendstil*

Während in den romanischen Ländern 'Art Nouveau' einen deutlichen Neu-
anfang bedeutet, konnten wir beobachten, daß in den germanischen Ländern
der neue Stil entweder aus der Tradition des neunzehnten Jahrhunderts heraus-
wächst (England), oder bewußt diese Tradition aufnimmt und weiterführt.
Dies ist besonders deutlich im Münchner Jugendstil zu beobachten, wo eine
Reihe von Künstlern an das sogenannte zweite Rokoko, die letzte Phase in der
Repetition historischer Stile im 19. Jahrhundert anschließt. Während die
Jugendstilkünstler sich gerne polemisch als »Stilgründer« gegen die nachgeahmten
historischen Stile verbreiteten, bauten viele Künstler ihren Stil gerade auf solche
Nachahmungen auf, die sie allerdings mit den neuen Stilmitteln bewältigten.
Das Rokoko war nicht nur deshalb der naheliegendste Anknüpfungspunkt,
weil diese Phase des Historismus zeitlich noch gegenwärtig war und sich beim
Publikum großer Beliebtheit erfreute, sondern vor allem auch, weil das Rokoko die letzte geschichtliche Gesellschaftskunst auf der Grundlage des Gesamt-
kunstwerkes darstellte und gleichzeitig eine Stilisierung aller Lebensäußerungen
bis zu extremer Künstlichkeit vertrat, was wiederum dem eklektischen Stil-
empfinden der Jahrhundertwende entgegen kam. Wir sahen aus diesem
Grund auch BEARDSLEY zu Rokoko-Motiven greifen.

Schon vor unseren Feststellungen dieser Beziehungen in der Malerei wies
SCHMALENBACH ähnliche Beziehungen im Kunstgewerbe nach: »In mancher
Hinsicht darf die Rokoko-Ornamentik nach ihrer prinzipiellen Grundlage
wie auch nach ihrem formalen Gesicht als gleichgerichtete Vorstufe des
Jugendstils betrachtet werden. In ganz ähnlicher Weise, wie der Jugendstil
mit dem Historismus brach, hat sie zuerst wieder seit der Spätgotik einem
einheitlich eigenen, völlig atektonischen und spielend gewonnenen Form-
komplex zuliebe auf jede Rezeption antiker Bauformen verzichtet... Ganz
ähnlich wie der deutsche Jugendstil bestenfalls zur ornamentalen Schmückung
architektonischer Oberflächen gelangte, ist sie lediglich ein Stil ornamentaler
Dekoration. Auch hat die dem Jugendstil als verhältnismäßig breite Bewegung
unmittelbar vorhergehende Rokokorepetition den noch historisch Geschulten
den Übergang zu den neuen Formen erleichtert.«[98]

Während in den Jugendstilmöbeln typische Rokoko-Motive weiterleben,
wie die Knorpelornamentik oder die sich nach unten verjüngenden Tischbeine

à la 'Louis Seize', greift auch die Malerei – vor allem zum Schmuck von Fest-
sälen, Empfangsräumen usw. – zu Rokoko-Motiven, die oft auf Supraporten
angebracht werden. Hier sind vor allem THOMAS THEODOR HEINE (1867
bis 1948), JULIUS DIETZ (1870-1957), HANS PELLAR (geb. 1868) und die
bereits ausführlicher behandelten Leo Putz und Fritz Erler zu nennen – der
letztere vor allem mit seinen Wandbildern im Wiesbadener Kurhaus. Damit
sind die wichtigsten genannt. Die große Popularität solcher Motive erhellt vor
allem aus den Kunstbeilagen der ›Jugend‹. Auch jener Teil der russischen
Jugendstilkunst, der westlich orientiert ist und starke Beziehungen zu München
und Wien unterhält, hat Teil an dieser Bewegung, die auch in Rußland auf
eine Tradition des zweiten Rokoko zurückgreifen kann.

Es ist bezeichnend, daß gerade Heine – dessen 'Simpl'-Zeichnungen diese
Vorliebe nicht vermuten lassen – mit deutlicher Selbstironie am Rokoko
festhält; man weiß von seiner Sammelleidenschaft für Porzellanpudel und ähnliche Nippsachen. Hans Pellar, der talentierteste unter den Stuck-Nachahmern,
malte mit den Mitteln seines Lehrers Reifrockdämchen, die mit Faunen ringel-
tanzen. Während Heine und Dietz das Rokoko ironisch interpretieren, erhält
es bei Putz und Pellar einen märchenhaften und stimmungsvoll-spukhaften
Aspekt. So finden wir zwar noch die Motive des Historismus, aber nicht mehr
seine positivistische Geschichtsauffassung in dieser Malerei.

13 Wende zur Abstraktion

Die im Jugendstil enthaltenen, entwicklungsgeschichtlichen Möglichkeiten
sind so vielfältig, daß man fast für jede der späteren Entwicklungsphasen moderner Kunst zumindest eine Wurzel nachweisen kann, die bis zum Jugendstil
zurückreicht. Eine große Zahl Münchner Maler wendet sich in den neunziger
Jahren dem Kunstgewerbe zu; auch diejenigen, welche in erster Linie Maler
bleiben, arbeiten daneben an kunstgewerblichen Entwürfen für Möbel,
Tapeten, Vorhänge, Porzellane usw. Die Beschäftigung mit der darstellungs-
freien, aber zweckgebundenen Form, wie sie diese Arbeiten erfordern, führt
letztlich auch zur Beschäftigung mit der zweckfreien Gestaltung. Dieser Schritt,
der in der Kunsttheorie seit GAUGUIN, SÉGUIN, DENIS, VAN DE VELDE
längst vorbereitet ist, wird überall im Jugendstil in ersten Versuchen vollzogen.

HÖLZEL und KANDINSKY in Deutschland, von denen die ersten gegenstandslosen Kompositionen geschaffen wurden, gehören der Jugendstilgeneration an.

Ein Zentrum solcher Bestrebungen, die vom Kunstgewerbe ausgehen,
bildet sich in München um den Schweizer Bildhauer und Kunstgewerbler
HERMANN OBRIST (1863–1927), der ein Atelier für Kunststickerei gründet und
dabei neuartige Formen für ungegenständliche Begriffe findet; eines seiner aus
Pflanzenschlingen entwickelten Motive nennt er 'Peitschenknall' und verbildlicht damit eine im Grund optisch nicht erfaßbare Vorstellung. Mit Obrist
arbeitet AUGUST ENDELL (1871–1925) eng zusammen, aber er geht in der
gegenstandslosen Gestaltung noch weiter: »Endell leitet seine grotesk-phan-
tastische Ornamentik nicht so sehr von ursprünglich konkret-Pflanzlichem ab,
er bildet nicht so sehr einen ursprünglichen Pflanzennaturalismus phantasievoll
um, sondern erfindet von vornherein in Anlehnung an die Bildungsweise
organischer Formen eigene, phantastische Gebilde. Er 'erfindet' gewissermaßen organische Formen. Seine atektonische Ornamentik 'erinnert' dauernd
an Organisches, ohne es je konkret darzustellen, sie gleicht Organischem«
(Schmalenbach)[99].

Solche Versuche, aus dem Pflanzlich-Stilisierten – wie es van de Velde schon
vor 1893 versucht ('Fruchtornament') – zur reinen zweck- und darstellungs-
freien Komposition zu gelangen, erhalten weiteren Auftrieb aus dem 1899
erschienenen Buch HAECKELS ›Kunstformen der Natur', in dem durch ent-
fremdende Vergrößerung und Vorstellung von Naturformen, die dem täglichen Blick nicht geläufig sind, eine Welt von Schönheit erschlossen wird, die
das herkömmliche Naturerlebnis weit übersteigt. FRITZ ENDELL (1873–1955)
und HANS SCHMITHALS (geb. 1878; Abb. 35) schaffen ähnliche Kompositionen, die in der Form zwar ungegenständlich, im Prinzip des Begrifflichen aber
naturhaft sind: Bilder der Bewegung, des Werdens, der Verdichtung von leichter und durchsichtiger zu immer festerer Form (Fig. 31). Dabei fügt sich das
Ungegenständliche, dinglich nicht Assoziierbare zu formalen Arabesken, die
auch der gegenständlichen Jugendstilmalerei zugrunde liegen. Selbst im Spätwerk von FRANZ MARC, in seinen ungegenständlichen Kompositionen lassen
sich Anknüpfungen daran erkennen: abstrakte Formen, die Begriffe verbild-
lichen *(Streit)* und die sich deutlich aus den früheren, gegenständlichen Formen
ableiten lassen.

Eine Genealogie der gegenstandslosen Kunst läßt sich daraus nicht ableiten,

31 Fritz Endell,
Phantastische Erfindung
– Spirale.
Farbholzschnitt
nach einer Zeichnung
von Hermann Obrist.
1927

doch der Jugendstil hat diese Kunst angebahnt und als notwendige Folge herausgefordert: seine Überbetonung der Form gegenüber dem Gegenstand mußte schließlich zur Verselbständigung dieser Form führen.

14 Münchner Jugendstil-Illustration

Ähnlich wie in Berlin bilden auch in München einige Zeitschriften- und Buchverlage das Zentrum einer reichen Jugendstilgraphik, doch ist die Stimmung dieser Publikationen in München wesentlich anders als in Berlin. Während das hohe literarische Niveau der Hauptstadt auch von der Graphik einen strengen, anspruchsvollen Tenor fordert, lebt die Münchner Jugendstilillustration vor allem vom Witz und von der Improvisation. Selbstverständlich ist diese Einteilung nicht endgültig – es gibt Kollaborationen von und nach beiden Seiten.

Ein wahres Feuerwerk bajuwarischen Witzes und Ulks entfaltet die 1896, wenige Monate nach der ›Jugend‹ erstmals erscheinende Wochenzeitschrift ›Simplizissimus‹. Einer ihrer Begründer und Hauptmeister ist der bereits genannte TH. TH. HEINE, der gleichzeitig für die ähnlich ausgerichteten ›Fliegenden Blätter‹, für die etwas familiärere ›Jugend‹ und sogar für die seriöse Berliner ›Insel‹ arbeitet. Mit dem Konstatieren von Einflüssen ist bei Heine, wie bei allen echten Künstlern, nichts gesagt: die japanischen Holzschnitte stehen hinter seinem Werk, vor allem aber die mit äußerstem Sarkasmus formulierte Liniensprache Beardsleys, die Heine noch stärker auf wenige Linien reduziert, die mitten im Weiß des Blattes auftauchen (Fig. 32). »Man muß sich bald die Ohren zuhalten. Es liegt keine Freude in seinem Humor, nur derber, galliger Spott... Heine ist ein kalter, messerscharfer Kritiker, der die Menschen, die Gesellschaft nur im Vorübergehen, aber scharf ansieht, dann unverhohlen mit brutaler Offenheit alle ihre Laster, ihre Intimitäten (und Sentimentalitäten!), ihre heimlichen Sünden und ihre Verlegenheit vor ihren Augen lächelnd an die Wand zeichnet«, charakterisiert in Otto Grauthoff aus zeitlicher Nähe, vielleicht aber mit zu viel Schärfe, die Heine selbst in seiner liebenswürdigen Selbstironisierung häufig mildert.

Das künstlerische Niveau in den Illustrationen des ›Simplizissimus‹ wird wesentlich durch den Norweger OLAF GULBRANSSON (1873–1960) mitbestimmt, der seit 1902 fester Mitarbeiter der Zeitschrift ist. Auch er fußt auf

32　Thomas Theodor Heine,
　　Viola und Isis, aus
　　›Die Barrings‹. Zeichnung 1897

dem Stil Beardsleys, benutzt die im neuen Stil angelegten Mittel der Deformation aber noch stärker zur Charakterisierung verblüffend-grotesker Augenblicke, etwa dem mürrischen Momentausdruck der *Duse*, wenn sie als Hedda
Gabler in einem Polsterstuhl unterzugehen droht und ihre Augen über den
Horizont der Lehne emporhebt (Fig. 33). Charakteristisch bleibt für Gulbransson immer die lange, weitausholende dünne Linie und die wie aus einem Strich
gezeichneten Figuren; immer konzentrieren sich die graphischen Mittel auf
eine oder wenige Stellen in der großen weißen Fläche, die dann auch durch eine
einzige Schwarzsilhouette hervorgehoben wird und die eigentliche Bildaussage fast expressiv betont. Kaum weniger scharf im Witz, aber meist dekorativer in den Mitteln und daher oft auch liebenswürdiger im Sujet ist BRUNO
PAUL (geb. 1874) mit seinen Simpl-Zeichnungen, die »oft holzschnitt- und

intarsienartig« wirken (Schmalenbach), wobei der Künstler meist ein Gleichgewicht zwischen der positiven und negativen Form anstrebt, so daß die Formen, wie bei dem zu jener Zeit beliebten Puzzle-Spiel ohne Zwischenraum aneinanderstoßen (Fig. 34).

Ein weiteres Zentrum Münchner Witzes besaß Bayerns Hauptstadt in der 'Allotria', oder richtiger, der 'Münchner Künstlergesellschaft Allotria', einem Künstlerverein, dem durchaus seriöse Meister wie LENBACH, DEFREGGER, GABRIEL VON SEIDEL, FRANZ VON STUCK und andere angehörten – man könnte diesen Verein als das 'Festkomité der Münchner Künstlerschaft' bezeichnen. Wir zitieren sie hier wegen des kostbaren Schatzes ihrer Kneipzeitungen und einer stattlichen Karikaturensammlung, der im Vereinslokal gehütet wurde und kostbare Blätter SAMBERGERS, HENGELERS, DIETZ' und vor allem STUCKS enthielt, die durch ihre Offenherzigkeiten und Tollheiten ein überraschendes Bild der sonst sehr konservativen und seriösen Künstlergemeinschaft ergeben. Die Sammlung enthält Wagnisse an modernen Stilexperimenten, welche die gleichen Künstler in der Öffentlichkeit nie zugeben hätten.

Andere, in München lebende Illustratoren finden wir weniger im Umkreis der humoristischen Blätter als im Umkreis der Buchverlage, von denen vor allem der 1893 gegründete Verlag von Albert Langen hervorragende Beispiele von Illustrationen vorlegt; aber auch Georg Müller in München, der Insel-Verlag in Berlin und Leipzig und der Verlag Gerlach in Wien ziehen Münchner Künstler zur Mitarbeit heran. Einer der Begabtesten unter ihnen, für den die graphischen Arbeiten trotzdem eine Fron des Geldverdienenmüssens bedeuten, ist der aus St. Ingbert im Saarland nach München gekommene ALBERT WEISGERBER (1878–1915), der hier im Atelier Stucks arbeitet. Der Jugendstil hat in seinem Werk nur Raum in der kurzen Zeit auftragsgebundener Arbeiten für die ›Jugend‹ und den Gerlach-Verlag in Wien. Weisgerbers Beitrag für die ›Jugend‹ entsteht hauptsächlich im ersten Jahrzehnt des neuen Jahrhunderts, in dem er etwa 500 Arbeiten für diese Zeitschrift zeichnet. Gleichzeitig brachten ihm diese Arbeiten die Chance, im Auftrag der Jugend-Redaktion nach Paris zu reisen, wo er Begegnungen nachholte, die er künstlerisch bereits vollzogen

46 Luigi Bonazza, Raub der Europa. Radierung. 1912

hatte. Weisgerber lag im Grunde die karikierende Deformation ebenso wenig, wie die abstrakte Stilisierung in großen, homogenen und arabeskenhaft abgerundeten Flächen. Seine Neigung zum deutschen Impressionismus läßt ihn deshalb in seinen besten Arbeiten eine eigenartige Lösung der Jugendstilgraphik finden, in der wir gewisse Tendenzen VALLOTTONS und NICHOLSONS wiederfinden, die zum Expressionismus führen. Ein Holzschnitt aus der ›Jugend‹ von 1909, *Picknick im Wald* (Fig. 35) ist dafür charakteristisch. Das durch die Blätter flackernde Sonnenlicht beleuchtet flimmernd und vibrierend eine Menschengruppe, und die fehlenden Details sind gleichsam durch das zufällige Spiel des Lichts motiviert. Meisterhaft sind die Gestalten im aufblitzenden Sonnenstrahl knapp charakterisiert. Selten sind die Grenzen zwischen Weiß und Schwarz entschieden und scharf, und um die Kontraste noch weiter zu mildern, druckt Weisgerber unter die hellen Flächen farbige Tonplatten mit irisierenden, ineinander verfließenden hellen Gelbs, Grüns und Blaus. Wie in diesem Blatt, ist der ganze Jugendstil in seinem kurzen Leben: ein Intermezzo, das wir in der Geschichte der Jugendstilgraphik jedoch nicht vergessen dürfen[100].

Ebenfalls wie Weisgerber zu den Spätgeborenen des Münchner Jugendstils gehört MARCUS BEHMER (geb. 1879), der hauptsächlich durch die Arbeiten für die ›Insel‹ bekannt wird und Bücher des Inselverlages bibliophil gestaltet, wie die deutsche Ausgabe zu OSCAR WILDES ›Salome‹ (Fig. 36). Der Einfluß BEARDSLEYS ist anfangs überdeutlich, sowohl in den Zeichnungen wie in den mit verfließenden Farben gemalten Aquarellen. Doch zeichnet seine Blätter die Sensibilität der haarfeinen Linien aus, die er immer weiter verfeinert und in deren Gewoge er fast byzantinisch starre Haltepunkte setzt. Seine *Salome* ist im Gegensatz zu Beardsley eher spröde als erotisch und steht dabei der kristallenen Kälte des Textes noch näher: »Sieh die Mondscheibe! Wie seltsam sie aussieht. Wie eine Frau, die aus dem Grabe aufsteigt. Wie eine tote Frau. Man könnte meinen, sie blickt nach toten Dingen aus. – Sie ist sehr seltsam. Wie eine kleine Prinzessin, die einen gelben Schleier trägt und deren Füße von Silber sind. Wie eine kleine Prinzessin, deren Füße weiße Tauben sind. Man könnte meinen, sie tanzt. – Wie eine Frau, die tot ist. Sie gleitet langsam dahin.« Behmer geht in der Verfeinerung seines Stils schließlich immer mehr zur Radierung über, seine

47 Alberto Martini, Agathe. Radierung. Um 1905–07

33 Olaf Gulbransson,
Eleonora Duse als Hedda Gabler.
Zeichnung 1901. Bis zuletzt im
Besitz des Künstlers

Hand wird immer leiser und sucht sich für ihre sensibel-grotesken Erfindungen ein Material, in dem sie wenig Widerstände findet, um die Laune des leisesten Gedankens aufzuzeichnen.

In den Kreis der an Beardsley anschließenden 'grotesken Illusion' des Münchner Jugendstils, die fast durchweg von der Generation der am Ende der siebziger Jahre Geborenen – die zum Expressionismus überleiten – getragen wird, gehört auch EMIL PREETORIUS, der sich autodidaktisch ausbildete und nur ein halbes Jahr Zeichenunterricht an der Münchner Kunstgewerbeschule bei MAXIMILIAN DASIO nahm. Er wurde rasch zu einem der bekanntesten Buchgraphiker des beginnenden neuen Jahrhunderts, weil er Buchgraphik auf eine neue Art auffaßte: fast 'handschriftlich' sind seine Umrißfiguren auf die Fläche gezeichnet, bizarr und mit deutlichem Vergnügen an der Erzählung mit

34   Bruno Paul, Vignette aus dem ›Simplizissimus‹. 1896/97

ihren vielfältigen Stimmungsnuancen, die er mit absoluter Sicherheit in graphische Zeichen umsetzt (Fig. 37). Im gleichen Umkreis der 'grotesken Illustration' setzen auch FEININGER und wenig später GEORGE GROSZ mit ihrer Kunst
ein. »Es ist überraschend, wie viele der neuen Künstler bei der 'grotesken Illustration' begonnen haben« (Kurt Bauch).

15   Die Dachauer Gruppe

Gegenüber der Vielfalt individueller künstlerischer Äußerungen, wie sie das
Münchner Kunstleben zeigt, sondert sich eine Malergruppe ab, die 1894 von
München nach Dachau übersiedelte und zunächst aus drei Künstlern bestand:

LUDWIG DILL (1848–1940), ADOLF HÖLZEL (1853–1934) und ARTHUR
LANGHAMMER (1854–1901). Schon das Geburtsjahr der Künstler zeigt, daß
sie älter sind als die eigentliche Jugendstilgeneration und infolgedessen noch
stärker traditionelle Züge mit dem neuen Stil verbinden.

Der bedeutendste ihrer Gruppe ist in Dachau LUDWIG DILL; er kam von der
Münchner Akademie, wo er Schüler von RAAB, SEITZ und PILOTY war, ehe
er sich der LIER-Schule anschloß und dabei ein enges Verhältnis zu den Malern
von Barbizon gewann. Die anfänglich im Bild verwandte Staffage tritt zurück,
nachdem er in den neunziger Jahren die Bekanntschaft mit der schottischen, stimmungshaften Landschaftsmalerei machte. Jährlich wohnt er fünf Monate in
Dachau und malt dort Motive aus den weiten Moorniederungen an der Amper.
Daneben führt er von 1894–1899 die Präsidentschaft der Münchner Sezession
und übernimmt ab 1899 eine Professur an der Akademie in Karlsruhe.

Dills Malerei läßt sich in etwa mit der WALTER LEISTIKOWS vergleichen.
Er wählt immer wieder die gleichen Motive: Birken im Moor, mit buschigen
Laubkronen, die sich im stillen Wasser spiegeln und zwischen den Stämmen
und den Kronen den Blick auf den klaren Himmel freigeben (Abb. 36). Das
Naturmotiv vereinfacht er stilisierend und legt ihm eine reine Flächenwirkung
zugrunde. Er baut die Landschaft nicht räumlich, wie CÉZANNE, sondern von
der Bildfläche her, wie die Japaner. Aus der niedrig gehaltenen Horizontlinie
läßt er in rhythmischen Abständen die hellen Baumstämme emporwachsen,
deren lockere Laubmassen das Bild oben abschließen. Flächenhaft sind die Hell-
Dunkelwerte in den Laubgruppen und den Durchbrüchen verteilt, doch sie
ergeben niemals kräftige Kontraste, sondern sind in zurückhaltenden Mollakkorden von Silbergrau, von Oliv und Gelb in all ihren Nuancen abgestimmt; im Himmel und in den Wasserflächen tritt höchstens noch ein kühles
Blau hinzu.

»Was Dill hier suchte und fand, war die Harmonie der Form und Farbe in
der Landschaft, jene glückliche Verbindung von feinschattierten Farbtönen,
die wie ein musikalischer Akkord sich auf einem Grundton aufbauen, jene
schlichte, einfache Art, mit nur wenig Farben doch den malerischen Reiz des
Gesamteindrucks festzuhalten, jene Kraft, diese Farbentöne so zu beseelen und
zu beleben, daß sie unsere Seele in mitempfindende, gleiche Schwingungen
versetzt... Alle Werke haben einen weichen Duft, einen schwermütigen
Charakter; nicht in Sonnenlicht gebadet erscheinen sie, sondern wie in einen

35 Albert Weisgerber, Frühstück im Wald. Holzschnitt aus der ›Jugend‹. 1904

zarten Nebel eingehüllt. Seine Vorwürfe sind einfach und eintönig, er malt gern melancholische Bäume, wie sie das Moor allein kennt, ernste Föhren und Birken.«[101] Vielleicht erweisen diese Empfindungen eines Zeitgenossen vor den Bildern Dills noch stärker als die Stilanalyse den Zusammenhang mit dem Jugendstil.

ADOLF HÖLZEL, dessen Kunst in der LEIBL-Schule wurzelt, verdankt Dill vor allem die Loslösung aus dem genrehaften Realismus seiner Frühwerke. Es gibt Dachauer Moorlandschaften von seiner Hand, die sich von Bildern Dills kaum unterscheiden lassen. Aber bald zeigt sich, zunächst nur in seinen Zeichnungen, dann in seinen Bildern, sein nervöseres Empfinden für das Leben der Landschaft, für das Erzittern der Bäume im Wind, für den sanft drängenden Zug des Wassers – Elemente, die Dill in seinen fast als statisch zu bezeichnenden Bildern ausschließt. Während jedoch Dills Schaffen in der Dachauer Zeit seinen Höhepunkt erreicht, legt Hölzel hier erst die Grundlage für sein späteres Schaffen und Lehren: Harmonisierung der Naturfarben und Vereinfachung der Naturformen; Zurückführung der mit allen Einzelheiten überladenen, zufälligen Formen auf die wesentlichen, großen Zusammenhänge und ihre rhythmische Gliederung in der Fläche, klare Umgrenzung der Formen durch Silhouettenbildung und Abstufungen der Farben zur rhythmisch konzentrierten Bildornamentik – Prinzipien, die Hölzels spätere Lehrtätigkeit an der Stuttgarter Akademie bestimmen, deren Ruf er 1906 folgt. Von diesen Grundlagen her kommt Hölzel auch bereits vor Kandinsky zu gegenstandslosen Zeichnungen, die, wie er sagt, entstanden sind aus der »Gewohnheit, beim Durchdenken einer Sache oder beim Versenken in eine Stimmung den inneren, rhythmischen Vorgang durch auf das Papier gezeichnete Linien zu durchdenken.« Auch das ist eine Konsequenz, der schon von BERNARD und GAUGUIN formulierten Erkenntnis, daß man mit Linien unmittelbar Gefühle und Stimmungen ausdrücken kann.

Die übrigen Maler der Dachauer Gruppe, OTTO REINIGER, OLAF WILHELM DÜRR, TONI STADLER D. Ä., waren in ihren Lösungen teilweise konventioneller, teilweise auch eng an Dill und Hölzel orientiert; sie wirkten mehr als Gruppe, denn als Individualitäten.

Die Zeitgenossen schätzten die Bilder der Dachauer vor allem wegen ihres dekorativen Stimmungswertes, der in jedem Interieur eine ruhige Wirkung verbreitete. So schrieb Koeppen, daß diese Landschaften »jedem Innenraum einen schmückenden Wert verleihen, wirken doch die ruhigen und stillen Flächen wie Teppiche«. »Und faszinierend wirken sie, wie graublaugrünliche Schlangenhäute«, charakterisierte Ruettenauer; »Dills Bilder müßten auf rotseidenen Tapeten hängen.«

36 Marcus Behmer, Illustration zu
Oscar Wildes ›Salome‹. 1906

16 Worpswede

Als 1895 eine Malergruppe aus Worpswede bei Bremen auf Einladung der
Sezession im Münchner Glaspalast zum erstenmal ausstellte, schrieb die Presse:
»Der Erfolg, den die Maler von Worpswede auf der heurigen Jahresausstellung
im Glaspalast errangen, hat in der Geschichte der neueren Kunst nicht seines-
gleichen. Kommen da ein paar junge Leute daher, deren Namen niemand kennt,
aus einem Ort, dessen Namen niemand kennt, und man gibt ihnen nicht nur
einen der besten Säle, sondern der eine erhält die große goldene Medaille und
dem anderen kauft die Neue Pinakothek ein Bild ab. Für den, der irgend weiß,
wie ein Künstler zu solchen Ehren sonst nur durch langjähriges Streben und

gute Verbindungen kommen kann, ist das eine fabelhafte Sache, daß er sie nicht glauben würde, hätte er sie nicht selbst erlebt.«

Die Künstlerkolonie Worpswede war im Herbst 1889 von drei jungen Künstlern gegründet worden: FRITZ MACKENSEN, OTTO MODERSOHN und HANS AM ENDE; sie quartierten sich bei Bauern ein und führten ein ähnliches, zurückgezogenes und einfaches Leben der Naturverbundenheit wie in der Bretagne die Gruppe von Pont-Aven. Im Winter arbeiten sie in der Stadt, Sommer und Herbst verbringen sie auf dem Dorf, und allmählich wächst ihre Gemeinschaft: KARL VINNEN, FRITZ OVERBECK, HEINRICH VOGELER und der malende Graf LEOPOLD VON KALKREUTH kamen hinzu, später PAULA BECKER-MODERSOHN, der Dichter RAINER MARIA RILKE, der hier die Bildhauerin CLARA WESTHOFF heiratete, und BERNHARD HOETGER. Die Reihe der Künstler in Worpswede ist bis zum heutigen Tag nicht abgebrochen. Rilke schrieb die erste Monographie über die Begründer der Kolonie.

»Ein Hauch leichter Schwermut liegt ausgebreitet über der Landschaft. Ernst und schweigend umgeben weite Moore und sumpfige Wiesenpläne das Dorf, das, als suche es einen Zufluchtsort gegen unbekannte Schrecknisse, sich an dem steilen Hang einer Düne zusammendrängt. Wirr und regellos durcheinander zerstreut liegen Häuser und Hütten, beschirmt von schwer lastenden, moosüberkleideten Strohdächern und knorrigen Eichen, an deren weit ausladenden Wipfeln sich machtlos Stürme brechen.« (Fritz Overbeck). »Man bekommt hier draußen eine lutherische Sprache. Man hört täglich die derben Volksausdrücke, die eine Sache klipp und klar beim Namen nennen. Wenn die Alte an meinem Arm bis vor die Tür gegangen ist, dann sagt sie: No mutt ick erst pessen gan, oder: No mutt ick mien Water laten. Das Röcklein geschürzt, und ich entfleuche keusch.« (Paula Becker-Modersohn).

Worpswede gehört ähnlich wie ʽNeu-Dachau' in den Umkreis des Jugendstils, und er hat am Werk eines jeden Malers, der hier lebte, mehr oder weniger starken Anteil. Der stimmungsbetonte Naturlyrismus der Worpsweder wächst unmittelbar aus der realistischen Landschaftsmalerei heraus und verdankt der Bewegung des Jugendstils den Blick für die großen, einfachen Formzusammenhänge und für den Stimmungswert der Farbe. Im Gegensatz zu den Dachauern mit ihren silbernen, traum- und schattenhaften Farben ist das Kolorit der Worpsweder glut-, glanz- und temperamentvoll. Sie bevorzugen die kräftigen Farben, die sie bei der Beobachtung der Landschaft wahrnehmen und steigern

37 Emil Preetorius, Le petit Galan. Ca. 1906

sie zu einem kräftigen, leuchtenden Lokalton. Dann aber ordnen sie die Farben
zu ausdrucksvollen Kontrasten und betonen auch scharf die formalen Gegensätze: die aufsteigenden Baumstämme zu der langen Waagrechten des Hori-
zontes, der jähe Zug in die Tiefe, der plötzlich durch ein quergestelltes Gehöft
aufgefangen wird. Wir folgen der entwicklungsgeschichtlichen Einsicht
SCHMALENBACHS, wenn er schreibt: »Es muß auch ausdrücklich darauf
hingewiesen werden, daß die deutsche Landschaftsmalerei der neunziger Jahre,
wie sie die Worpsweder, aber auch Leistikow und die Dachauer ... betrieben,
nicht nur für Paula Modersohn-Becker, sondern für den ganzen deutschen Expressionismus eine wichtige Grundlage gewesen ist, sowohl in der Neigung zum
flächigen Stilisieren, das ja etwas Unnaturalistisches ist, wie auch in der ausgesprochenen Tendenz zum Stimmungshaften, das ja etwas Geistiges ist und das
der Expressionismus dann in etwas anderes Geistiges umgewandelt hat.«[102]

Innerhalb dieser allgemeinen Tendenzen reicht die Spannweite der Worpsweder Maler von der stimmungsbetonten, lyrischen Naturmalerei bis zum eigentlichen Jugendstil, und auch dort, wo ihre Malerei naturalistisch bleibt, dringen Elemente des neuen Stiles ein. So etwa im Werk von Mackensen, der an die Historien- und Genre-Malerei anschließt, aber seine Figuren als Typen wiedergibt und diese Typen vielfältig und wenig abgewandelt im gleichen Bild wiederholt. Die Worpsweder sind alle keine Naturalisten mehr: sie wollen das im Bild aussagen, was sie vor der Natur empfunden haben.

Am stärksten tritt das Empfindungsmoment bei OTTO MODERSOHN hervor (Abb. 37), dessen großes Kunsterlebnis die Bilder BÖCKLINS in der Münchner Schackgalerie waren, die er im Juli 1888 zum erstenmal sah. In seinen Bildern vom Dorf Worpswede rücken Häuser, Bäume, Büsche und Hügel großflächig zusammen, und es entsteht eine Ordnung der Zusammengehörigkeit aller Teile in der Landschaft – ob sie nun Menschen- oder Naturwerk sind – die der romantische, bloß stimmungshafte Naturalismus der Luminaristen nicht kannte. »Seine Landschaften«, schrieb Paula Becker in ihr Tagebuch, »hatten tiefe Stimmung in sich, heiße, brütende Herbstsonne, oder geheimnisvoll süßen Abend. Ich möchte ihn kennenlernen, diesen Modersohn.«

Vor den Bildern Modersohns erlebte Rilke die Landschaft um Worpswede zum erstenmal in ihrer Transparenz: »Erinnerungen stiegen auf, Erinnerungen an Kirchen und Gärten, Könige und Kinder von Königen. Dieses Land hatte keine Historie gehabt. Aus langsam sich schließenden Sümpfen war es aufgewachsen, und die Leute, die sich arm und elend darin niederließen, hatten keine Geschichte. Und doch schien alle Vergangenheit und die Pracht aller Vergangenheit irgendwie darin enthalten zu sein. Als hätte man ein farbiges Zeitalter zerstampft und dann in die Sümpfe verrührt, aus denen diese Welt entstanden war. Der Boden war schwarzbraun, fast schwarz, aber er konnte sich dem Rot zuneigen oder dem Violett, wie es nur in alten Brokaten gleich schwer und leuchtend zu finden war. Die Birken standen da und konnten, gleich weiß verkleideten Heiligen, das Licht kaum unterdrücken, das in ihnen war. Ihre Stämme enthielten alles Weiß der Welt, nach geheimnisvollen Gesetzen geordnet. Und wenn man zu Füßen der Birke nur ein wenig die Erde hob, so sah man Wurzeln, gekleidet in ein großes, rauschendes Rot, das Rot mächtiger Könige, das Rot Tizians und Veroneses . . .«. Modersohn kam ohne

Staffage aus, ohne Personifizierungen, um diese Empfindungen – nicht nur bei Rilke – zu wecken.

HEINRICH VOGELER, der Freund Rilkes, vertrat den Jugendstil am reinsten. 1893 kam er nach Worpswede, wurde zunächst Schüler von Mackensen, kaufte sich einen Bauernhof und lebte dann abgeschieden von der Welt mit seiner jungen Frau. Die Worpsweder Stimmung verdichtete sich bei ihm zur Märchenstimmung, die das Seltsame und Wunderbare überall als Geheimnis ahnt (Abb. 38). Paula Becker-Modersohn schreibt über ihn in ihr Tagebuch: »... ein reizender Kerl, ein Glückspilz. Er ist nicht so ein Wirklichkeitsmensch wie Mackensen, er lebt in einer Welt für sich. Er führt bei sich in der Tasche Walther von der Vogelweide und des Knaben Wunderhorn. Darin liest er fast täglich. Er träumt darin täglich. Er liest jedes Werk so intensiv, den Sinn des Wortes so träumend, daß er die Welt selbst vergißt. So kommt es, daß er trotz des vielen Lesens keines der Gedichte auswendig weiß. Im Atelier in der Ecke steht seine Gitarre. Auf ihr spielt er verliebte, alte Weisen; dann ist er gar zu hübsch anzusehen, dann träumt er mit seinen großen Augen Musik ... Er ist ganz streng, steif-streng in der Form. Sein Frühlingsbild, Birken, zarte, junge Birken mit einem Mädchen dazwischen, das Frühling träumt. Sie ist sehr steif, fast häßlich. Und doch ist es für mich etwas Rührendes zu sehen, wie dieser junge Kerl seine drängenden Frühlingsträume in diese gemessene Form kleidet. Das strenge Profil des Mädchens schaut sinnend einem kleinen Vogel zu; fast ist es eines Mannes Sinnen, fast wäre es eins, wenn es nicht wieder so etwas Gehaltenes, Träumendes in sich hätte. Das ist der kleine Vogeler. Ist er nicht reizend?«

Und Rilke schreibt über ihn: »Die Kunst, in einer Blume, in einem Baumzweig, einer Birke oder einem Mädchen, das sich sehnt, den ganzen Frühling zu geben, alle Fülle und den Überfluß der Tage und Nächte – diese Kunst hat keiner so wie Heinrich Vogeler gekonnt.«

Es wird schon aus diesen Interpretationen begreiflich, daß Vogeler viel vom englischen Jugendstil in sich aufgenommen hat, von den Präraffaeliten, zumal in der Buchkunst, die er teilweise für den Inselverlag entwirft (Fig. 38). Aber er verbindet diese Elemente mit der Bilderwelt der deutschen Romantik und versetzt sie in die Landschaft Worpswedes, die geradezu prädestiniert war, sie aufzunehmen. Doch eine merkwürdige Zukunft stand dem Träumer bevor: Nach dem ersten Weltkrieg gründet er, zusammen mit seiner Frau, die Kunstgewerblerin war, in Worpswede eine sozialistische Arbeitsschule, besucht 1923–1924 Rußland, wohin er 1931 endgültig übersiedelt und dort 1942 in Karaganda in Sibirien stirbt.

Auch PAULA BECKER-MODERSOHN ist dem Worpsweder Jugendstil zutiefst verbunden; mit Recht betont auch Schmalenbach diese Zusammenhänge entgegen einer zu oft vertretenen Anspruchnahme der Künstlerin für den deutschen Expressionismus. Sie tendiert nur insofern zum Expressionismus, als auch der Jugendstil diese Bewegung anbahnt. 1897 kommt sie zum erstenmal nach Worpswede und läßt sich ein Jahr später für immer dort nieder. Als Schülerin Mackensens beginnt sie mit der Stimmungsmalerei; als Jüngste des Kreises aber geht sie einen Schritt weiter: Sie betont die eigene Empfindung mehr als die Naturstimmung. »Meine persönliche Empfindung ist die Hauptsache. Wenn ich die erst festgelegt habe, klar in Form und Farbe, dann muß ich vor der Natur das hineinbringen, wodurch mein Bild natürlich wirkt.« Die eigene Empfindung also soll möglichst unmittelbar, ohne das Anekdotische einerseits und die Bindung an die in der Natur vorgegebene Stimmung andererseits, ausgedrückt werden.

1900 besucht sie zum erstenmal Paris und wiederholt ihre Aufenthalte dort noch dreimal. Ihr Ansatzpunkt, bereits beim ersten Aufenthalt, liegt bei den frühen Werken des neuen Stils: Die Werke SÉRUSIERS vor allem sind es, mit denen sie sich auseinandersetzt. Ein Worpsweder Moorgraben[103], nach dem ersten Pariser Aufenthalt entstanden, zeigt die gleiche Farbtechnik wie der berühmte *Talisman*, aber in stimmungshaft gebundeneren, schwereren Farbtönen. Ihre Kinderbildnisse sind denen Sérusiers aufs engste verwandt, vor allem die Szenen der im Wald spielenden Kinder, die auch ganz starke Erinnerungen an die Bilderwelt Vogelers enthalten. Mit Paula Becker-Modersohn tritt die Jugendstilmalerei in eine Endphase, in der neue Kräfte zur Überwindung des nur Dekorativen und Stimmungshaften, bei gleichzeitiger Anknüpfung an die Frühzeit dieses Stils, gesammelt werden (Abb. 39). Nicht mehr die Oberfläche der Dinge, sondern der Kern, der Organismus soll wieder erfaßt werden. Darum sucht ihre Kunst die Auseinandersetzung mit CÉZANNE, die der deutsche Jugendstil – im Gegensatz zu seinen Vertretern in Frankreich – gar nie gesucht hatte. Für Paula Becker-Modersohns Befangenheit im Jugendstil spricht jedoch, daß sie nicht direkt zu Cézanne zurückfand, sondern sich mit ihm auf dem Umweg über den französischen Jugendstil auseinandersetzte; des-

38   Heinrich Vogeler, Buchschmuck zu Oscar Wildes ›Granatapfelhaus‹. Um 1896

halb zeigen ihre Stilleben weniger Verwandtschaft mit Bildern Cézannes, als mit solchen Bernards und Sérusiers.

17 Darmstadt

Ein weiteres Zentrum des Jugendstils in Deutschland wird hier nur gestreift: 1899 beruft der Großherzog von Hessen, gleichen Alters wie die Künstler der Jugendstilgeneration, eine Reihe von Künstlern nach Darmstadt, wo diese ohne Lehrverpflichtung, nur durch ihre Anregung und ihre eigene Arbeit, ein Zentrum der neuen Kunst schaffen. Die großen Leistungen dieser Künstlerkolonie liegen auf dem Gebiet der Architektur und des Kunstgewerbes – sie

39 Paul Bürck,
Spiel im Wald.
Holzschnitt. Um 1900

sind auf das Gesamtkunstwerk gerichtet, in dem die Malerei eine untergeord-
netere Rolle spielt, als an anderen Orten, und wenig ist davon erhalten geblieben. HANS CHRISTIANSEN (1866–1945), der in Paris die Académie Julian
besucht hatte, knüpfte – zumal für seine Fensterentwürfe – an die breitflächi-
gen, arabeskenhaft konturierten Holzschnitte des ebenfalls nach Darmstadt
berufenen PETER BEHRENS an. Desgleichen PAUL BÜRCK (geb. 1878), dessen
Malereien wie Intarsien wirken (Fig. 39). Auch seine Holzschnitte – stark von
der englischen Buchkunst geprägt – zeigen diesen kunstgewerblich-intarsien-
haften Charakter, zumal er, ähnlich wie BRUNO PAUL, gerne mit negativen
Flächen (hell gegen dunklen Grund) arbeitet und die Blätter mit Zierleisten
rahmt, die er für seine buchgraphischen Arbeiten entwickelt hat.

X Der Wiener Jugendstil

1 Das geistige Klima

Im Gegensatz zu Deutschland und ähnlich wie in den übrigen europäischen Ländern ist der Jugendstil in Österreich an die Landeshauptstadt gebunden und entfaltet hier seine besondere, lokal bedingte Atmosphäre. Nach dem Beispiel Münchens erfolgt 1897 in Wien die Gründung einer Sezession, die sich 'Vereinigung bildender Künstler Österreichs' nennt und als ihr offizielles Organ eine Zeitschrift mit dem Titel ›Ver Sacrum‹, Heiliger Frühling, herausgibt, als dessen literarischer Beirat HERMANN BAHR verantwortlich zeichnet. Die Polemik der Wiener Sezession aber richtet sich nicht wie in den anderen europäischen Ländern gegen eine konservative Traditionskunst, sie wollen nicht der 'alten' Kunst eine 'neue' Kunst entgegenstellen, sondern sie wollen grundsätzlich echte Kunst gegen Pseudokunst durchsetzen, gegen eine billige, dem Publikumsgeschmack schmeichelnde Schönmalerei, wie sie besonders in Wien sehr populär war – will man von Künstlern wie MAKART und ROMAKO absehen, die beides zu verbinden wußten. »Nein, bei uns wird nicht für und gegen die Tradition gestritten, wir haben ja keine«, schreibt Hermann Bahr im 1. Heft des ›Ver Sacrum‹. »Unsere Kunst ist kein Streit neuer Künstler gegen die alten, sondern sie ist die Erhebung der Künste gegen die Hausierer, die sich für Künstler ausgeben und ein geschäftliches Interesse haben, keine Kunst aufkommen zu lassen. Geschäft oder Kunst, das ist die Frage unserer Sezession. Nicht um die Ästhetik, sondern zwischen zwei Gesinnungen wird hier gestritten.«

48 Ignacio Zuloaga, In der Loge. Nach 1900

Hauptbestreben der Sezession ist es, die wahren künstlerischen Kräfte Österreichs zu sammeln, dem Publikum ein Gefühl für echte Kunst zu geben, den Kontakt mit den künstlerischen Bewegungen des Auslands zu schaffen und daneben gleichzeitig das nationale Anliegen einer österreichischen Kunst zu verwirklichen. »In dieser reich illustrierten Kunstzeitschrift wird zum erstenmal der Versuch gemacht, Österreich als selbständigen künstlerischen Faktor erscheinen zu lassen«, betont Hermann Bahr im ›Ver Sacrum‹. Bereits der erste Jahrgang nennt neunundvierzig ordentliche Mitglieder, darunter als bedeutendste RUDOLF ALT, GUSTAV KLIMT, ADOLF BÖHM, ADOLF HÖLZEL (Dachau), JOSEPH HOFFMANN, FRIEDRICH KÖNIG, KOLOMAN MOSER, ALFONS MUCHA, JOSEPH OLBRICH, ALFRED ROLLER und STANISLAUS WYSPIANSKI (Krakau). Gleichzeitig werden neununddreißig korrespondierende Mitglieder im Ausland ernannt und zu den jährlichen Ausstellungen eingeladen, wie EDMOND AMAN-JEAN (Paris), ALBERT BARTHOLOMÉ (Paris), EUGÈNE CARRIÈRE (Paris), WALTER CRANE (London), LUDWIG DILL (München), EUGEN GRASSET (Paris), MAX KLINGER (Leipzig-Berlin), MAX LIEBERMANN (Berlin), FRITZ MACKENSEN (Worpswede), CONSTANTIN MEUNIER (Brüssel), PUVIS DE CHAVANNES (Paris), AUGUSTE RODIN (Paris), FRANZ SCARBINA (Berlin), GIOVANNI SEGANTINI (Soglio), FRANZ V. STUCK und FRITZ V. UHDE (München). Später kommen WHISTLER, KHNOPFF, VAN DE VELDE, SOMOFF und GALLÉN hinzu. Dank dieser in Wien organisierten, internationalen Zusammenarbeit zeigt bereits die erste Ausstellung der 'Vereinigung' von 1899 ein Bild der gesamten europäischen Kunstbewegung, wobei auch konventionelle Künstler berücksichtigt werden, soweit sie den Qualitätsansprüchen der ordentlichen Mitglieder gerecht werden können.

Die internationale Orientierung der Sezession, die nicht immer der Gefahr der Überfremdung wirksam ausweicht, fordert jedoch bald auch die Kritik in den eigenen Reihen heraus und veranlaßt 1901 eine Gruppe junger Künstler zur Abspaltung des 'Wiener Hagenbundes', dem nur noch österreichische Künstler angehören. Gleichzeitig drückt der Titel dieser neuen Gruppe eine stärkere Bindung an nationale Tendenzen im Sinne der Neu-Germanen-

49 Hermen Anglada y Camarasa, Promenade auf den Champs Elysées. Nach 1900

Bewegung aus. Ähnlich wie die Münchner Sezession führt die 'Vereinigung bildender Künstler Österreichs' eine Neuorganisation des Ausstellungswesens durch, wozu ein eigenes Ausstellungsgebäude errichtet und die Kunstausstellung von vornherein unter den Aspekt des Gesamtkunstwerks gestellt wird. Auf die alten Ausstellungsrequisiten wie Arkaden, Säulenpodeste, Markart-Buketts wird grundsätzlich verzichtet und die Bilder hängen nicht mehr dicht über- und untereinander, sondern einzeln und in maßvollen Abständen. »Die verschiedenen Werke des nämlichen Künstlers sind in eine Gruppe gefaßt, so daß seine Kunst in einem organischen Zusammenhang vorgeführt wird. Die Wandbekleidungen schaffen günstige Hintergründe; vor weißgefälteten Stoffen finden zartgetönte Bilder ihre volle Stimmungskraft; in ruhigem Dunkelrot oder Dunkelgrün geputzte Wände wirken luftiger als glattgetünchte; Friese und Ornamente von stilisierten Pflanzen sind ganz ruhig, auch in ihrem matten, fast tonlosen Gold gehalten, so daß sie nicht zum Selbstzweck werden. So sind es echt moderne Schauräume. Ein viereckiger Mittelsaal dient als Foyér. Seine Wände, in mattem Dunkelgrün, haben ein aufstrebendes Pflanzenornament, dessen helle Sternblüten sich in Mittelhöhe zu einem umlaufenden Fries zusammenfügen. Lebendige Pflanzen und Blumen fügen sich mit auserlesenen modernen Möbeln ... zu Plauderecken zusammen, die dem Beschauer zeigen, was er aus seinem eigenen Heim machen kann.«[104]

Die eigentümlich Wienerische Stimmung des österreichischen Jugendstils, seine charakteristische Intimität, enthüllt am besten ein offener Brief Hermann Bahrs 'An die Sezession': »Was wir Wiener an subtilen Freuden, an innigen und delikaten Wünschen, an unruhigen Hoffnungen in unserer Seele haben, das müßt ihr uns in Linien und in Farben sehen lassen ... Wenn ihr durch unsere milden, alten Straßen geht oder wenn ihr die Sonne auf das Gitter vom Volksgarten scheinen seht, während der Flieder riecht und kleine Wienerinnen über die Schnur hopsen, oder wenn im Vorbeigehen aus einem Hof ein Walzer klingt, dann wird euch so merkwürdig und keiner kann sagen, warum ihm so zum Weinen froh im Herzen ist, sondern er lächelt nur: Das ist halt Wien! Dieses: was halt Wien ist, müßt ihr malen ... Ihr müßt Bilder malen, die weit draußen in der Welt der fremden Leute, die nichts von uns wissen, fühlen lassen, wie wir sind: Bilder, die wie die Ouvertüre zum Don Juan oder die Volkshymne sind.«[105] Ein ähnlich intim-sentimentales Verhältnis zum Wienerischen drückt sich in der Fin-de-Siècle-Blüte der gleichzeitigen Literatur der Jugendstilgeneration aus, bei ARTHUR SCHNITZLER (1862–1931), PETER ALTENBERG (1859–1919), KARL SCHÖNHERR (1867–1943), FELIX SALTEN (1869–1945), HUGO VON HOFMANNSTHAL (1874–1929). Wien wird durch sie tatsächlich – zum letztenmal in der europäischen Geschichte und gleichwertig neben Berlin – Kulturzentrum der deutschsprachigen Welt.

2 Gustav Klimt (1862–1918)

Das Werk KLIMTS beinhaltet fast den ganzen Wiener Jugendstil; er ist seine tragende Kraft. Neben dem achtzigjährigen Ehrenpräsidenten der Wiener Sezession, RUDOLF VON ALT, war Klimt der erste amtierende Präsident der Vereinigung. Der Jugendstil entwickelt sich in seiner Kunst ähnlich aus dem Historismus zu einer Art von akademischem Symbolismus, wie bei den geistesverwandten Münchnern Stuck und Strahtmann, doch läßt er diese Stufe als Zwischenstadium rasch zurück und kommt zu einer Bildform, die nicht darstellt, sondern ornamentale Schmuckwerte selbständig realisiert und damit den ursprünglichen Motivanlaß des Bildes nur noch als Stimmungsfaktor mitschwingen läßt.

Für den Anfang seiner Kunst ist die Herkunft aus der Wiener Schule HANS MAKARTS bedeutsam; obwohl er nicht direkt dessen Schüler war, hielt er sich eng an sein Vorbild, so in seinen Arbeiten für das Theater in Karlsbad und für das Wiener Burgtheater. »Makart bedeutet den klassischen Ausdruck einer Epoche: als auf die Farbenblindheit der Farbenrausch, auf den Cartonstil die Wollust des Malens gefolgt war« (Pirchan). Anknüpfungspunkte für den Jugendstil gab die Makartsche Historienmalerei schon deshalb, weil – im Gegensatz etwa zu Piloty – Makart sich nicht so sehr für das Anekdotische oder für das historisch Bedeutsame des Geschehens interessierte, als vielmehr für die Ekstase der Farbe und den melancholischen Rausch der Handlung, der im Gegensatz zum realistischen Sachverhalt stand: *Die Pest in Florenz, Tod der Kleopatra, Einzug Karls V. in Antwerpen.* In der Provokation des Kontrastempfindens lag die Stärke Makarts und gleichzeitig der Ansatz zum Werke Klimts. »Ihn fesselt die verführerische Atmosphäre, welche die Vorstellung längst gewesener Zeiten, Menschen und Dinge mit süßer Schwermut umgibt, und er gestaltet sie mit der spielerischen Freude des Ästheten, dem Veranlagung und Studium die alten Formen geläufig machten.«[106]

So gehört Klimt mit seinem Frühwerk zu den großen Eklektikern der Jahrhundertwende: bei der Lösung eines Auftrages von 1891, Zwickelbilder für das Treppenhaus des Kunsthistorischen Museums in Wien zu schaffen, deckt er die Quellen seiner Kunst auf: Um die Aufgabe in der geforderten historischen Treue zu bewältigen, schafft er Bilder im Stil ägyptischer Plastik und Wandmalerei, antiker Vasendarstellungen, mittelalterlicher goldgrundiger Tafelmalerei und byzantinischer Mosaiken, wobei er nicht nur ihren Stil kopiert, sondern sie gleichzeitig in die Empfindung des Fin-de-Siècle überträgt, dem sich diese Bilder zu Symbolen einer immer mehr entschwindenden und immer stärker ersehnten Vergangenheit verdichten: es sind heimliche Verkleidungen lebender Menschen in ihre historische Traumwelt. Klimt macht die stilistischen Elemente alter Zeiten bewußt zur Grundlage seiner Kunst, um abendländische Tradition in seinen Werken betont mitschwingen zu lassen. So liegt stets ein Hauch von Vergangenheit über seinen Bildern, auch wenn die Motive jung und gegenwärtig sind.

Charakteristisch für die Stilisierungen Klimts ist das bunte Nebeneinander von mosaikhaft-kleinteiliger Flächenornamentik und einer fast klassizistisch modellierenden Körperlichkeit in Aktfiguren und Porträts (Abb. 40). Sowohl im Bildnis wie in der Aktfigur aber drückt sich die Resignation und Melancholie des Zeitempfindens aus: im Porträt durch die dunkle Betonung der Augen in einem blassen, von der Fülle des Haares bedrückten Gesicht, in der Aktfigur durch eine übersensibel gebildete, fast knochig-gemagerte Körperlichkeit, die vor erotischer Ausstrahlung geradezu vibriert. Klimt läßt die arabeskenhaften Umrisse seiner Figur und ihr weit ausströmendes Haar mit den dekorativen Linien der Flächenornamentik zusammenschwingen und setzt ihre opalisierende Haut in enge Beziehung zu den edelsteinhaft schimmernden Schmuckformen, in die er die übrige Fläche auflöst: Wie Strathmann nimmt er kunstgewerbliche Elemente in das Tafelbild auf, steigert den Schmuckwert eines Bildes durch den kostbar gestalteten Rahmen und arbeitet im Bild selbst mit Blattgold oder klebt bisweilen sogar Goldpapiere als Kollagen in seine Bilder ein, wo sie vom dekorativen Bildorganismus gleichsam aufgesogen werden. Ein zeitgenössischer Kritiker äußerte sich vor einem Gemälde Klimts:

»Das Bild wirkt ... je nach dem Standpunkt des Beschauers verrucht oder anbetungswürdig modern.«

Fast das ganze Werk Klimts umkreist erotische Themen in symbolistischer Verkleidung. Seine Entwürfe für die Deckenbilder der Wiener Universitäts-aula – die einen öffentlichen Skandal heraufbeschwören – zeigen den sich freudlos hinziehenden Kreislauf des Menschengeschlechts, welchem in dem grauenvollen Zwang des Unabänderlichen »einzig nur das tränenschwere Glück der Liebe Vergessen gibt«. Ähnlich wie MUNCH empfindet auch Klimt nur die Tragik der körperlichen Liebe, die stets von Vergänglichkeit über-schattet, bloßer kurzer Augenblicksgenuß sein kann. In ihm aber kostet er eine Seligkeit aus, wie sie in der Kunst außer von ihm selten verbildlicht wurde: besonders in den Zeichnungen, die den flüchtigsten Augenblick in der letzten Tiefe des Empfindens festhalten, im engsten Miteinander von – im bürger-lichen Sinne – pornographischer Deutlichkeit und beseligender Entrücktheit.

Über diese Zeichnungen (Fig. 40) – von denen Klimt fast zweitausend hinterlassen hat – schrieb Hermann Bahr: »Das letzte Geheimnis erschloß sich ihm: die Kunst des Weglassens jeder Entbehrlichkeit. Da war seine Hand zur Wünschelrute geworden, er ließ sie leis den Schein der Welt entlang gleiten, bis sie, wo darunter ein Wesen verborgen lag, es ihm aufzuckend verriet: Stenogramme solcher Rutengänge nach dem Brunnen der Erscheinung sind diese Zeichnungen seiner Meisterschaft. Sein Auge hatte sich am Flammenbad der Empfängnis des Erscheinens fast blind geschaut, so horchte seine Hand jetzt zum Urgrund hinab: dazwischen liegt die gemeine Deutlichkeit des Tages die hatte er nie bemerkt.«[107]

Neben der eklektischen Verarbeitung historischer Stile in fast allen seinen Bildern zeigen gerade die Zeichnungen eine weitere, entscheidende Kompo-nente seines Schaffens: die scharfe und fast mitleidlose Naturbeobachtung. »Seine Modelle sind Kinder, überschlanke Mädchen und viele, viele schöne Frauen, aber auch kranke und häßliche, alte, verschrumpfte, verwitterte, welke Weiblichkeit; Frauen in der Hoffnung, Leichen der Seziersäle, anatomische Skelette, Knochengerüste studiert er in den kleinsten Details« (Pirchan). Und nach 1900 wendet er sich auch wieder der Landschaftsmalerei zu, vielleicht unter dem Eindruck der französischen Malerei des neuen Stils: Seine Technik des teppichhaften Ornamentierens der Fläche mit kleinen, starkfarbigen, von Konturen hart umgrenzten Farbflecken überträgt er auch auf die Landschaften,

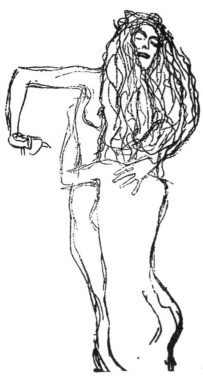

40   Gustav Klimt, Freundinnen. Um 1900

besonders Baumgärten (mit goldenen Äpfeln!) in Weißenbach und in Litzel-
berg am Attersee, die – vorzugsweise in quadratischem Format – wie seine
Figurenbilder den Dualismus von organisch-drängender Natur und abstrakter
Stilisierung zeigen. Doch gerade hier liegen die Voraussetzungen für die nächste
Generation seiner Schüler, die auf dieser Stufe den Schritt zum Expressionismus
vollziehen werden.

Vor allem zwei seiner Schüler haben europäische Bedeutung erlangt: OSKAR
KOKOSCHKA (geb. 1886) und der früh verstorbene EGON SCHIELE (1890
bis 1918). Kokoschka widmete 1908 seinen Gedichtzyklus mit eigenen Illustrationen ›Die träumenden Knaben‹ dem Lehrer Gustav Klimt; eine Reihe dra-
matischer Gedichte, die gleichzeitig oder kurz danach entstehen, kreisen alle
um die Menschheitsfrage Mann und Weib – aber sie stellen sie radikaler und

fordern nachdrücklich eine Antwort heraus, während bei Klimt die Fragestellung nur in der Resignation endete, die den unabänderlichen Zustand hin-
nimmt und auskostet. Auch die Graphiken Kokoschkas zeigen den Anschluß
an den Lehrer und schließen zugleich den Neubeginn ein: die Fläche ist randlos
gefüllt, parallele Linien durchziehen das Bild und umkreisen die Figur der
Träumenden, die sie gegen ihre Umwelt abschließen. Doch die Linien zeigen
eine Härte, eine Divergenz der Bewegungen, die den Bannkreis der Passivität
fühlbar unterbrechen und von innen her aufspalten.[108]

Noch stärker vom Dualismus der Tradition und des Neubeginns geprägt
sind die Arbeiten EGON SCHIELES. Während für Kokoschka diese Stufe den
Anfang und Ausgangspunkt bedeutet, löst Schiele sich davon nie endgültig,
sondern steigert den Kontrast ins Qualvolle. Seine Bilder zeigen das Prinzip
der Klimtschen kleinteiligen Flächengliederung und der linearen Umgrenzung.
Aber die Umrisse bilden keine versöhnenden Arabesken mehr und die Binnen-
flächen kein schmückendes Mosaik: sie zersplittern das Bild von innen her,
sie versuchen eine Form aufzubrechen, der sie zutiefst verhaftet bleiben
(Abb. 41). »Es sind eigentlich Stimmungsbilder, erfüllt von Sehnsucht und
melancholischer Trauer, vom Hauch der Vergänglichkeit und des Todes um-
weht. Sie zeigen einen Schiele voll von Empfindsamkeit und lyrischer Poesie,
scheu und in sich gekehrt, der uns den unartikulierten Schrei mancher Blätter
wie einen Akt der Notwehr einer verständnislosen Umwelt gegenüber empfinden läßt.«[109]

3   Rudolf Jettmar (1869–1939)

In der Wiener Malerei der Jahrhundertwende steht neben der von Klimt be-
einflußten, dekorativ-ornamentalen Malerei als einsame Kraft RUDOLF JETT-
MAR. Sein Werk hat Anteil am Jugendstil, läßt sich aber nicht allein durch
ihn charakterisieren oder erklären. Während Klimt vor allem im Historismus
wurzelte, führt Jettmar die akademische Tradition des neunzehnten Jahrhunderts weiter, ein Grund, warum man ihn als Fortsetzer der Linie RAHL–
CANON–FEUERBACH–MAKART klassifizierte und in den akademiefeindlichen
ersten Jahrzehnten des zwanzigsten Jahrhunderts zu vergessen suchte. Aus
unserer heutigen Sicht erweist er sich als einer der großen akademisch-eklek-

tischen Symbolisten der Jahrhundertwende, als österreichischer 'Antipode' KLINGERS.

In seiner Kunst steht der Mensch und die Figurenkomposition im Vordergrund, deren Naturalismus und Modelltreue sich mit der Imagination des Symbolerlebnisses verbindet. Es sind in starke Stimmungen eingebettete Ideen, die ihn beschäftigen und vor allem in einem umfangreichen Radierwerk ihren Niederschlag finden: *Der unheimliche Ort, Bau der Höllenbrücke, Drachenkopf, Abendläuten, Faust, Phaëton, Aufgehender Mond;* daneben entstehen radierte Zyklen, wie die zwölf Blätter der Folge *Die Stunden der Nacht*. Den Prozeß der Bildwerdung schildert der Künstler selbst: »Wenn mich etwas beschäftigt, wenn ich etwas gelesen, gesehen habe, lege ich mich nachher hin, bis ich ganz ruhig geworden bin. Plötzlich habe ich das Bild vor mir, ich sehe es nicht, ich greife es, versuche es abzutasten. Dann muß ich aufstehen – manchmal ist es spät in der Nacht – und muß es sofort mit ein paar Strichen festhalten, sonst ist es verloren.« Aus der unveröffentlichten Biographie, die sein Sohn geschrieben hat, entnehmen wir:

»1897 besucht Jettmar die Radierschule Ungers. Seiner Veranlagung nach erscheint er geradezu prädestiniert für diese Technik: Es gehört zur Eigenart seiner Gesichte, daß sie in ihrer klaren Umschriebenheit stärker sind als ihre Farbigkeit. Dazu kommt nun der kühne und doch so sichere Griff, mit dem er sie festzuhalten weiß (dahinter steht allerdings ein unendliches Studium des menschlichen Körpers – gerade die schwierigsten Verkürzungen reizen ihn besonders) und die an Pedanterie grenzende Sorgfalt seiner Durchführung ... Bei all diesen Blättern bevorzugt er Kompositionen, die ihm durch besondere Geschlossenheit und Abgerundetheit entgegenkommen. Er ist von einer überraschenden Vielfalt und Fruchtbarkeit. Man spürt das tiefe Glück, sein Ausdrucksmittel und damit geradezu einen Weg zu sich selbst gefunden zu haben.«[110]

Die Radierung *Aufgehender Mond* (Abb. 42) zeigt den Anteil jugendstilhafter Stilisierung an seinem Werk in der Typisierung der Gestalten auf den symbolischen Ausdruck hin: die gebückte, von der Tagesarbeit müde alte Frau, die in Schlaf versinkt, während hinter ihr die kühle, aber lockende Körperlichkeit des Traumwesens auftaucht, in der flackernden Beleuchtung Sinnbild der von aller Schwere losgelösten Phantasie. Das Verhältnis zum Licht, der Gegensatz von Silhouette und Streiflicht-Modellierung, die kompositionelle

41 Rudolf Jettmar, Holzschnitt aus ›Ver Sacrum‹. Um 1900

Einbindung in große, leere, aber raumtiefe Flächen, sind Jettmars Elemente des neuen Stils.

Der Beitritt zur Sezession 1898 stellt Jettmar vor die Notwendigkeit, reproduzierbare Holzschnitte für ›Ver Sacrum‹ zu schaffen (Fig. 41), und so bedient er sich aus äußerem Anlaß einer Technik, die ihm nach eigener Auffassung eigentlich 'nicht liegt', und doch bedeuten gerade diese Holzschnitte eine Bereicherung der Wiener Jugendstilgraphik, da sie in ihrer blockhaften Sprödigkeit, ihrer dichten und ernsten Gegenständlichkeit einen wirksamen Kontrast bilden zur oft allzu süßen Linienmelodik der Zeitgenossen.

1910 wird Jettmar als ordentlicher Professor an die Akademie der Bildenden Künste in Wien berufen. Seine Mentalität »ließ es von vorneherein ausgeschlossen erscheinen, daß er jemals das Haupt irgendeiner Richtung oder

Bewegung werden könnte. Er entging damit dem allgemeinen Wiener Maler-
schicksal, zum Vorkämpfer gemacht zu werden, sich in der Kritik und be-
geisterten Zustimmung der Großstadt zu spiegeln, sich auf sich selbst festzulegen, dann, um der geistigen Führung willen, deutlich und immer deutlicher zu werden, um schließlich in jenem Grenzgebiet aller Deutlichkeit zu
landen, wo die Selbstkarikatur beginnt. Jettmar hat immer wieder selbst betont, daß es in jener Zeit jagender Entwicklung eine Gnade war, abseits zu
stehen und damit nicht Ruhm und Schicksal eines Klimt oder Egger-Lienz
zu teilen ... Er war auch viel zu wesenhaft einsam und spröde, ohne jede
werbende Note. So reicht er denn alles Traditionsgebundene, das ganze technische Rüstzeug seines Könnens weiter und weist auf die großartigen Möglichkeiten des Überkommenen hin.«[111]

4 Wiener Jugendstilgraphik

Das Zentrum einer Wiener Illustrationsgraphik bildet der Verlag von Gerlach
& Schenk, in dem seit Anbeginn die Monatshefte von ›Ver Sacrum‹ erschienen,
bibliophile Veröffentlichungen mit vielen Originalholzschnitten von Mitgliedern der Vereinigung. Dazu kommt, im gleichen Verlag erscheinend,
›Gerlachs Jugendbücherei‹ mit ihren Märchen- und Sagentexten, die in kleinem
Format – ähnlich den Bänden des Inselverlags – herausgegeben werden und
in ihrer Illustration das Beste bringen, was auf dem Gebiet des Jugendbuches
je erschienen ist.

   BERTHOLD LÖFFLER, DELLARILLA, C. O. CZESCHKA sind die wichtigsten
Vertreter der Gerlachschen Illustrationskunst. Die Nibelungen-Illustrationen
die Czeschka gezeichnet hat, sind ohne den Einfluß des Wiener Kunstgewerbes
und seiner byzantinisierenden Ornamentkunst, wie sie durch KLIMT eingeführt
wurde, nicht denkbar. Seine Bilder geben gerade durch die reiche Verwendung
kunstgewerblicher Mittel den Sagenstoff in seiner prächtigen und geheimnisvollen Abenteuerlichkeit wieder. Der Künstler macht keinen Versuch, den
Text durch erzählerische Ausschmückung weiter auszugestalten, vielmehr
reduziert er die Szene auf ein reines, weitgehend aus allen räumlichen Bedingungen gelöstes Symbolbild, in dem sich die Gewalt der schwerbewaffnet
einherbrausenden Reiter, die unheimliche Vorahnung von Krimhilds Traum

(Abb. 43), der unbeugsame Stolz der Königinnen an der Dompforte unmittelbar ausdrücken. Abstraktion und symbolhafte Eindringlichkeit werden noch gesteigert, da der Künstler durchweg eine einzige Szene in zwei quadratische und für sich gerahmte Bilder aufteilt, die sich aber auf den zwei aufgeschlagenen Seiten eines Buches gegenüber stehen, wodurch der rein buchgewerbliche Teil sehr stark betont wird. Die große Wirkung der flächig aufgetragenen, unmodulierten Farben, die reich mit Gold durchsetzt sind und bisweilen zu plakatmäßiger Wirkung gesteigert werden, ist fast allen Buchillustrationen der Wiener Schule eigen. Auch ausländische Künstler wie JOSEF VON DIVEKY, Brüssel, HUGO STEINER aus Prag und ALBERT WEISGERBER aus München arbeiten an den Büchern des Gerlach-Verlages mit.

Zu den phantasievollsten Stilisten der Wiener Illustration gehört der Architekt JOSEF HOFFMANN. Seine überlangen Figurinen, die er ökonomisch mit

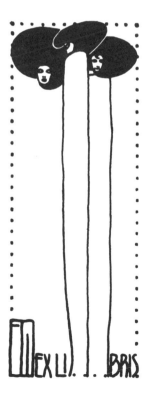

42 Josef Hoffmann, Ex Libris. Um 1899/1900

so wenig Strichen wie möglich zeichnet und dabei die Linie kaum unterbricht (Fig. 42), verdanken ihre Entstehung den Anregungen der Glasgower Jugendstilgruppe, deren stilistische Ideen Hoffmann auch in seinen Innenarchitekturen weiter verfolgt. Die Linie steht dabei nicht im Dienste irgendwelcher Charakterisierungstendenzen, sondern folgt fast ausschließlich der Eigengesetzlichkeit tektonischer Zeichnung. ADOLF BÖHM gehört ebenfalls zu den ordentlichen Mitgliedern des Ver-Sacrum-Kreises. Seine Zeichnungen und Holzschnitte (Fig. 43) weisen in der Art ihrer Anwendung von Linien und Flächen Ähnlichkeiten mit den Landschaftsdarstellungen LEISTIKOWS auf. Das Bild der Landschaft ist in seinen Illustrationen auf das dichte Liniengespinst kleinster konturierter Flächen von Laubkronen, Baumstämmen und Wolken reduziert, die eine intarsienhafte Ruhe und Selbständigkeit besitzen und sich weniger dem Natureindruck unterordnen, wie bei Leistikow, sondern umgekehrt, die Natur aus dem Geist der formalen Bedingungen heraus neu erfinden. Obwohl Böhm auch viel nach der Natur zeichnet und daher ihre organischen Zusammenhänge beherrscht, läßt er sich bei diesen Zeichnungen – sentimentalen Nachempfindungen der Natur – primär vom fast handschriftlichen Duktus seiner sehr sensibel gezogenen Linien und der Verteilung der Hell-Dunkel-Werte auf der Fläche leiten, wobei aber immer die Linien, oft im negativen Sinn zur Trennung der Schwarzflächen verwendet, den landschaftlichen Eindruck hervorrufen. Diese Art des Zeichnens hält enge Verbindung zum Kunstgewerbe und besitzt ihre unmittelbare Entsprechung in Böhms Entwürfen für Glasfenster. Andere Zeichnungen Böhms, die auf Schwarzakzente völlig verzichten und die Landschaft allein aus einem Liniengespinst aufbauen, fordern die Phantasie des Betrachters geradezu heraus, die Farben selbst einzusetzen. Wie in den Malbüchern für Kinder, die in jenen Tagen aufkommen, ist man versucht, dort die Flächen selbst zu kolorieren: das Unfertige, Unvollendete ist experimentelles Prinzip dieser Kunst, die an den Betrachter die Aufforderung stellt, in der produktiven Anschauung das Bild zu vollenden. Auch dort wird ein Grenzgebiet künstlerischer Möglichkeiten fixiert.

    KOLOMAN MOSER, ebenfalls ordentliches Mitglied des Ver-Sacrum-Kreises, neigt als ausgesprochener Buchkünstler, der Schriften und Zierleisten gestaltet, auch in seinen illustrativen Graphiken zur weitgehendsten Abstraktion des Gegenständlichen und seiner Auflösung in ein spielerisches Gesamtbild; in der reinen Reduktion seiner Themen auf große, zügige Flächen in

43   Adolf Böhm, Landschaft. Holzschnitt. 1901

Weiß oder Schwarz, die durch kontrastierendes, kleinteiliges Formenmosaik belebt werden, verbindet er Anregungen der Pariser Nabis mit dem Schmuckstil der Wiener (Fig. 44). Immer geben seine Bilder und Vignetten durch die Blockhaftigkeit ihrer Flächen- und Linienbehandlung zu seinen schmückend und großzügig gesetzten Texten ein wirksames Äquivalent.

Diesen Beispielen der Wiener Illustrationskunst wären noch viele andere hinzuzufügen: ALFRED ROLLER, AUCHENTHALER, MAX KURZWEIL, ELENE LUKSCH-MACKOVSKY, FRIEDRICH KÖNIG usw. Sie alle leben von der Atmosphäre der Gemeinschaft, in der sie arbeiten und in der sie sich gegenseitig tragen und steigern.

Aus ihrer Reihe ragt einer besonders hervor, dessen Arbeiten sich auch als selbständige Kunstwerke stärker behaupten: der Prager EMIL ORLIK (1870 –1932), seit 1902 in Wien, später Nachfolger Eckmanns in Berlin. Er ist einer der wenigen, der die japanische Kunst in ihrem Ursprungsland studiert hat und sich dort die Mittel einer scharfen, akzentuierenden Stilisierung mit

44 Koloman Moser, Holzschnitt aus ›Ver Sacrum‹. 1900

kühnen Kontrastwirkungen erwarb, die ihn in seinen späteren Holzschnitten schon dem Expressionismus nahebringen. In Deutschland wurde er vor allem durch seine Illustrationen zu den Japan-Büchern LAFCADIO HEARNS bekannt, die in der Japan-Mode der Jahrhundertwende eine bedeutende Rolle spielten und erstmals eine populäre Vorstellung über dieses Land verbreiteten; HUGO VON HOFMANNSTHAL hatte den Bänden ein Vorwort mitgegeben. Der hier wiedergegebene Holzschnitt aus Lafcadios Büchern (Fig. 45) zeigt eine mär-chenhafte Kostbarkeit der formalen Motive, die im Original durch den Gold-druck der Linien auf schneeweißer Fläche gesteigert waren; hier verbindet sich der Wiener Schmuckstil am reinsten mit den östlichen Anregungen, wobei Orliks Kunst sich besonders in einer feinen Empfindlichkeit gegenüber kost-baren Farbenzusammenstellungen äußert. Seine Vielseitigkeit als Porträtist, als Landschafter, vor allem als Radierer, auch seine Aufgeschlossenheit gegen-über westlichen Anregungen – in der treffsicheren Charakterisierung seiner Porträtholzschnitte, die an VALLOTTON erinnert – sei hier nur angedeutet.

45   Emil Orlik, Illustration zu Lafcadio Hearns ›Ko-Ko-Ro‹. 1906

XI Jugendstil
in den osteuropäischen Ländern

In Ungarn setzt sich der Jugendstil in der Malerei als avantgardistische Strömung gegen eine aus der Volkskunst inspirierte Heimatkunst ab, die – ähnlich wie in den westlichen Ländern – das Genre, die Historie und das intime Milieu pflegt; ihr Hauptvertreter war MÍHÁLY MUNKÁCSY (1844–1900), der viele Jahre in Paris lebte und arbeitete. Er zog seinen jüngeren Schüler JÓZEF RIPPL-RÓNAI (1861–1927) ebenfalls nach Paris, doch dieser befreite sich dort von dem Einfluß seines Lehrers. 1889 pilgerte Rippl-Rónai nach Pont-Aven, suchte anschließend die Bekanntschaft der Nabis und fand Eingang in den Kreis der ›Revue Blanche‹; daneben setzte er sich mit Whistler und Carrière auseinander. Nachdem er mehrmals Bilder im Salon und in den Ausstellungen der Indépendants zeigen konnte, veranstaltete der Kunsthändler Bing 1897 seine erste Kollektivausstellung mit 130 Bildern. 1902 kehrte Rippl-Rónai nach Ungarn zurück, wo ihm der Erfolg treu blieb. Zu den Hauptwerken der Pariser Zeit gehört ein Bild der *Großmutter* von 1894 in der Nationalgalerie von Budapest: es zeigt neben den charakteristischen Merkmalen der Jugendstilkunst des Künstlers Vorliebe für düstere und monochrome Stimmungen, gleichzeitig aber auch eine fast feierlich-monumentale Auffassung des Bildnisses, die das Porträt zu einem gemalten Denkmal werden läßt. Ein Zug von Großformigkeit, zusammenfassender Synthese in Form und Farbe bleibt seinem Werk auch nach der Rückkehr nach Ungarn erhalten, wo das traditionelle Genre und eine freundlich helle Palette seine Arbeiten bestimmt; und gelegentlich entstehen auch später noch Bilder, die stark an seine Pariser Zeit erinnern.

Neben Rippl-Rónai fanden sich in Ungarn wenige selbständige Auseinandersetzungen mit dem neuen Stil, der hier vor allem in akademischen Kreisen bekannt wird. J. VASZARI, der den modern gesinnten Journalistenclub 'Othon' mit Wandbildern ausmalt, hält sich eng an das Vorbild Puvis de Chavannes', doch setzt er anatomisch richtig gezeichnete, völlig naturalistisch modellierte Aktfiguren in seine stilisiert-flächigen Landschaften, betont aber die Umrisse seiner Figuren durch eine dünne schwarze Linie, die dann auch in den stilisierten Landschaftsformen, vor allem den Bäumen wiederkehrt. Einen ähnlichen Kontrast von anatomiegerechter Körperlichkeit und flächigen Formen zeigen die Fresken von ALADÁR KÖRÖSFÖI in der neuen Musikakademie in Budapest, bei dem sich die akademische Schulung mit 'nazarenischen' Anregungen MELCHIOR LECHTERS und der byzantinisierenden Ornamentbehandlung von GUSTAV KLIMT verbinden; kühle, klassizistische Farbgebung, mit gleißendem Gold durchsetzt, bestimmt den farblichen Eindruck einer etwas steifen und leblosen Repräsentationskunst.

Unter den tschechischen Jugendstilmalern ragt JAN PREISLER (1872–1918) hervor. Er schuf die Plakate zu den Prager Ausstellungen der Worpsweder (1903) und MUNCHS (1905), und deren Kunst reflektiert stark in seinem Werk. VOGELER muß ihn tief beeindruckt haben, aber auch ERLER, HANS VON MARÉES, PUVIS DE CHAVANNES und MAURICE DENIS. Doch ist seine Schaffensweise zu temperamentvoll, um sich einem dekorativen Flächen- und Arabeskenstil unterzuordnen, und das Motiv ist zu gewichtig: er ringt um das Thema Mensch in allen Erscheinungsformen, vom Mythos und vom Märchen bis zur Passion mit malerischen Mitteln, an denen der Expressionismus starken Anteil gewinnt. Neben ihm schaffen Maler wie MAX SVABINSKY, ANTONIN SLAVIČEK, ANTONIN HUDEČEK und LUDVIK KUBA Landschaftsbilder im Sinne der Worpsweder oder Dachauer Naturmystik.

In Polen spielt der Jugendstil eine gewichtigere Rolle, doch besitzen wir heute wenig Einblick in seine Zeugnisse. Zentrum der Bewegung ist vor allem Krakau, wo sich eine Künstlervereinigung 'Sztuka' bildet, in der jedoch – wie in den westlichen Sezessionen – auch konservative Historien- und Genremaler vertreten sind. Bis 1908 stellt diese Vereinigung insgesamt dreimal als Gast der Sezession in Wien aus. Das geistige Haupt der Gruppe, zugleich ihr bedeutendster Vertreter, ist STANISLAUS WYSPIANSKI (1869–1907), der aus der lokalen Historienmalerei kommt und sich dank seines virtuosen Könnens zum bedeutendsten Eklektizisten der polnischen Malerei entwickelt. Zu Beginn der neunziger Jahre führen ihn ausgedehnte Reisen durch Frankreich, wo er – fast in der Art Viollet-le-Ducs – in unzähligen Zeichnungen die Gewändefiguren der gotischen Kathedralen studiert und Veduten aus Frankreich und Deutschland mit nach Hause bringt. In Paris beeindruckten ihn die verschiedenartigsten Möglichkeiten des neuen Stils: Puvis de Chavannes, Toulouse-Lautrec, Gauguin und Maurice Denis. In zahlreichen Bildnissen, Gruppen- und Kinderporträts, die zwischen 1890 und 1907 entstanden sind, ist der Jugendstil am reinsten verwirklicht, und gleichzeitig darf man in diesen Bildern die reifsten Beispiele des Jugendstilbildnisses überhaupt sehen: die arabeskenhafte Linie verselbständigt sich nicht, sondern ändert ihren Duktus von Bild zu Bild, jeweils – fast im graphologischen Sinne – den Ausdruck der Persönlichkeit unterstreichend und charakterisierend. Daneben hat Wyspianski in seinen letzten Jahren ein monumentales Auftragswerk geschaffen, in dem persönlicher und individueller Ausdruck nicht erlaubt war: monumentale Fresken und Glasfenster, die er für Chor und Westfassade der Krakauer Franziskanerkirche schuf, zeigen einen byzantisierenden, hieratischen Stil, der Beziehungen zur neuen Mönchskunst in Beuron, sowie zum französischen und rheinländischen Neukatholizismus anknüpft.

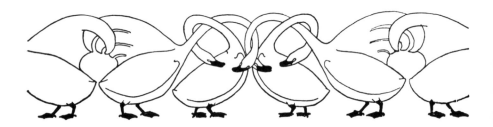

XII Der russische Jugendstil

Von stärkster Bedeutung für die gesamte europäische Kunst ist der Beitrag, den Rußland um die Jahrhundertwende zur europäischen Entwicklung leistet. Im russischen Jugendstil lassen sich zwei Gruppenzusammenhänge beobachten, deren Verhältnis zur Kunst der Jahrhundertwende ähnlich differiert, wie dies auch in den zentraleuropäischen Ländern beobachtet werden konnte. Die eine Gruppe mit Zentrum in Petersburg ist typische Fin-de-Siècle-Kunst, Schwanengesang des neunzehnten Jahrhunderts; die andere Gruppe mit Zentrum in Moskau bedeutet folgenschwereren Neubeginn, der auch auf die westliche Kunst starken Einfluß ausüben wird.

1 *Petersburg*

In Petersburg entfaltet sich in den ausgehenden neunziger Jahren eine bürgerlich-russische Neuromantik, erfüllt von der reichen schillernden kosmopolitischen Bildung, die die Stadt an der Newa in einer Weise pflegte, wie es höchstens noch in Paris geschehen konnte. Es gab neben einer russischen Bildungsschicht eine deutsche und eine französische Kolonie mit ausgeprägtem Gesellschaftsleben, die neben dem russischen Theater ständige Aufführungen deutscher und französischer Dramen, deutscher Musik und italienischer Opern in ihrer Ursprache möglich machte; als Gäste waren Schauspieler und Tonkünstler aus der ganzen Welt regelmäßig zu sehen. ›Mir Iskusstwa‹ (Die Kunstwelt) war das Sprachrohr der neuen Kunstkritik, die von dem geistreichen Schriftsteller und Kritiker DJAGILEW begründet worden war[112].

Die Petersburger Neuromantik hat ihren politischen und soziologischen Hintergrund, der zur Deutung aller derartiger Tendenzen in der europäischen

Kunst herangezogen werden könnte, hier jedoch besonders symptomatisch und vordringlich sichtbar wird, gerade wegen des Kontrasts zur übrigen nationalen Kunst Rußlands. Der sozialistische Realismus ist keineswegs eine Erfindung des kommunistischen Kulturprogramms, sondern er brach bereits in der Mitte des Jahrhunderts – wie auch in der Literatur bei DOSTOJEWSKI bereits angedeutet – immer stärker durch. Realistische Gemälde wie REPINS *Wolgaschlepper* vollziehen eine Heroisierung des Schicksals der Unterdrückten in einem Tenor, der beim bürgerlichen Betrachter fühlbares Unbehagen hervorrufen mußte. Gerade in Petersburg aber war die höfische Tradition noch so gegenwärtig, daß man sehnsüchtig das Genußleben und die Sinnenkitzel des goldenen Zeitalters unter der Kaiserin Elisabeth herbeisehnte.

So neigt die Petersburger Kunst von vorneherein dazu, alle jene westlichen Anregungen aufzunehmen, die in stilisierenden Träumereien eine wirklichkeitsfremde Kunstwelt aufbauen; gerne verzichtet man auf die realistische Wirklichkeitsillusion und psychologische Vertiefung der Handlung, die man als 'Moskowiterei' abtut. Gleichzeitig nimmt man die impressionistische Bewegtheit des Farbenspiels auf, ohne jedoch die eigentlichen Errungenschaften des Impressionismus, ausschnitthaft wiedergegebene, spontane Bewegung und Lichtmalerei, weiter zu verfolgen. Wie in der ähnlich ausgerichteten westlichen Malerei, hier jedoch noch stärker als Flucht vor politischen Vorahnungen zu verstehen, spielen Motive aus dem Rokoko und dem Biedermeier eine große Rolle.

Die Vertreter dieser Malerei entstammen der internationalen, hauptstädtischen Oberschicht, wie ALEXANDER BENOIS (geb. 1870), der Sohn des zaristischen Hofarchitekten, dessen Vorfahren während der Revolution aus Frankreich ausgewandert waren, CONSTANTIN SSOMOW (geb. 1869), Sohn des Kustos der Eremitage und Gemäldegalerie an der Akademie der Künste, und LEON BAKST (geb. 1866), um nur die wichtigsten zu nennen. Schon die Titel ihrer Bilder *Das Bad der Marquise, Dame in himmelblauem Kleid, Herbst im Park von Versailles, Die Kokotte* charakterisieren die von ihnen bevorzugte Bildwelt. Besonders Ssomow ist durch seine Mitarbeit an der Münchner ›Jugend‹ in Deutschland populär geworden. Er verfolgt das Rokokomotiv bis in die schlüpfrigsten Alkovenbilder, von denen in FRANZ BLEIS pornographischer Zeitschrift ›Opale‹ Kostproben erschienen sind. Die Richtung der Petersburger Gruppe hat besondere Schwerpunkte in der Graphik und entwickelt

die in Rußland ganz vergessene Buchkunst zu neuem Leben. Bakst hat vor
allem durch seine Arbeiten für das Theater auch Einfluß auf die westliche
Bühnenkunst genommen.

2 Moskau

Unter völlig anderen Voraussetzungen, wie sie durch die Ferne des Zaren-
hofes in einer aufstrebenden, fast bäuerischen Provinzstadt gegeben sind, entwickelt sich die Kunst Moskaus. Für sie trifft vor allem zu, was der die Bewegung miterlebende FRITZ BURGER unter dem starken Eindruck der russischen
Kunst formulierte: »Das russische Volk ist dasjenige, das heute vielleicht am
stärksten asiatischen Geist in europäischen Formen sich erhalten hat. Darin
liegt wohl seine größte Bedeutung für die Kultur Europas. Mehr als anderwärts fühlt sich hier der einzelne getragen von einer unbekannten, liebenden
Macht, der er sich in frommer Resignation ergibt, sich opfert, mit einem
wunderlichen Gefühl für die Hierarchie einer höheren Weltordnung, deren
Güte er still vertraut. Mehr als anderwärts liegen da verschwistert die edelsten
religiösen Instinkte der Europäer mit roher animalischer Gewalt beisammen,
die vielen Schöpfungen ein Organ, eine Ursprünglichkeit verleihen, die sie
fürs erste ganz außerhalb des europäischen Denkens heben ... Bei aller Gegen-
sätzlichkeit ist daher unschwer zu erkennen, was den Russen mit seiner – trotz
der politischen Unfreiheit – eigenartigen sozialen Freiheit und seiner Fülle
originaler Lebenstypen mit den Deutschen verbindet: seine instinktive Sehnsucht nach Weite und Freiheit seines Geistes, sein Gefühl für eine metaphysi-
sche Bindung und Einheit alles Lebendigen, jenseits aller Persönlichkeits-
differenzen und Interessen. Beide Völker treten in den Kreis moderner Kultur
Seite an Seite. Das, was sie bindet, ist asiatisches Erbe, und der große Zauberer,
das Schicksal, bindet sie auch an dieselbe politische Idee.«

MICHAEL WRUBEL (1856–1910) ist der älteste Maler der neuen Moskauer
Richtung; er teilt nur ihren Ursprung, nicht ihren Entwicklungsweg und wird
deshalb erst spät, als Todgeweihter, von seinen Landsleuten verstanden. In
seinen Ursprüngen macht er die allgemeine Entwicklung der Moskauer Schule
vom literarischen zum malerischen Realismus durch, doch dann verfällt er
zusehends der imaginären Kraft seiner inneren Gesichte, in denen später, bei

zunehmender Umnachtung, sein Bewußtsein gänzlich versinkt. Aus der Verbindung TOOROP'scher und KHNOPFF'scher Anregungen mit russischer Ikonenmalerei schafft er einen monumentalen Flächenstil mit fast anthroposophisch anmutender Farbensymbolik; seine Entwürfe für Fresken in der Kathedrale zu Kiew, mit denen er diesen Stil zum erstenmal öffentlich vorstellt, werden von der Jury mißverstanden zurückgewiesen – zugunsten konventionell-historischer Lösungen. Neben religiösen Bildthemen beschäftigen ihn die Stoffe der altrussischen Sagen- und Märchenwelt; ihm gelingt es, die Vorstellung solcher Wesen, in denen sich das Unfaßbare der russischen Seele verdichtet, in stimmungsvolle Anschauung zu erheben. Die schönste Traumgestalt seiner Schöpfung ist die *Schwanenkönigin* (Abb. 44) aus dem Jahre 1900, die als Metamorphose aus einem zuerst nach dem Natureindruck gestalteten Bild eines Schwanes (in der Tretjakow-Galerie) hervorgegangen ist. Das Unheimlich-Gespenstische der Erscheinung, fern aller Erdenwirklichkeit und körperlicher Schwere, wird glaubhaft durch den eigentümlichen Reiz der Farbe: rosige Halbtöne spielen über das bläuliche Weiß des Gefieders dieser nächtlichen Erscheinung, die sich im Rauschen der Flügelflächen aufzulösen scheint und doch in einem Bild von ikonenhafter Strenge festgehalten wird. Diese Vergegenwärtigung des Traumbildes hat in der gleichzeitigen Moskauer Malerei keine Entsprechung; aber ein wenige Jahre jüngerer Künstler wird aus einer ähnlichen Traumwelt heraus an die Tradition des Dichtermalers Wrubel anknüpfen und sie nach dem westlichen Europa tragen: WASSILY KANDINSKY.

Aber noch andere Voraussetzungen in der Moskauer Malerei bedingen Kandinskys Werk: die Entwicklung vom literarischen zum malerischen Realismus ist angedeutet worden; sie vollzog sich etwa seit der Mitte der achtziger Jahre. Das befreiende Kunsterlebnis der russischen Malerei aber ist die Begegnung mit dem französischen Impressionismus, der von den russischen Künstlern teilweise in Frankreich selbst erlebt wird, vor allem aber durch die 1895 in Moskau stattfindende Ausstellung französischer Impressionisten hier größte Wirkung ausübt. Man verstand den Impressionismus in Rußland aber nicht als atmosphärische Auflockerung der bisher geübten naturalistischen Malerei und im Sinne zufällig erlebter Bildausschnitte, spontan bewegter Szenen und natürlicher Beleuchtung, sondern man verband mit der impressionistischen Malweise zugleich anderweitige, neue künstlerische Absichten: die durch den akademischen Realismus gedämpfte Farbenfreude der russischen Volksnatur, die bisher nur in der bäuerlichen Volkskunst ihren Ausdruck finden durfte, kam jetzt ungehemmt zum Durchbruch und begann unaufhörlich, das Gegenständliche im Farbenrausch aufzulösen. Ihren Höhepunkt erlebt diese Entwicklung mit dem Werk des Repin-Schülers und Athos-Novizen F. MALJAWIN (geb. 1869). »Seine überlebensgroßen Gestalten sind gleichsam die 'Mütter' der urwüchsigen Kraft und Sinnlichkeit des russischen Weibes in unbändigem Frohsinn oder mürrischer Zanksucht.«[113] Seine *Bojarin im Festschmuck* ist ein Bild wahrer Rotlust: aus der brennenden Fläche eines pastos bewegten Grundes taucht die Gestalt der Frau auf, deren Füße vom untersten Bildrand überschnitten sind und somit Körperlichkeit oder Räumlichkeit gar nicht aufkommen lassen. Ihr Gewand aber ist übersät von einem Blumenmuster, in dem zwischen dem vorherrschend brennenden Rot kühles Blau, Grün und wenig Gelb steht und einen Farbeneindruck hervorruft, wie ihn die Farbenfenster gotischer Kathedralen bei Sonnenlicht ausstrahlen. Ein kaleidoskopartiges Gefunkel überzieht die Bildfläche und läßt alles Gegenständliche darin untertauchen, gibt aber dem innersten Wesen dieser Kunst um so stärkeren Ausdruck. Hier zeigt sich gewissermaßen die andere Möglichkeit einer Malerei, die sich in der *Schwanenkönigin* Wrubels ungleich zurückhaltender geäußert hat.

Das Beispiel einer ruhigeren, ausgeglicheneren Aneignung impressionistischer Anregungen zeigt das Werk von KONSTANTIN JUON (geb. 1875), dessen Bedeutung für die Weiterentwicklung des Jugendstils zum Expressionismus nicht übersehen werden darf, obwohl wir – bei der lückenhaften Kenntnis der russischen Malerei, die sich dem Studium eines Westeuropäers heute noch weitgehend entzieht – eher annehmen müssen, daß er Exponent einer breiteren Entwicklung gewesen ist. Er malt mit Vorliebe die alten Klöster in der Umgebung Moskaus, das russische Dorf der Provinz, die Landschaften meist in das nuancenreiche Weiß der winterlichen Jahreszeit getaucht, aus der die roten Mauern, grünen und gelben Kuppeln in starkem Kolorit herausleuchten. Immer öfter wählt er die Sicht von oben, die Vogelschau auf russische Märkte, wobei alle Farben in einzelnen Flecken – wenn auch ohne Konturierung der Umrisse – nebeneinander gesetzt erscheinen.

3 Wassily Kandinsky

Aus dieser Bewegung, die den Anschluß aus der Ateliertradition zur Naturanschauung, durch die Vermittlung des Impressionismus, wieder hergestellt
hat, kommt WASSILY KANDINSKY (1866–1944), dessen Geburtsjahr die
Zugehörigkeit zur Jugendstilgeneration klar erweist. Er trägt die frische Kraft
des russischen Jugendstils 1896 nach München und schafft damit eine der wesentlichsten Voraussetzungen für den Aufbruch der Münchner Kunst zum
Expressionismus des zwanzigsten Jahrhunderts.

Über seine Beziehungen zum Jugendstil sagt Kandinsky in seinen Selbst-
zeugnissen wenig aus, obwohl seine Malerei in diesem Stil ihren ersten Schwer-
punkt gefunden hat und reine Jugendstilbilder bis 1907 von ihm gemalt werden.
Später sagte Kandinsky: »Im allgemeinen wußte ich aber zu jener Zeit schon
ganz bestimmt, daß ich die absolute Malerei erzwingen werde«[114] – dieses
Wissen resultierte aber aus der Einsicht des Weges, den der russische Jugendstil seit Maljawin führen würde. Ein entscheidendes künstlerisches Erlebnis lag
ganz im Bereich der Moskauer, aus volkstümlichen Quellen gespeisten Malerei:
Auf einer Reise in das Gouvernement Wolodga, die er noch während seiner
russischen Zeit als juristischer Beamter unternahm, beeindruckten ihn die
Ornamente der Volkskunst, die alle Wände der bäuerlichen Wohnräume und
alle Gegenstände starkfarbig überzogen. »Sie waren nie kleinlich und so stark
gemalt, daß der Gegenstand sich in ihnen auflöste.«

Eines seiner typischen Jugendstilbilder von 1905 *Russische Schöne in der
Landschaft* (Abb. 45) zeigt sein eigentümliches Verhältnis zur Tradition der
russischen Malerei. Er verbindet die vibrierende Fleckenmalerei Maljawins
mit dem großflächigeren Kolorismus, wie ihn die Maler um Juon durchführten,
aber seine Phantasie reicht über die realistische Gegenständlichkeit hinaus und
sucht in imaginativer Verwandtschaft mit Wrubel Stoffe der russischen Märchenwelt, die vom Wesen her unrealistisch und traumhaft sind, aber durch
einen bestimmten seelischen Klang im Betrachter ihren Widerhall finden.
Darüber schreibt er selbst: »An manchen Stellen habe ich ausführlich darüber
gesprochen, daß der Gegenstand an und für sich einen bestimmten seelischen
Klang bildet, der als Material in der Kunst aller Gebiete dienen kann und dient.
Und ich war noch zu stark mit dem Wunsch verbunden, die rein malerischen
Formen mit diesem seelischen Klang zu suchen. Ich löste also auf demselben

Bild die Gegenstände mehr oder weniger auf, damit sie nicht alle auf einmal erkannt werden können und damit also diese seelischen Mitklänge allmählich, der eine nach dem anderen, vom Betrachter erlebt werden können.«[115] Immer wieder sind auch in seinen frühen abstrakten Bildern die Beziehungen zur Jugendstilmalerei deutlich, in fleckenhaften Farbkombinationen, von denen man glauben möchte, sie könnten sich im nächsten Augenblick zu traumhaften Gebilden zusammenfügen. Die völlige Loslösung vom Gegenstand liegt bei Kandinsky – wie bei Hölzel, bei Toorop, van de Velde, Obrist und anderen – in der Konsequenz der Weiterentwicklung: es ist eine der bedeutendsten Komponenten des Jugendstils, die in die gegenstandslose Kunst einmündet.

XIII Jugendstil
in den südeuropäischen Ländern

1 Italien

Im europäischen Kräftespiel der Jahrhundertwende treten die südeuropäischen Länder in ihrer Bedeutung gegenüber dem übrigen Europa zurück; sie bleiben daneben Kunstprovinz – zwar mit einer typischen Jugendstilproduktion, aber ohne elementaren Beitrag zur Gesamtentwicklung. Die Jugend Italiens steht unter dem Einfluß der symbolistischen Kunst SEGANTINIS, auf deren Grundlage sogar die später führenden Futuristen ihr malerisches Werk beginnen. Daneben ist der Einfluß Wiens besonders spürbar; LUIGI BONAZZA, einer der Hauptvertreter des italienischen Jugendstils, verbindet Anregungen KLIMTS mit japanischer Flächendelikatesse zu scharf naturalistisch gesehenen Symbolbildern mythologischen Inhalts, die schon dem späteren Surrealismus vorgreifen (Abb. 46). Gleichfalls auf dem Weg zum Surrealismus befindet sich ALBERTO MARTINI (geb. 1876), der bedeutendste italienische Graphiker der jüngeren Generation (Abb. 47), der aus Anregungen BEARDSLEYS und TOOROPS einen symbolistischen Satanismus braut, mit dem er illustrativ den schon vom literarischen Symbolismus entdeckten EDGAR ALLAN POE auf unheimliche, das Perverse einbeziehende Art gerecht wird. Seine raffiniert verfeinerte Schwarz-Weiß-Kunst bewegt sich mit Vorliebe im Tenor schwarzer Messen.

2 Spanien

Auch Spanien versteht den Jugendstil nur im Anschluß an die altmeisterliche Ateliertradition des Landes, in bewußter Rückbindung an VELASQUEZ,

EL GRECO und GOYA; ihre Hauptvertreter sind IGNACIO ZULOAGA (geb. 1870) und HERMEN ANGLADA Y CAMARASA (geb. 1872); beide begründen ihren Ruhm in Paris. Zuloaga malt Szenen aus dem einfachen Leben des spanischen Volkes, ohne genrehafte Sentimentalität (Abb. 48). Er lebt und arbeitet in Segovia, wo er in einer verlassenen, romanischen Kirche sein Atelier eingerichtet hat und Bilder von El Greco und Goya sammelt. Wie seine Vorbilder, liebt er Visionen eines grauen und düsteren Spanien mit prächtigen, in tiefes Schwarz eingebetteten Lokalfarben von ähnlicher Leuchtkraft wie in der russischen Kunst. In den Gewändern der Spanierinnen sieht er die starkfarbigen Ornamente ohne Details als Kontrastspiel prachtvoll ungebrochener Farben.

Während er in den Umrissen jede Figur hart und vereinzelt sieht, neigt Camarasa zur arabeskenhaften Verbindung seiner Figurengruppen durch den gemeinsamen Umriß und rauschhafte Auflösung aller Details in das fließende Weiß festlich-wogender Gewänder, in denen er ein reiches Nuancenspiel durchsichtiger Reflexe entfaltet (Abb. 49). Er schwelgt in außerordentlichen Lichteffekten von Mond- und Sternenlicht, künstlicher und elektrischer Beleuchtung und Gaslicht, oder dem matten Schein vielfarbener venezianischer Lampions, der die Gestalten geisterhaft schlank erscheinen läßt und ihre Gesichter in Leichenblässe taucht. Seine Motive sucht er im Nachtleben moderner Weltstädte, auf nächtlichen Gartenfesten, wo die pompösen und extravaganten Toiletten galanter Damen paradieren, aber er malt alles ohne novellistische Sentimentalität, als dekorative Augenweide. Er hat sich am stärksten von der spanischen Tradition gelöst und Anregungen der Pariser Gesellschaftskunst aufgenommen. Aber nur Picasso, der aus diesen Kreisen spanischen Jugendstils hervorgeht, ist es vorbehalten, die Kraft spanischer Tradition nachmals in die europäische Kunst einfließen zu lassen.

3 Pablo Picasso (geb. 1881)

PICASSO gehört nicht mehr der Jugendstilgeneration an. Aber an seinem Weg zeigt sich besonders deutlich, daß die schöpferischen Kräfte, die die Kunst des zwanzigsten Jahrhunderts heraufführten, zunächst an den Jugendstil gebunden bleiben und ihn in organischer Umwandlung und Überwindung von innen heraus zur notwendigen Voraussetzung für das Neue machen. In ähnlicher

Weise war ja auch der Jugendstil selbst in Frankreich entstanden: aus der Überwindung des Impressionismus, aber mit dessen eigenen Mitteln.

Picasso erhält seine erste künstlerische Ausbildung in Barcelona und Madrid, wo bereits in der zweiten Hälfte der neunziger Jahre avantgardistische Künstlerkreise gegen den akademischen Realismus und die phantasielose Historienmalerei polemisieren. Symbolismus und Jugendstil, von den führenden europäischen Zeitschriften ›Revue Blanche‹, ›Studio‹ und ›Jugend‹ vermittelt, werden durch diese Kreise auch in Spanien bekannt, wo GAUDI bereits seit 1883 an der Sagrada Familia mit der Verwirklichung seiner phantastischen Pläne begonnen hat. Hier in Barcelona lebt und arbeitet auch der wenige Jahre ältere ISIDOR NONELL Y MONTURIOL (1873–1911), der erst neuerdings ins Blickfeld der modernen Kunstgeschichtsschreibung gerät und der sowohl in der Motivwahl – den Zigeuner- und Bettlergestalten – als auch in dem zusammenfassenden, großflächigen Stil seiner förmlich in die geschlossene Form eingekapselten Figuren viele Anregungen zu Picassos Frühstil gegeben hat; die Untersuchungen darüber sind noch nicht abgeschlossen. In diesem Klima lernt Picasso den neuen Stil kennen und bekennt sich zu seinen Prinzipien.

1898, zwei Jahre bevor Picasso selbst zum erstenmal nach Paris kommt, malt er ein Aquarell, dessen originaler Titel nicht überliefert ist; der heutige Besitzer (Slg. Tannhauser, New York) schlägt den literarisch-symbolhaften Titel *Die letzte Wegstrecke* (Abb. 50) vor und dürfte damit den Intentionen des Malers gerecht werden. Das Blatt zeigt in flächenhafter Anlage und in kurvenden Linienzügen zwei Wege, auf denen lebensmüde Menschen zu Fuß und in Wagen sich dem gleichen Ziel nähern: einem gähnend offenen Tor, über dem ein großer, geflügelter Tod hockt. Wenige Farben, schmutziges Blau, schwefliges Gelb und mattes Rosa binden die flächigen Silhouetten der wandernden Menschen in gemeinsamer Stimmung zusammen, während ein arabeskenhafter Zug sie unausweichlich nach oben, zum offenen Tor hinzieht.

1900 kommt Picasso zum erstenmal nach Paris, und bis 1904 wechselt er öfters seinen Aufenthalt zwischen der französischen Metropole und Barcelona. Seine Malerei zeigt in diesen Jahren die verschiedensten Reflexe des neuen Stils, in ähnlicher Vielfalt, wie sie sich zu dieser Zeit in Paris selbst anbieten: als eklektizistisches Gemenge von Ingres und Puvis de Chavannes über den Impressionismus zu Bernard, Gauguin, Toulouse-Lautrec. Gegen Ende des Jahres 1901 gewinnt in seinem Werk die Auseinandersetzung mit der monochromen

Stimmungsmalerei, die seit der Arbeit in der 'Ecole du Petit Boulevard' von den Nabis und den jüngeren Pointillisten weitergeübt worden war und sich nun auch noch mit den gleich gerichteten Bestrebungen Whistlers verbindet, immer stärker an Bedeutung. Und Picasso findet in der blauen Farbdominante, die auch von ROUAULT zur Wiedergabe einer charakteristischen, melancholisch-pessimistischen Zeitstimmung bevorzugt wurde, seinen ersten Stil. Viele seiner Motive dieser Zeit gehen direkt auf Kompositionen GAUGUINS und BERNARDS zurück und auch das Harlekin-Motiv, das fortan in seinen Bildern fast die tragende Rolle spielt und mit Recht als Gesellschaftssymbol gedeutet werden darf, ist hier bereits vorgebildet. Aber auch die dekadente Sentimentalität BEARDSLEYS hat auf Picasso gewirkt und sein *Sterbender Pierrot* von 1905 ist motivisch mit einem Holzschnitt des Engländers identisch. Aber in den Konturen, die auch Picasso betont, schafft er sich ein höchst bewegliches und sensibles Ausdrucksmittel, das den ornamentalen Charakter der Jugendstil-kunst rasch hinter sich läßt. Auch in Ölbildern wie dem bekannten *Kind mit Taube* von 1901 liegt in den spröden schwarzen Umrißlinien eine Kraft, eine Bündig-keit der Charakterisierung, eine Umreißung auf kürzestem Wege unter Ver-zicht auf ornamentalen Wohlklang, wie der Jugendstil es bisher nicht ver-mochte. Hier wird der Ansatz zu seiner Überwindung deutlich, und das geschieht mit seinen ureigensten Mitteln. Es ist eines der frühesten Beispiele, an dem wir den Aufbruch des Stiles von innen her beobachten können und es knüpft gleichzeitig an Erscheinungen an, die wir in den achtziger Jahren mit einem Ausdruck SCHMALENBACHS als 'Frühexpressionismus' charakteri-sierten.

Auch Picassos 'rosa Periode', die etwa um 1904 einsetzt und aus der man eine optimistischere Lebensauffassung glaubt ablesen zu müssen, liegt ebenfalls noch in der Tradition des Jugendstils, geht in seiner Überwindung aber wieder einen Schritt weiter. Häufig werden auch in dieser Zeit die Figuren noch dunkel umrandet und gegen einen räumlich unbestimmten Grund silhouettenhaft abgesetzt. Aber der Übergang aus dem passiv stimmenden Blauton in das aktiv stimmende Rot ist ein Vorgang, der sich auch bei den Fauves und bei den deut-schen Expressionisten ablesen läßt: die Mittel der Darstellung bleiben vorerst noch fast die gleichen, aber sowohl die Linien wie die Farben treten aus der passiven Stimmungshaftigkeit heraus und steigern sich zur Expression, die dem Betrachter als Forderung und Anspruch entgegentritt.

XIV Die entwicklungsgeschichtliche Stellung der Jugendstilmalerei

Der Versuch eines Abrisses der europäischen Jugendstilmalerei, wie er hier vorgelegt wurde und noch seiner Fundierung und Korrektur durch Œuvre-Kataloge und Werkverzeichnisse bedarf, erweist die Vielfalt künstlerischer Möglichkeiten, die diese Stilepoche von der Dauer eines reichlichen Jahrzehnts beinhaltet hat. Wir konnten nicht den Eindruck einer im Formalen deutlich sichtbaren Stileinheit erwarten, weil der Begriff des Jugendstils zuviel Gegensätzliches enthält, als es sich durch eine gemeinsame Formel ausdrücken läßt. Die Fülle der Möglichkeiten aber charakterisiert gerade diesen Stil, in dem die letzte Erfüllung des 19. Jahrhunderts ebenso gegenwärtig ist wie die Ansätze zum Expressionismus, zur gegenstandslosen Kunst oder – in der Verquickung mit dem Symbolismus – zum Surrealismus. Trotz seiner engen Verknüpfung mit der Vergangenheit wie mit der Zukunft haben beide Zeitabschnitte – der vorausgehende wie der nachfolgende – ihre Distanzierung vom Jugendstil betont und ihn zur historischen Enclave werden lassen. Dies charakterisiert ebenfalls seine entwicklungsgeschichtliche Stellung, die folgendes klar werden läßt: Die radikale Lösung des zwanzigsten Jahrhunderts von der Vergangenheit des neunzehnten Jahrhunderts war nur möglich bei gleichzeitig engster Bindung an diese Vergangenheit. Dieses Paradoxon ist geschichtliche Tatsache, aber es ist auch der Grund, warum das neue Jahrhundert mit allen Mitteln versucht hat, die Erinnerung an den Jugendstil zu verdrängen.

Ebenso hat der Positivismus sein Urteil über den Jugendstil gesprochen und ihn aus dem Zusammenhang des neunzehnten Jahrhunderts verstoßen. Charakteristisch dafür sind die Aufrufe ZOLAS 'A la Jeunesse' und 'Peinture': »Eure Werke haben etwas von modriger Kellerluft, die nie vom wärmenden Sonnenlicht durchflutet wird; sie sind durchdrungen von doppelsinnigen Schlüpfrigkeiten; eure Religion hat etwas scheeläugiges und beruht auf intellektueller und moralischer Verderbnis. Geht mir mit Euren Lilien, mit Euren bis zur Durchsichtigkeit abgemagerten Frauenfiguren, die nur mehr Seele sind und unter wahrhaft männlicher Umarmung zerfließen wie Schemen. Tischt der Welt immer noch mehr davon auf, bis sie übersättigt sich abwendet, und spart dabei nicht an Symbolen! Je verworrener sie sind, desto mehr führen sie das menschliche Dasein in die Irre. Nur zu! Je mehr Lilien Ihr sät, desto reicher wird das Getreide aufgehen, aus dem die Menschheit ihre wahre Nahrung zieht.

Wenn ich dem Positivismus so hartnäckig das Wort rede, so weiß ich genau, warum ich es tue. Er allein hütet uns davor, daß die Geister in Zerfahrenheit geraten; er allein bewahrt vor jener Sorte von Idealismus, der das Schlimmste: unabsehbares Verderben in sich trägt. Seht zu, wo ihr bereits hingeraten seid! Der Mystizismus ist euer Steckenpferd, Geheimniskrämerei und Einbildung aller möglichen Schreckgespenster euer täglich Brot. Ihr treibt Religion, die an den Teufel glaubt, ihr wollt Liebe, die von Kindern nichts wissen mag. Wahrlich, die Völker siechen dahin, denen der Glaube ans Leben abhanden kommt und die dafür die finstere Wahnidee des Mystizismus eintauschen ... Das ist's, was uns trennt, für immer trennen muß. Es sind unsere Anschauungen über den Menschen, über das Weib, über das Leben, über die Wahrheit. Brechen wir darum – für immer!«[117]

Dieser Distanzierung von der Vergangenheit her antwortet von der Seite der Zukunft wenige Jahre später KANDINSKY mit Argumenten, die für die Überwinder des Jugendstils kennzeichnend sind. Er bezeichnet folgendes als die größten Gefahren, die er auf seinem Wege sah, umgangen und in der Vergangenheit gelassen habe: »1. Die Gefahr der stilisierten Form, die entweder totgeboren auf die Welt kommt oder lebensschwach bald stirbt. 2. Die Gefahr der ornamentalen Form, die hauptsächlich die Form der äußeren Schönheit ist, indem sie äußerlich ausdrucksvoll und innerlich ausdruckslos sein kann und in der Regel ist. 3. Die Gefahr der experimentalen Form, die auf experimentalem Wege, also ganz ohne Intuition entsteht, wie *jede* Form einen gewissen Klang hat, der trügerisch die innere Notwendigkeit vortäuscht«, und programmatisch fährt er fort: »Ich will keine Musik malen; ich will keine Seelenzustände malen; ich will nicht farbig oder unfarbig malen ...«[118]

In diesen Formulierungen wird der echte Vorgang der Überwindung deutlich, denn Kandinsky nennt als Fakten, von denen er und die zeitgenössischen

46 Henri Matisse,
Linolschnitt.
Um 1906–1910

Expressionisten sich distanzieren, genau jene, die gleichzeitig Ausgangspunkte ihrer Kunst gewesen sind. Wenn wir den Vorgang bei den Fauves in Frankreich oder bei den Expressionisten der 'Brücke' oder des 'Blauen Reiters' in Deutschland beobachten, so vollzieht sich der Übergang vom Jugendstil zur neuen Kunst nicht als abwehrende Reaktion, sondern von innen her, indem die im Jugendstil angelegten Stimmungswerte aus ihrer Passivität heraustreten und aktiviert werden, ein Vorgang, den wir gleichsam in rhythmischen Abständen in der Jugendstilkunst schon selbst – als Frühexpressionismus – beobachten konnten. Der Expressionismus nutzt die neue Auffassung des Gegenstandes, die der Jugendstil bereits vollzogen hatte: sie ist nicht positivistisch-materiell, sondern die immateriellen Eigenschaften des Gegenstandes treten in die Erscheinung ein.

Ein Linolschnitt von MATISSE (Fig. 46) oder ein Holzschnitt von KIRCHNER (Fig. 47) zeigen bei getreuer Verwendung der Stilmittel des Jugendstils diesen Vorgang des inneren Aufbrechens der alten Form. Das beginnt damit, daß die Linien nicht mehr geschmeidig fließen, sondern sich hart zu winkeln beginnen und sich eher abstoßen als zusammenklingen. Linien und Formen sind nicht mehr auf ihr ornamentales Zusammenspiel hin komponiert, sondern drücken fast quälend die Idee des Gegenstandes aus. »Form ist klare Härte ohn' Erbar-

47
Ernst Ludwig Kirchner,
Holzschnitt. Um 1906

men«, dichtet um 1910 der Lyriker Ernst Stadler. Die Farben in der gleich-
zeitigen Malerei ergeben keine Harmonie mehr, sondern eher eine Dissonanz.
Sie sind nicht auf den wohltuenden Klang mit anderen Farben hin disponiert,
sie drücken nicht mehr die Empfindung und Stimmung des Künstlers vor dem
Modell aus, sondern sie enthalten die entscheidende Aussage, sein endgültiges
Urteil über das Motiv.

In Berlin knüpft an den Jugendstil die 1905 gegründete Vereinigung der
'Brücke' an; der Schweizer Jugendstilmaler CUNO AMIET und der Finne
AXELI GALLÉN werden vorübergehend Mitglied, und die Mitgliedskarte der
Gesellschaft zeigt noch bis 1908 Jugendstilornamentik. EMIL NOLDE (1867 bis
1956), der altersmäßig zur Generation der Jugendstilzeit gehört und in Dachau
1899 Schüler von HÖLZEL war, zeigt nach seinem Pariser Aufenthalt vom
französischen Jugendstil (Fig. 48) und besonders von BERNARD beeinflußte
Radierungen *(Nach dem Pferdemarkt)*. ERNST LUDWIG KIRCHNERS (1880–1938)
frühe Holzschnitte arbeiten mit den großflächigen Schwarz-Weiß-Wirkungen
VALLOTTONS und erinnern in der pointierten Zuspitzung der Einzelformen
noch oft an TOULOUSE-LAUTREC. Die Begegnung mit den in Berlin immer
wieder ausgestellten Bildern MUNCHS bestimmt noch formal und farblich
den Aufbau seines *Straßenbilds* von 1907 (Abb. 51). Das gleiche gilt von
HECKEL, SCHMIDT-ROTTLUFF, MUELLER und PECHSTEIN; immer aber
wird, noch mit den formalen Mitteln des Jugendstils, der entscheidende
Schritt über den Jugendstil hinaus getan.

In München ist die Situation ähnlich. Hier gruppiert sich die neue Bewegung um einen Künstlerkreis, aus dem 1911 der 'Blaue Reiter' hervorgeht.
PAUL KLEE (1879–1940), der von 1898–1901 bei STUCK lernt, knüpft in seinen
frühen Zeichnungen und Radierungen an den Symbolismus an: *Ein Weib,
Unkraut säend; Weib und Tier; Ein Mann versinkt vor der Krone*. Die Radierung
Jungfrau im Baum greift SEGANTINIS Motiv der *Kindsmörderinnen* auf und
steigert es zum schauerlichen Symbol der Unfruchtbarkeit. Auch FRANZ MARC
(1880–1916) setzt im Jugendstil an: die Lithographie der *Leda mit dem Schwan*
ist im Sinne flächiger Ornamentik und gleitender Linien komponiert. In
Arbeiten um 1919 umfaßt noch Landschaft, Mensch und Tier ein gemeinsames
ornamentales Prinzip. Solche Kompositionen sind aus arabeskenhaft schwingenden, teils sich verknäuelnden Linien aufgebaut. Noch in den späteren Tier-

48   Emil Nolde, Prinzeß und Bettler. Holzschnitt 1906

bildern ist diese Herkunft spürbar. Ähnliches gilt von AUGUST MACKE (1887–1914), dessen früheste Werke Einflüsse von Paris zeigen.

Es gibt auch unter den Zeitgenossen schon hellsichtige Denker, die die eigentümliche Zwischenstellung des Jugendstils zwischen den beiden großen, weit auseinandertretenden Lagern des neunzehnten und des zwanzigsten Jahrhunderts ahnen. So schreibt 1893 OTTO JULIUS BIERBAUM: »Kompliziert, in sich gegensätzlich, uneins in ihrem innersten Wesen ist die künstlerische Psyche von heute. Wir haben heut in der Kunst sowohl Décadence, wie überschwenglichen Zukunftsglauben, und die künstlerische Sehnsucht wendet ihre Augen sowohl rückwärts, wie zukunftsgeradeaus. Man kann diese Kunst weniger denn je in eine bestimmte Formel bringen, aber das ist sicher: wir

haben wieder eine Kunst, die mehr sein will und mehr ist als bloße, träge Erb-
nießerin der Vergangenheit. Gerade in ihrem wesensuneinen Gespaltensein,
in ihrer auseinanderflügelnden Seelenreichhaltigkeit, in ihrer Spannweite vom
Realistischen zum Phantastischen, vom Naiven zum Raffinierten, zeigt sie sich
als wahre Kunst, die ein starker und reicher Ausdruck ihrer Zeit ist. Man kann
es jetzt schon klärlich sehen, wie sie sich eng an den geistigen Entwicklungs-
gang der Zeit anschließt, wie sich aus dem Materialismus ein neuer Idealismus
zu erheben beginnt, nicht unangefochten durch rückläufige Neigungen, so
steigt aus dem als Reaktion notwendig und heilsam gewesenen puren Naturalismus eine neue gläubige Seelenkunst, gleichfalls nicht ohne die Begleiter-
scheinungen ins Mystische. Und diese Entwicklung ist in der Kunst nuancen-
reich wie im Leben.«[119]

Das Kühne und doch nicht Gelöste in Form und Ausdruck kann man natürlich verstehen als Gebrochenheit in sich. Man muß sich nur im klaren darüber
sein, daß damit ein von außen her abgeleiteter, einer anderen Stilepoche ent-
stammender Maßstab angelegt ist. Versucht man, den Jugendstil von innen
heraus, das heißt in seiner Absicht zur Selbstdarstellung zu begreifen – und
dazu sollten die Zitate zeitgenössischer Aussagen helfen – so sieht man allerdings, daß diese Kunst mit ihrem Zug zum Visionären, Traumsinnigen und
Stimmungshaften sich selbst folgerichtig vorträgt. Diese Einsicht ist Voraussetzung für die Erkenntnis des Jugendstils als Epoche der europäischen Malerei
um 1900.

Anmerkungen

1 Die genauen bibliographischen Zitate der nachfolgend erwähnten Arbeiten siehe im Literaturverzeichnis.

2 ›Jugendstil – der Weg ins 20. Jahrhundert‹, herausgegeben von Helmut Seling, eingeleitet von Kurt Bauch. Heidelberg–München 1959. – In diesem Buch erschienen die beiden Aufsätze des Verfassers: Malerei – Tapeten, deren Gedankengänge auch das Gerüst der vorliegenden Darstellung bilden.

3 Vgl. Hans Sedlmayr, Verlust der Mitte, Salzburg 1948, S. 80ff.; ders. Die Revolution der modernen Kunst. rde, Hamburg 1955 passim.

4 Egon Friedell, Kulturgeschichte der Neuzeit. München o. J. (einbändige Ausgabe), S. 1301.

5 W. Morris, Collected Works XXIII, S. 173; zitiert nach Pevsner, Wegbereiter ... S. 14.

6 I. W. Mackail, The Life of William Morris. London 1899; zitiert nach Pevsner, Wegbereiter ... S. 14.

7 Paul Sérusier, ABC de la Peinture. Neuausgabe Paris 1950, S. 12ff.

8 Hans Sedlmayr, Verlust der Mitte, S. 152.

9 Oskar Bie, Die Wand und ihre künstlerische Behandlung. Berlin o. J.

10 Karl Scheffler, Henry van de Velde, in: Kunst und Künstler, 3. Jhg.

11 Dora Hitz, in: Kunst und Künstler, 3. Jhg.

12 Ausführlich darüber R. Baurmann, in: ›Jugendstil ...‹ op. cit. S. 169ff. wir entnahmen diesem Aufsatz die unten mitgeteilten Tatsachen.

13 Wilhelm Sch., in: Ver Sacrum IX, 1898, S. 25 f.

14 A. Comte, Katechismus der positiven Religion. Deutsch von E. Roschlau 1891. Zitiert nach ›Französische Geisteswelt‹, hrsg. von J. Schondorf, Baden-Baden 1952, S. 207 ff.

15 Zitat nach Katalog ›Eugène Carrière et le Symbolisme‹, Paris 1949, S. 8 ff.

16 W. Schmiele, Hendrik Ibsen, in: Skandinavische Geisteswelt, Darmstadt 1954, S. 228.

17 Darüber ausführlich: Hans H. Hofstätter, Die Entstehung des Neuen Stils . . . , Seite 218 ff.

18 Zitiert nach Thomas Mann, Größe und Leiden Richard Wagners, in: Adel des Geistes, Stockholm 1948, S. 438.

19 Schopenhauer, Die Welt als Wille und Vorstellung. Ausgabe des Tilgner-Verlages, Berlin-Wien 1924, S. I, 182

20 Schopenhauer, op. cit. S. I, 183

21 Schopenhauer, op. cit. S. II, 388.

22 Schopenhauer, op. cit. S. I, 201 f.

23 Rilke, Über Kunst, in: Ver Sacrum 1898, Heft XI, S. 23.

24 Arnold Gehlen, Zeitbilder. Frankfurt 1960, S. 11.

25 Baudelaire, zitiert nach H. Friedrich, Die Struktur der modernen Lyrik in: rde, Bd. 25. Hamburg 1956, S. 46.

26 Wilhelm Weigand, Glossen zum Neu-

druck des Ardinghello. Zitiert nach Insel-
Almanach, 1906, S. 33.

27 Schopenhauer, op. cit. S. II, 376f.

28 Aus der Vorrede der Brüder Grimm zur
zweiten Auflage (1819) der ersten Ge-
samtausgabe. Zitiert nach dem Neudruck
der wissenschaftlichen Buchgemein-
schaft, Darmstadt 1955, S. 30f.

29 Zitiert nach einer Neuausgabe der
Droemerschen Verlagshandlung, München o. J. S. 5f.

30 Zitiert nach der Neuausgabe des Insel-
Verlages, Wiesbaden 1953, S. 7f.

31 Benno Ruettenauer, in: Der Kampf um
den Stil. Straßburg 1905 S. 81.

32 Kandinsky, Über das Geistige in der
Kunst. Zitiert nach der Originalausgabe,
S. 27 und 4f.

33 Eine Arbeit des Verfassers unter dem
Titel ›Symbolismus und die Kunst der
Jahrhundertwende‹ ist erschienen in der
Reihe I der DuMont-Dokumente.

34 Schopenhauer op. cit. S. I/232f.

35 Vincent van Gogh, Briefe an seinen
Bruder. Paul Cassirer, Berlin 1914,
I. Band, S. 224.

36 Eine leicht zugängliche Reproduktion in:
Das Kunstwerk 1/XI (Juli 1957) S. 8.

37 Beide Bilder sind reproduziert bei Cooper,
Zeichnungen und Aquarelle von Vincent
van Gogh. Basel 1954, Tafel 15 und 16.

38 Über die Beziehung zwischen van Gogh
und Emile Bernard siehe: Lettres de
Vincent van Gogh à Emile Bernard.
Paris 1911
E. Bernard, Vincent van Gogh, in: Les
Hommes d'Aujourd'hui Nr. 390, vol. 8,
1890.
A. Meyerson, van Gogh and the School
of Pont-Aven. Stockholm 1946.
H. H. Hofstätter, Die Entstehung des
Neuen Stils . . ., S. 178ff.

39 Beide Bilder sind in der Gegenüberstellung abgebildet bei J. Rewald, Post-
Impressionism, New York 1956, S. 60/61.

40 Abb. bei W. Uhde, V. v. Gogh. Phaidon-
Press 1952, Tafel 38 u. 39.

41 Lettres de Gauguin à sa femme et à ses
amis. Paris 1946, S. 44f.

42 Ebenda.

43 F. Schmalenbach: Grundlinien des Frühexpressionismus, in: Kunsthistorische
Studien, Basel 1941, S. 49ff.

44 Gehlen, op. cit. S. 68.

45 Amiet in: Das Werk, Zürich 1922,
S. 7ff.

46 L'Occident 1903, H. 16–18.

47 Alle genannten Werke sind abgebildet
bei Rewald, Post-Impressionism, op. cit.

48 Eine Abb. zeigte ich in meinem Aufsatz
über Jugendstilmalerei in: ›Jugendstil . . .‹
op. cit. Abb. 106.

49 Eine Abb. der Katalogseite Anquetins in:
›Jugendstil . . .‹ op. cit. Abb. 183.

50 So von R. Riegger-Baurmann in ihrer
Dissertation: Schrift im Jugendstil, Freiburg o. J. S. 42. Von hier stammt auch
das folgende Zitat.

51 Abgebildet als Titelblatt der Zeitschrift
›Das Kunstwerk‹ 1/XI, Juli 1957.

52 Zitiert nach Leopold Zahn, Die Muse des
Fin de Siècle und ihr Porträtist. Das
Kunstwerk 1952, Heft 3, S. 6ff.

53 Zitiert nach dem Katalog T. L. München
1961.

54 Der Talisman (Slg. Denis, St. Germain-
en-Laye) ist farbig abgebildet bei Rewald,
Post-Impressionism, S. 207.

55 Willibrord Verkade OSB, Die Unruhe
zu Gott, Freiburg 1954, S. 67ff.

56 Misia: Misia Sert, Pariser Erinnerungen.
Insel-Verlag, Wiesbaden, und rororo 433,
Hamburg.

57 Ambroise Vollard, Souvenirs d'un Mar-
chand de Tableaux. Deutsch im Aldus-
Verlag, Zürich, und Ullsteinbuch Nr. 134
(Auswahl).

58 Abgebildet u. a. in: ›Jugendstil . . .‹, op.
cit. Abb. 86.

59 Ausführlich darüber Gabriele Howald,

Bildteppiche, in: ›Jugendstil . . . ‹, op. cit. S. 359f.

60 *Die Ernte* 1898 im Reichsmuseum Kröller-Müller in Otterlo oder *Frühstück am Fluß* 1900 im Städt. Museum in Frankfurt a. M.

61 Ausführlich darüber Gabriele Howaldt, op. cit. S. 361f.

62 Slg. Petit Palais, Paris. Abgebildet im Katalog der Ausstellung A. M., Hamburg 1961/62, Nr. 94, Abb. 52.

63 Abb. in: Die Kunst, Bd. XXV (1911–1912), S. 102.

64 Bern Kunstmuseum. Abb. in: ›Jugendstil, . . . ‹ op. cit. Abb. 93.

65 Die genannten Beispiele in der Tate Gallery, London.

66 Zitate aus: ›Die Jahre der Kindheit‹, Autobiographisches von Giovanni Segantini. Zitiert nach dem Abdruck in der ›Jugend‹ 1903, Nr. 3, S. 36ff.

67 Die erwähnten Bilder im Kunstmuseum Basel.

68 H. Hildebrandt, Die Kunst des 19. und 20. Jahrhunderts, Potsdam 1924, S. 237ff.

69 Walter Crane, Dekorative Illustration des Buches, Leipzig 1901, S. 234.

70 Zitiert nach Marcus Behmer, Charles R., in: Buchkunst, Leipzig 1935, S. 35ff.

71 H. Esswein, Aubrey Beardsley, München 1912.

72 Abb. in: ›Jugendstil . . . ‹, op. cit. Abb. 173.

73 Karl Scheffler in: Die Kunst IV, 1907.

74 Dagobert Frey, Englisches Wesen in der bildenden Kunst. Stuttgart-Berlin 1942.

75 Dagobert Frey, op. cit. S. 401.

76 H. v. d. Velde, Zum neuen Stil, von Hans Curjel ausgewählte Schriften, München 1955, S. 46.

77 Van de Velde, op. cit. S. 37.

78 Van de Velde, op. cit. S. 95.

79 Van de Velde, op. cit. S. 181.

80 Vgl. Anmerkung 33.

81 Zitiert nach R. Neter, F. K., in: Die Kunst XXIX, S. 344.

82 Richard Muther, Kritiken 1900, o. O. S. 68.

83 Rolf Sternersen, E. M., Zürich 1949, S. 69.

84 Kunsthaus Zürich, Abb. in Sternersen, op. cit, Farbtafel neben S. 32.

85 Ausführlich darüber W. Doede, Berlin – Kunst und Künstler seit 1870. Recklinghausen 1961. Wir entnehmen diesem Buch im Folgenden wertvolle Informationen.

86 Doede, op. cit. S. 16.

87 ›Die Antwort auf den Protest deutscher Künstler‹, in: Die Kunst 25 (1911), S. 45ff.

88 Hildebrandt, op. cit. S. 334.

89 Für die verschiedenen Grade der Stilisierungen Leistikows siehe: ›Jugendstil . . . ‹ op cit. Abb. 105, 185, 340, 341.

90 Zitiert nach ›Insel-Almanach 1906‹, Leipzig, S. 25f.

91 3. Sonderausgabe der Berliner Architekturwelt, 1904, S. 4f.

92 Zitiert nach E. Grautoff, Buchkunst S. 143.

93 Max Halbe, Jahrhundertwende. Sämtliche Werke Bd. II, S. 37.

94 Wilhelm Michel, Leo Putz, S. 143.

95 Alfred Koeppen, Die moderne Malerei in Deutschland. Leipzig 1902, S. 95f.

96 L. Corinth, Carl Strahtmann, in: Kunst und Künstler I, 1903.

97 Rosenhagen, Die Künstlergemeinschaft 'Scholle', in: Die Kunst XI, 1905.

98 F. Schmalenbach, Jugendstil, Würzburg 1935, S. 45f.

99 F. Schmalenbach, op. cit. S. 92.

100 Der Beitrag Weisgerbers zum Jugendstil ist zum erstenmal zusammengefaßt worden von Wilhelm Weber; Albert Weisgerbers Mitarbeit an der Zeitschrift ›Jugend‹, in: A. W., Handzeichnungen und Aquarelle der Slg. Kohl-Weigand, Mainz 1961.

101 Koeppen, Die moderne Malerei in Deutschland, Leipzig 1902, S. 55f.

102 F. Schmalenbach, Ansprache bei Eröff-

nung der Ausstellung im Behnhaus am 13. Nov. 1959. Separatdruck.

103 Farbtafel bei Stelzer, P.B.-M., Berlin 1958.

104 Ludwig Hevesi über die 1. Ausstellung 1898, in Ver Sacrum I.

105 H. Bahr in: Ver Sacrum I (5–6) S. 5.

106 H. Haberfeld, G. K., in: Die Kunst XXII, S. 174.

107 Zitiert nach Pirchan, G. K., Wien 1956, S. 34.

108 Abb. in: ›Jugendstil . . . ‹, op. cit. Abb. 18.

109 E. Mitsch, E. Sch., Salzburg 1961, S. 8.

110 Prof. Dr. Karl Jettmar, Mainz, stellte mir dankenswerterweise seine unveröffentlichten Aufzeichnungen zur Verfügung.

111 ebenda.

112 Darüber ausführlich O. Wulff, Die neurussische Kunst. Augsburg 1932, S. 315 ff.

113 ebenda.

114 Johannes Eichler, Kandinsky und Gabriele Münter. München o. J. S. 112.

115 ebenda. S. 112.

116 Das hier als Beispiel angeführte Bild *Kind mit Taube* befindet sich in der Sammlung Lady Aberconway, London.

117 Zitiert nach: Kunst für Alle XII (1896), S. 8 f. – übersetzt von H. E. v. Berlepsch.

118 Zitiert nach Eichler, op. cit. S. 116.

119 O. J. Bierbaum, Aus beiden Lagern. München 1893.

Bibliographie

Ahlers-Hestermann, F., Stilwende. Berlin 1941 (2. Auflage 1956)

Alpatov, M., Russian Impact on Art. New York 1950

Aurier, A., Le Symbolisme en Peinture. Mercure de France II 1891

Bahr, H., Fernand Khnopff. Ver Sacrum 1898

Bahr, H., Die Überwindung des Naturalismus. Dresden und Leipzig 1891

Bahr, H., Sezession. Wien 1900

Barazetti, S., Maurice Denis. Paris 1945

Bell, M., Sir Eduard Burne-Jones. London 1903

Benesch, O., Edvard Munch. Köln 1960

Berlepsch, v., H. E., Walter Crane. Kunst für Alle II, 1896

Bie, O., Walter Leistikow. Kunst und Künstler, 2, 1904

Bierbaum, O. J., Franz Stuck. München 1893

Boer, J. de, Jan Toorop. Amsterdam 1911

Brieger-Wasservogel, L., Ludwig von Hofmann. In: Deutsche Maler. Straßburg 1903

Brieger-Wasservogel, L., Heinrich Vogeler. In: Deutsche Maler, Straßburg 1903

Burger, F., Einführung in die moderne Kunst. Berlin 1917

Burger, F., Cézanne und Hodler. München 1917

Chassé, Ch., Le Mouvement Symboliste dans l'Art du XIXe Siècle. Paris 1947

Chastel, A., Vuillard. Paris 1946

Cogniat, R., Gauguin, ses Amis, l'École de Pont-Aven et l'Académie Julian. Paris 1934

Cooper, D., Zeichnungen und Aquarelle von Vincent van Gogh. Basel 1954

Corinth, L., Carl Strahtmann. Kunst und Künstler I, 1903

Corinth, L., Th. Th. Heine und Münchens Kunstleben am Ende des vorigen Jahrhunderts. Kunst und Künstler 4, 1906

Corinth, L., Das Leben Walter Leistikows. Berlin 1910

Creutz, M., Johan Thorn-Prikker. Mönchen-Gladbach 1925

Denis, M., Théories 1890–1910. Paris 1920

Denis, M., Paul Sérusier. Paris 1943

Dorival, B., Les étapes de la peinture française contemporaine. Paris 1943

Dubray, J., Félicien Rops. Paris 1928

Dumont-Wilden, Fernand Khnopff. Brüssel 1907

Eeckhout, van den, F. J. R., Jan Toorop. Blaricum 1925

Eemans, N., Fernand Khnopff. Antwerpen 1950

Eisler, M., Gustav Klimt. Wien 1921

Eichner, J., Kandinsky und Gabriele Münter. München o. J.

Elias, J., Walter Leistikow. Die Kunst 13, 1903

Endrich, E., Verkade und die Nabi. Freiburg 1954

Exteens, M., L'œuvre gravé et lithographié de Félicien Rops. Paris 1928

Fegdal, Ch., Félix Vallotton. Paris 1931

Feistel-Rohmeder, Ludwig Dill. Deutsche Kunst und Dekoration 15, 1904/05

Fischel, O., Ludwig von Hofmann. Leipzig 1903

Fleischmann, B., Gustav Klimt – eine Nachlese. Wien 1946

Florisoone, M., Carrière et le Symbolisme Français. Paris 1949

Fontainas, A., Mes Souvenirs du Symbolisme. Paris 1924

Fred, W., Die Praeraffaeliten. Straßburg 1900

Frey, D., Englisches Wesen in der bildenden Kunst. Stuttgart-Berlin 1942

Fuchs, G., Mackintosh und die Schule von Glasgow in Turin. Deutsche Kunst und Dekoration 10, 1902

Gans, L., De Nederlandse Bijtrage tot de Art Nouveau, Utrecht 1960

Gaunt, W., The etchings of Frank Brangwyn. London 1926

Geitel, M., Finnlands großer Maler Axel Gallén. Die Kunst 37, 1918

Genthon, J., Rippl-Rónai. Budapest 1958

Grabar, J., Zwei Jahrhunderte russischer Kunst. Zeitschrift für bildende Kunst, neue Folge 18, 1907

Grautoff, O., Albert Besnard. Die Kunst 25, 1912

Grautoff, O., Die Entwicklung der modernen Buchkunst in Deutschland. Leipzig 1901

Haberfeld, W., Gustav Klimt. Die Kunst 25, 1912

Haftmann, W., Malerei im 20. Jahrhundert. München 1954

Hahnloser-Bühler, H., Félix Vallotton et ses amis. Paris 1936

Hamann, R., Die deutsche Malerei vom 18. bis zum Beginn des 20. Jahrhunderts. Leipzig-Berlin 1925

Hermann, F., Die Nabis und die Revue Blanche. Zürich 1953

Hevesi, L., Österreichische Kunst im 19. Jahrhundert, zweiter Teil 1848–1900. Leipzig 1903

Hevesi, L., Acht Jahre Sezession 1897–1905. Wien 1906

Hoeber, F., Peter Behrens. München 1913

Hoek, K. van, Jan Toorop Herdenking. Amsterdam 1930

Hodin, I. P., Edvard Munch, Stockholm 1948

Hölscher, E., Aubrey Beardsley. Hamburg 1949

Hofstätter, H. H., Die Entstehung des Neuen Stils in der französischen Malerei um 1890. Freiburg 1955 (Phil. Diss.)

Hofstätter, H. H., Emile Bernard. Das Kunstwerk 1957

Hofstätter, H. H., Malerei des Jugendstils, in: Jugendstil, der Weg ins 20. Jahrhundert. Heidelberg 1959

Howarth, Th., Charles Rennie Macintosh and the Modern Movement. London 1952

Humbert, A., Les Nabis et leur Epoque. Paris 1955

Ironseide, R., Pre-Raphaelite Painters. London 1948

Janssen, M., Schets over het leven en enkele werken van Jan Toorop. Amsterdam 1920

Joyant, M., Henri de Toulouse-Lautrec. 2 Bde. Paris 1926/27

Jugendstil, der Weg ins zwanzigste Jahrhundert. Heidelberg/München 1959

Kayser, W., Der europäische Symbolismus. Duitse Kronick, 1953

Kesser, H., Cuno Amiet. Kunst und Künstler 4, 1906

Klimt, Gustav. Gedächtnisausstellung in der Albertina, Katalog Wien 1962

Knipping, I. B., Jan Toorop. Amsterdam 1945

Koeppen, A., Die moderne Malerei in Deutschland. Bielefeld und Leipzig 1902

Konody, P. G., The Art of Walter Crane. London 1902

Langaard, J. E., Edvard Munch. Oslo 1947

Laissaigne, J., Toulouse-Lautrec. Paris 1939

Leitich, A., Franz Matsch. Die Kunst 17, 1908

Lichtwark, A., Markartbukett und Blumenstrauß. München 1894

Madsen, St. T., Sources of Art Nouveau. Oslo 1956

Martin, D., The Glasgow School of Painters. London 1897

Mauclaire, C., Ignacio Zuloaga. Die Kunst 25, 1912

Meier-Graefe, J., Entwicklungsgeschichte der modernen Kunst, 3. Bde. Stuttgart 1904/05

Michel, W., Leo Putz. Leipzig o. J.

Mühlestein, H., und G. Schmidt, Ferdinand Holder, sein Leben und sein Werk. Zürich 1943

Mitsch, E., Egon Schiele, Zeichnungen und Aquarelle. Salzburg 1961

Müller, W. Y., Die Kunst Ferdinand Hodlers, Reife und Spätwerk 1895–1918. Zürich 1941

München 1869–1958. Aufbruch zur modernen Kunst, Katalog. Ausstellung München, Haus der Kunst 1958

Muther, R., Geschichte der Malerei im 19. Jahrhundert. München 1893/94

Muther, R., Geschichte der englischen Malerei. Berlin 1903

Muther, R., Die belgische Malerei im 19. Jahrhundert. Berlin 1909

Muther, R., Studien und Kritiken. Wien o. J.

Nebehay, Ch. M., Gustav Klimt, 150 bedeutende Zeichnungen. Katalog Wien 1962

Neumann, J., Die neue tschechische Malerei und ihre klassische Tradition. Prag 1958

Neumeyer, A., Die praeraffaelitische Malerei im Rahmen der Kunstgeschichte des 19. Jahrhunderts. Deutsche Vierteljahresschrift für Literaturwissenschaft und Geistesgeschichte 1923

Osborn, M., Emil Orlik. Zeitschrift für Bildende Kunst, neue Folge 21, 1910

Osborn, M., Der Holzschnitt. Leipzig 1905

Osborn, M., Prof. Otto Eckmann – Berlin. Deutsche Kunst und Dekoration 1900

Osborn, M., Walter Leistikow. Deutsche Kunst und Dekoration 1899/1900

Ostini, v., F., Julius Diez, o. O. u. o. J.

Ostini, v., F., Hugo v. Habermann. München 1912

Ostini, v., F., Fritz Erler. Leipzig 1921

Ostini, v., F., Franz von Stuck. Die Kunst 9, 1904

Ostini, v., F., Franz von Stuck, das Gesamtwerk. München

Ostini, v., F., Adolf Hölzel und Rudolf Schramm-Zittau. Die Kunst 15, 1907

Ostini, v., F., Hans Pellar. Die Kunst 27, 1913

Ottmann, F., Von Fügen bis Klimt. Wien 1923

Overbeck, F., Ein Brief aus Worpswede. Kunst für Alle 11, 1895/96

Papp, J., Hugo von Habermann. Die Kunst 21, 1910

Pennel, E. R., The Life of James McNeil Whistler. London 1908

Pevsner, N., Wegbereiter moderner Formgebung. Hamburg 1957

Pirchan, E., Hans Makart. Wien 1954

Pirchan, E., Gustav Klimt. Wien 1956

Plasschaert, A., Jan Toorop. Amsterdam 1925

Polak, B., Het Fin de Siècle in de Nederlandse Schilderkunst. Den Haag 1955

Puaux, R., Goerges de Feure. Paris 1902

Odilon Redon, A soi-même. Paris 1922

Redslob, E., Ludwig von Hofmanns Lithographien und Holzschnitte. Die Kunst 35, 1917

Renzio, T. del, Charles Rennie Mackintosh. World Review, London, January 1953

Rentsch, A., Fiduswerk. Dresden 1925

Rewald, J., The History of Impressionism. New York 1946

Rewald, J., Postimpressionism from van Gogh to Gauguin. New York 1956

Rewald, J., Paul Gauguin. Paris 1938

Rewald, J., Pierre Bonnard. New York 1948

Richardson, Pablo Picasso, Aquarelle und Gouachen. Basel 1956

Rilke, Rainer Maria, Worpswede. Leipzig 1905 (Abgekürzte Neuauflage Bremen 1952)

Rilke, Rainer Maria, Heinrich Vogeler. Deutsche Kunst und Dekoration 10

Roessler, A., Neu-Dachau. Leipzig 1905

Roger-Marx, C., Odilon Redon. Paris 1935

Roger-Marx, C., Vuillard et son temps. Paris 1945

Roh, F., Geschichte der deutschen Kunst von 1900 bis zur Gegenwart. München 1958

Rosenhagen, H., Die Münchner Künstlervereinigung Scholle. Die Kunst 11, 1905

Ruettenauer, B., Symbolische Kunst. Straßburg 1900

Salomon, J., Vuillard. Paris 1945

Scheffler, K., Das Phänomen der Kunst, grundsätzliche Betrachtungen zum 19. Jahrhundert München 1952

Schleinitz, v., O., Walter Crane. Leipzig 1902

Schleinitz, v., O., Burne-Jones. Leipzig 1901

Schmalenbach, F., Jugendstil, ein Beitrag zur Theorie und Geschichte der Flächenkunst. Würzburg 1935

Schmalenbach, F., Jugendstil und Neue Sachlichkeit. in: Kunsthistorische Studien. Basel 1941

Schmalenbach, F., Grundlagen des Frühexpressionismus. in: Kunsthist. Studien, Basel 1941

Schmutzler, R., The English Origins of Art Nouveau. The Architectural Review, 1955

Schmutzler, R., Blake and Art Nouveau. The Architectural Review, London 1955

Schmutzler, R., Art Nouveau-Jugendstil, Stuttgart 1962

Schultze-Naumburg, P., Ludwig Dill und die neueren Bestrebungen der Münchner Landschaftsschule. PAN 31, 1897

Schultze-Naumburg, P., Worpswede, Kunst für Alle 12, 1895

Schultze-Naumburg, P., Ludwig von Hofmann Kunst für Alle 14, 1899

Schultze-Naumburg, P., Neues von Ludwig von Hofmann. Die Kunst 55, 1927

Schultze-Naumburg, Fernand Khnopff

Sérusier, P., ABC de la Peinture. Paris 1942

Segantini, Giovanni Segantini. Zürich 1949

Shaw-Sparrow, W., Frank Brangwyn and his Work. London 1915

Shaw-Sparrow, W., English Art and Fernand Khnopff. The Studio 21, 1894

Singer, H. W., Emil Orlik-Wien. Deutsche Kunst und Dekoration, 15, 1904/05

Singer, H. W., Die Moderne Graphik. Leipzig 1922

Sponsel, J. L., Heinrich Vogeler. Deutsche Kunst und Dekoration 4, 1899

Stanley, J., Frank Brangwyn and his Art. The Studio 12, 1898

Stelzer, O., Paula Modersohn-Becker. Berlin 1958

Sternberger, D., Über den Jugendstil und andere Essays. Hamburg 1956

Stenersen, R., Edvard Munch. Zürich 1949

Sztuka I Krytyka, Nr. 3-4, Warschau 1956

Sztuka I Krytyka (Wyspianski) Nr. 3-4, Warschau 1957

Terrasse, Ch., Pierre Bonnard. Paris 1927

Thiis, J., Edvard Munch. Berlin 1934

Überwasser, W., Hodler, Köpfe und Gestalten. Zürich 1947

Uhde-Bernays, H., Die Münchner Malerei im 19. Jahrhundert (II. Teil 1850-1900). München 1927

Umanskij, K., Neue Kunst in Rußland. Potsdam-München 1920

Verhaeren, E., Quelques Notes sur l'œuvre de Fernand Khnopff. Brüssel 1887

Verkade OSB, W., Erinnerungen eines Malermönchs. Freiburg 1954 (letzte Auflage)

Waetzold, W., Deutsche Malerei seit 1870. Leipzig 1918

Wallis, A. A., Fin de Siècle. London 1947

Weixelgärtner, A., Rudolf Jettmar. Die Kunst 27, 1913

White, G., The coloured prints of M. W. P. Nicholson. The Studio 12, 1898

Wild, D., Moderne Malerei. Zürich 1950

Wolf, G. J., Th. Th. Heines Gemälde. Die Kunst 23, 1916

Wolf, G. J., Gobelinentwürfe von Th. Th. Heine. Die Kunst 38, 1918

Wolff, H., Emil Orlik. Die Kunst 35, 1917

Woolley, G., Richard Wagner et le symbolisme français. Paris 1931

Wulff, O., Die neurussische Kunst. Augsburg 1932

Zur Westen, v., W., Reklamekunst. Bielefeld und Leipzig 1903

Zweig, M., Zweites Rokoko. Wien 1924

Ausstellungskataloge

Krakau 1958: Stanislaw Wyspianski (Museum Narodowe)

Mannheim 1964: Die Nabis und ihre Freunde (Kunsthalle)

München 1964: Sezession, europäische Kunst der Jahrhundertwende (Haus der Kunst)

Wien 1962: Gustav Klimt, Zeichnungen aus der Albertina

Wien 1962: Gustav Klimt, 150 bedeutende Zeichnungen der Galerie Christian M. Nebehay

Wien 1964: Wien um 1900, veranstaltet vom Kulturamt der Stadt Wien

Prag 1964: Jan Preisler (Norodni-Galerie)

Zürich 1965: Félix Vallotton (Kunsthaus)

Fotonachweis

Academy Edition, London   Ft. 1
Annan, Glasgow   6
The Art Institute of Chicago (Helen Birch Bartlett Memorial Collection)   2
Ateneum, Helsinki   27
Blauel, Gauting b. München   Ft. 5
Bruckmann-Verlag, München   29, 31, 33, 36, 37, 48
Bulloz, Paris   Ft. 6
Buchholz Gallery, Curt Valentin, New York   51
Cauvin, Paris   3
Giraudon, Paris   Ft. 8; 9, 11, 12
Hinz, Allschwil (Schweiz)   Ft. 7
Historisches Bildarchiv Handke, Bad Berneck   1
Hodder and Stoughton, London   20
Sammlung R. Kisling, Zürich   16
Kunstgewerbemuseum Zürich   21
Kunsthalle Bremen (Foto Stickelmann)   13
Ludwig-Roselius-Sammlung, Bremen   39
Münchener Stadtmuseum   35
Munch-Museum, Oslo   Ft. 4
Österr. Galerie in Wien   40
Rijksmuseum Amsterdam   23
Rijksmuseum Kröller-Müller, Otterloo   10, 24
Schweizerisches Institut für Kunstwissenschaft, Zürich   18
Städt. Galerie und Lenbachgalerie, München   34, 45
O. Vaering, Oslo   26
Victoria and Albert Museum, London   19
Gal. Welz, Salzburg   Ft. 2, 3
Wirtzel, Essen   15

Verzeichnis der Strichzeichnungen

(Verweise im Text sind mit Fig. bezeichnet)

Verzeichnis der Vignetten und Zierleisten

Verzeichnis der Bildtafeln

(Verweise im Text sind mit Abb. bezeichnet)

Die Bildtafeln 50 und 51 sind auf den Innenseiten der hinteren Einschlagklappe wiedergegeben.

Index

INDEX

DuMont Dokumente: Gesamtübersicht

DuMont Dokumente: Gesamtübersicht

*8102/
/1088 /35* *26,80*

Vom Autor des vorliegenden Buches erschienen:

Symbolismus und die Kunst der Jahrhundertwende

Mit Textdokumenten von Jean Moréas, Sàr Mérodack, Joséphin Péladan, Joris Karl Huysmans, Gomerz Carille, Arthur Symons und Wilhelm von Bode
Von Hans H. Hofstätter. 274 Seiten mit 96 einfarbigen Abbildungen, 86 Zeichnungen und Vignetten, 1 Zeittafel, Bibliographie und Register (DuMont Dokumente)
»Das höchst anregend geschriebene Buch bietet tiefe Zugänge zu den Grundzügen der künstlerischen Gestaltung im 19. Jahrhundert.«   *Österreichischer Rundfunk*

Aubrey Beardsley   Zeichnungen

Mit einer Einleitung von Hans H. Hofstätter. 185 Seiten mit 140 einfarbigen Abbildungen, Literaturhinweisen (DuMont Kunst-Taschenbücher, Bd. 48)
»Das DuMont Kunst-Taschenbuch über Beardsley gehört zu den am besten gelungenen: es präsentiert mit seiner Auswahl alle Möglichkeiten dieses Künstlers, und Hofstätter ist als Jugendstil-Spezialist der Zuständige, um Beardsleys bleibenden Einfluß auf die zeitgenössische Graphik zu erhellen.«   *Münchner Merkur*

Bitte beachten Sie auch folgende Titel unseres Verlages:

Heinrich Vogeler   Zeichnungen

Von Heinrich Wiegand Petzet. 200 Seiten mit 8 farbigen und 130 einfarbigen Abbildungen, 4 Persönlichkeitsfotos, Anmerkungen, Literaturhinweisen, Zeittafel, zahlreichen Vignetten (DuMont Kunst-Taschenbücher, Bd. 41)
»Diese Auswahl von über 130 Skizzen und Zeichnungen gibt einen Überblick über Vogelers reiches zeichnerisches Œuvre und offenbart seine unerschöpfliche zeichnerische Phantasie.«
Siegener Zeitung

Heinrich Vogeler

Von Worpswede nach Moskau. Ein Künstler zwischen den Zeiten
Von Heinrich Wiegand Petzet. 252 Seiten mit 10 farbigen und 97 einfarbigen Abbildungen, 55 Zeichnungen und Vignetten, Dokumenten, Bibliographie, Namenverzeichnis (DuMont·Dokumente)
»Vogelers Leben wird von Heinrich Wiegand Petzet sehr sorgfältig und liebevoll nachgezeichnet und mit Dokumenten belegt. Der Band ist auch sehr schön mit Vignetten, Zeichnungen und Reproduktionen der Bilder, Architekturen, Innenräume von Heinrich Vogeler ausgestattet.«
Frankfurter Rundschau

Jugendstil

Kunstformen zwischen Individualismus und Massengesellschaft
Von Gabriele Sterner. 189 Seiten mit 20 farbigen und 73 einfarbigen Abbildungen, Bibliographie, Namenregister (DuMont Kunst-Taschenbücher, Bd. 25)
»Der Band gibt einen glänzenden Überblick über eine der interessantesten Entwicklungen der Kunst zur Jahrhundertwende.«   *Basler Nachrichten*

N
6465
.A7
H6
1975

7775